De beginners

Rebecca Wolff

De beginners

Vertaald door
Wim Scherpenisse

Anthos | Amsterdam

De vertaling van het fragment van Mary Shelley op pagina 19 is afkomstig uit *Frankenstein of de moderne Prometheus*, vertaald door Else Hoog, Loeb 1980.

De vertaling van de regel uit 'La belle dame sans merci' van John Keats op pagina 63 is afkomstig uit Peter Verstegen, *Natuur zal kunst nooit blijvend evenaren. De Westeuropese poëzie in honderd gedichten*, Bert Bakker 1989.

De terminologie uit *De drakenrijders van Pern* op pagina 76 is overgenomen uit Anne McCaffrey, *Drakenvlucht*, vertaald door J. Loopstra, Het Spectrum 1999.

ISBN 978 90 414 1706 0

Oorspronkelijke titel *The Beginners*
Oorspronkelijke uitgever Riverhead Books
Omslagontwerp Roald Triebels, Amsterdam
Omslagillustratie © Rob Payne / Gallery Stock
Foto auteur Sarah Shatz

Verspreiding voor België:
Veen Bosch & Keuning uitgevers n.v., Antwerpen

Voor Cybele, Caitlin, Cassie, Cathy, Cate,
Katherine, Caroline, Cintra, Katy,
Christina en Colie

en Nic, Daphne,
Theo, Valerie, Susan, Sally & Laura,
Amy & Ted & Tamara, Natasha,
en natuurlijk Giuliana

1

Eind mei

Ik stond op mijn gebruikelijke plek achter de bar van het Top Hat Café, met gebogen hoofd, dacht na over het kwaad en smeerde boter op geroosterd brood. Vannacht heb ik over Onafhankelijkheidsdag gedroomd. Misschien sterf ik wel op die dag – dit jaar? Of anders wel volgend jaar, of over tweeënveertig jaar. Ik peil mijn reactie op het nieuws van mijn ophanden zijnde dood op een dag waarop vuurwerk tot in de verre omtrek het enige oriëntatiepunt is, waarop het decor bestaat uit een zwarte nachthemel met namaaksterren, gezien vanuit een ver achterovergebogen hoofd met een open mond die geluidloos 'oh' en 'ah' zegt. Ik zie het allemaal heel duidelijk voor me. Ik ben vijftien. Ik maak mezelf graag bang.

Mezelf – ik weet niet wie dat eigenlijk is.

De naarste droom die ik ooit heb gehad, ging over een huis en een veld. Ik stond bij het huis, onder een weidse hemel. Alles was technicolorblauw en -groen. Ik was naar het huis toe gegaan om mijn 'beste vriend', een soort grijnzende vogelverschrikker, te hulp te komen, want ze zaten achter hem aan. Hij werd beschuldigd van een moord met een bijl. Het grootste deel van de droom bestond eruit dat die strooien pop me over een karrenspoor achternazat, een veld in joeg en me uiteindelijk te pakken kreeg toen ik op een hoog houten hek stuitte dat onder stroom stond. Dat alles onder een weidse, strakblauwe lucht. Bij dat hek deelde mijn vriend me, door zijn grijnzende tanden heen, een gemeenplaats mee. 'Je beste vriend is je ergste vijand,' zei hij, waarna hij de straf uiteenzette die ik voor mijn wandaad zou ondergaan.

Er is niets behalve wij tweeën onder die stralende hemel die zich in alle richtingen tot aan de horizon uitstrekt, en mijn akelig grijnzende vriend zegt dat ik nu onmiddellijk moet beginnen mezelf levend op te eten, te beginnen met de vingertoppen van mijn rechterhand, en dat mijn ingewanden bloot zullen liggen zodra ik mezelf helemaal op heb, en dan word ik binnenstebuiten gekeerd en moet ik helemaal overnieuw beginnen, dooreten totdat ik weer buitenstebinnen ben, en dan weer van voren af aan, tot in het oneindige, tot kotsens toe.

Maar zelfs dat is nog niet het ergste van mijn straf. Het is alleen maar het vlees van het vonnis. Als me wordt verteld wat het geraamte is, jaagt dat me de grootste angst aan, en ik word wakker met zo'n witheet gloeiende paniek en walging dat het me al die jaren is bijgebleven, al droomde ik dit toen ik nog bijna een kind was.

'Je vonnis is,' zegt de vogelverschrikker, 'dat je telkens opnieuw de ergste nachtmerrie moet uitbeelden die ik ooit heb gehad – ík, je beste vriend. Ik zal nu toekijken terwijl jij jezelf opeet, wat ik tot nu toe alleen in mijn dromen heb gezien. Jij bent van nu af aan eeuwig het onderwerp van die nachtmerrie, niet ik.'

Is het een zonde, vraag ik me af terwijl ik de geroosterde boterhammen op elkaar leg, ze in tweeën snijd en de helften op een bordje schik, om te handelen in overeenstemming met je wensen terwijl je weet dat een van de gevolgen daarvan is dat de mensen om je heen pijn en verdriet hebben? Of is het een zonde om dingen te wensen die pijn en verdriet veroorzaken? Of is dat hetzelfde? Of is het een zonde... impliceert de zonde... omvat de zonde meer dan de daden, gedachten of wensen van één mens? De zonde als zwevende willekeur van het bestaan, als een hoed die toevallig op je hoofd vliegt. Als dat zo was, zou het je vrijwaren van iedere persoonlijke verantwoordelijkheid.

Het verbaast me dat het me die eerste dag in het café niet opviel dat ze binnenkwamen, de Motherwells, Raquel en Theo, een goed uitziend jong stel. Ik stond net een rekening op te maken bij de kassa toen ik boven het geroezemoes uit een opvallende stem hoorde, vol en diep. 'Theo, dit geroosterde brood is zo droog als een heksentiet.' Gevolgd door een lach die tegelijkertijd zenuwachtig en onbeheerst was, als van een meisje dat nog op is na bedtijd, bezield door het vuur van een nieuw uur. Ik keek in de richting van het ene tafeltje bij het raam, waar het zonlicht op bepaalde tijden van de dag te fel is, en zag haar zitten met een man, of misschien een opgeschoten jongen. (Theo is jonger dan zij, tenger maar sterk.) Zijn donzige haar was askleurig, vuilblond, en hij droeg een flodderige korte broek van een stof uit Guatemala of een ander ver land, sportschoenen en een T-shirt. Hij leek zich op zijn gemak te voelen in ons eenvoudige interieur. Op tafel tussen hen in een krant – zo te zien niet *The Valley Republican* – en borden met eieren met lichtoranje dooiers, nog onaangeroerd, geroosterd brood en koffie. Misschien wel het brood dat ik net had gesmeerd, helemaal opgaand in mijn werk. Danielle, het andere meisje, had hen ongemerkt bediend.

Ik werkte op sommige dagen na schooltijd en in de weekends bij het Top Hat Café; dat was al zo sinds de dag dat ik dertien was geworden en mijn vader het had geopperd. 'Volgens mij ben je nu oud genoeg om een zakcentje bij te verdienen, Ginger,' had hij gezegd, en ik had meteen een baantje voor mezelf geregeld, eerst als bordenwasster, toen als caissière, vervolgens als serveerster, en nu was me de allerhoogste verantwoordelijkheid toevertrouwd: ik mocht de zaak openen en sluiten. Ik was goed in alles wat ik had gedaan, maar vooral in het bedienen van de klanten. Ik kende de menukaart van het Top Hat Café al van jongs af aan vanbuiten omdat ik hier vroeger na schooltijd met mijn moeder kwam en milkshakes en patat kreeg. Ik wist vaak al wat mensen gingen bestellen voordat ze hun mond opendeden.

Die extra vijfentwintig dollar per week was niet de enige reden dat mijn ouders me hadden aangespoord bij meneer Penrose om werk te vragen. Ik geloof dat ze zich toen al zorgen maakten dat ik, zelfs op die jonge leeftijd, niet voldoende betrokken was bij het leven in onze kleine gemeenschap, bij wat er allemaal speelde. Ik wist bijvoorbeeld nooit wie de beste vriendin van wie was op school of wie er dat weekend een verjaarsfeestje gaf. Het kon me gewoon niet schelen, want ik had Cherry. Cherry wist al die dingen voor ons allebei.

Maar mijn ouders zaten me altijd op te porren om mijn boek weg te leggen en de andere kinderen op te zoeken. Ik moest maar eens naar het dorpsplein gaan, daar waren ze vaak na school. Ze vonden blijkbaar dat een beetje lol trappen nuttiger – gezonder, vruchtbaarder, normaler – was dan eindeloos in een plekje zon op het kleed in de huiskamer op mijn buik liggen met een stapel bibliotheekboeken en ondertussen pistachenoten pellen en opeten. Volgens mij dachten ze dat ik eenzaam was.

Ik las alles wat los en vast zat en speurde in de boekenrekken in de Agnes Grey-bibliotheek (opgericht met donaties van voornoemde douairière) regelmatig naar obscure Hollywood-biografieën, pikante romans uit de begintijd van de vrouwenemancipatie met heldinnen die hun kinderen verwaarloosden en hun gynaecoloog 'naaiden', hele ritsen spionageromans met vaste macho-hoofdpersonen met namen als 'Jim Prodder', mannen die evenveel energie spendeerden aan hun sekstechniek (hij kon met alleen zijn tanden en zijn tong een druif schillen!) als aan spionage, álles van Jane Austen, wier scherpe blik voor de zwaarwegendheid van romantische verlangens ik zowel leerzaam als onderhoudend vond – eigenlijk alles waar 'roman' op stond en wat ging over een gezin, of een gedoemde liefde, of een mislukt leven, of een duister geheim, of een seksuele initiatie, of een reeks toevallige voorvallen die tot een crisis leidde.

En in het Top Hat Café vond ik nog iets wat bij mijn zeer brede smaak paste: de eigenaar, Penrose, beheerde een voortdurend bijgewerkte verzameling pornoblaadjes op een plank in de kast onder de wasbak op het werknemerstoilet. Ik zat daar vaak stilletjes met zo'n blaadje op schoot, soms tijdens pauzes, soms een hele poos na sluitingstijd. Na die clandestiene research was ik verhit en had ik een trekkend gevoel in mijn kruis, en zo maakte ik op een duizeligmakende manier kennis met een macht die ik misschien ooit zou bezitten, heel anders dan de nauwkeuriger omschreven esoterische machten waarin ik me in mijn afzondering bekwaamde. Dit was een macht die alleen in aanwezigheid van een ander kon worden uitgeoefend.

De grote vrouw aan het tafeltje bij het raam kneep haar ogen half dicht toen er een baan zonlicht op haar gezicht viel, wat ik al een hele tijd had zien aankomen. Ze verschoof haar stoel om het zonlicht te vermijden, waarbij haar doordringende blik de mijne kruiste, en ze bleef me aankijken, stond op en kwam met haar bord met geroosterd brood naar de bar toe. Haar vriend volgde haar met zijn blik alsof hij naar een traag bewegend projectiel keek. Ik stopte twee nieuwe sneetjes in het broodrooster voordat ze iets had kunnen zeggen. Ze leunde op de bar, en omdat er niets belangwekkends meer te zeggen viel vroeg ze hoe ik heette.

'Ginger?' herhaalde ze. 'Hm, dat past goed bij je. Ik heb altijd bewondering gehad voor Ginger uit *Gilligan's Island*, die zelfs na jaren op dat onbewoonde eiland haar glamour nog wist te bewaren. Hopelijk heb ik je niet in verlegenheid gebracht, ik weet dat roodharigen niet graag het middelpunt van...' Haar zin eindigde in gemompel en ze draaide zich met een ruk om en keek naar de man die naar ik aannam haar partner was.

Ik nam haar nauwkeurig op. Je ziet tenslotte niet elke dag iemand die nieuw voor je is. Ze leek me op de een of andere manier rijk, bedacht ik, ondanks haar nonchalante kleding; misschien kwam het doordat ze een onwrikbaar vertrouwen uitstraalde dat ze mijn aandacht waard was. Ik concludeerde dat ze op doorreis waren. In de zomer en de herfst krijgen we af en toe mensen die niet in een van de meer toegankelijke plaatsen hier in de buurt terechtkunnen, meestal gezinnen die daar tevergeefs een hotel hebben gezocht. Ik raapte mijn moed bij elkaar en vroeg haar onomwonden wat het doel van hun reis was.

'Nou,' zei ze, en ze keek weer om naar Theo, die nu de krant doorbladerde, 'we zijn niet op reis. We hebben net een huis gekocht. We zijn jullie nieuwe buren, de Motherwells – Raquel en Theo.' Ze sprak haar achternaam uit alsof die uit haar mond gek klonk, zoals een koning tegen je zou zeggen dat hij Onderdaan heette. Koning Onderdaan. 'Het huis naast de middelbare school, aan Route 7. Kom na schooltijd maar een keer langs, als je zin hebt. Ik teken wel even een plattegrondje. We zijn hier al twee weken en we hebben nog geen enkele keer bezoek gehad.'

Ik was verrast, zowel door de uitnodiging – waar had ik die aan verdiend? – als door hun tot nu toe onopgemerkt gebleven aanwezigheid, maar nog groter was mijn teleurstelling dat ze had gegokt of, nog erger, ervan úít was gegaan dat ik nog naar school ging. Ik beschouwde mezelf graag als leeftijdloos.

Ik was vijftien, maar had nog een kinderlijk vermogen om dingen te geloven – sommige mensen noemen dat naïviteit, maar ik zie het liever als een positieve eigenschap, een gave – en ik bezat een bijpassende honger naar verschijnselen om in te geloven. Dat soort gretigheid neemt af naarmate je volwassener wordt. Zelfs nu al, nu ik dit verhaal vertel – hoewel ik nog niet eens meerderjarig ben –, daalt de last van de volwassen verantwoordelijkheid op me neer en aanvaard ik de banaliteit van de werkelijkheid, het merkbaar doorslaan van de weegschaal naar de kant van de eenvoudigste verklaring. De eenvoudigste verklaring voor een verschijnsel is gewoonlijk de juiste. De juiste verklaring is de eenvoudigste. Een spook is een koude luchtstroom over de huid, een door neuronen tot leven gewekte gedaante in het duistere uur van de slaap. Een gedachtelezeres is in het beste geval iemand die meer oog voor detail heeft dan de meeste mensen, die openstaat voor ingevingen. In het slechtste geval is het een oplichtster. Een heks is een vrouw die een paar vijanden heeft. Is dat eenvoudig genoeg als verklaring? Zeg het maar.

Raquel vertelde me een keer, toen bijna alles al voorbij was, toen ik al zo vaak naar haar gezicht had gekeken dat ik het nauwelijks meer zag, dat iemand eens tegen haar had gezegd dat ze een modderige, bruine aura had. Een toevallige ontmoeting met een paranormale genezeres uit Kopenhagen in een bar in Lissabon. De vrouw had Raquels verstilde gezicht tussen haar gladde handen genomen en het vervolgens zachtjes losgelaten alsof ze haar wilde wegsturen, afduwen als een bootje van de oever. En toen Raquel het me vertelde lachte ze, maar ik zag het doorzichtige bruine net over haar heen vallen, het belemmerde de bewegingen van haar kaak en haar mond vulde zich met het stoffige spul.

Ik verliet het café die avond zoals altijd om halfzeven, nadat ik de bar en de tafeltjes nog één keer had afgeveegd, de bankbiljetten uit de kassa soort bij soort had gelegd, elastiekjes om de stapeltjes had gedaan en ze in de kleine safe in het magazijn had opgeborgen, het licht had uitgedaan en eerst de voordeur vanbinnen op slot had gedaan en vervolgens de achterdeur achter me. Ik beschaamde het in mij gestelde vertrouwen niet.

Mijn fiets stond waar ik hem had neergezet, waar ik hem altijd neerzette: tegen het hek bij de vuilnisbakken met hun openstaande deksels, dikke weeskinderen die havermout wilden. Terwijl ik naar huis reed, dacht ik aan de nieuwkomers. Voor zover ik me kon herinneren waren er nooit eerder nieuwe mensen in Wick komen wonen. Maar kon dat wel waar zijn? Ik nam aan dat er wel mensen waren weggetrokken en ijlings teruggekomen – mijn eigen vader bijvoorbeeld, voordat Jack werd geboren – maar dat telde niet echt. Dat was net zoiets als een strikvraag bij een wiskundequiz voor eersteklassers: hoeveel is twee plus twee min twee?

Betekende dat dat ik nog nooit iemand had ontmoet die ik niet al mijn hele leven kende? Ik nam aan dat dat zo was, tenzij je de pasgeborenen meetelde, die blèrend arriveerden en korte tijd later ingebakerd aan de bewoners van het dorp werden getoond.

Dit waren mijn eerste volwassenen.

Raquel was zevenentwintig, maar ze had evengoed negentien of vijfendertig kunnen zijn. Geen even getal. Haar gezicht was langwerpig en haar ogen waren groen en smal als kano's. Niemand weet ooit wat je bedoelt als je het over groene ogen hebt. We zijn dan geneigd te denken aan smaragden, groene verkeerslichten of gras met de kleur van weilanden en open plekken (twee van haar lievelingswoorden). In dit geval was het een groen als van mos, korstmos, de grond in het bos aan het eind van de zomer die op het punt staat bruin te verkleuren. Meer benijdenswaardig groen dan groen van nijd. Nu zie je haar duidelijk voor je terwijl ze in een spiegel kijkt zoals sommige mensen naar de lucht, zich niet bewust van de persoon van haar waarnemer maar altijd erkentelijk voor een compliment. Maar nooit goed toegerust om er adequaat op te reageren.

Haar haar was bruin. Ze was lang, bijna zo lang als Theo. Ik herinner me dat we een keer langs de spiegel boven liepen, in haar slaapkamer aan de achterkant, toen ze ons spiegelbeeld in het oog kreeg. 'Moet je kijken hoe broodmager je bent, Ginger,' zei ze, en ze schoof haar arm om mijn middel en hield me vast. Maar ik bestudeerde het behang, dat er erg oud uitzag en was voorzien van een patroon van boeketjes korenbloemen, realistisch weergegeven tegen een onrealistische, ivoorkleurige achtergrond.

'Het kan zijn dat je nog niet in de volle bloei van de puberteit bent, maar het is waarschijnlijker dat je gewoon zo bent. Een bonenstaak, een slanke den – al die termen die inhouden dat je nooit de ellende van vrouwen met meer "vrouwelijke" vormen zult hoeven doorstaan.' Ze wriemelde met haar opgestoken vingers om de aanhalingstekens aan te geven. Ik betrapte me erop dat ik naar de rondingen van haar borsten onder haar T-shirt stond te staren.

We stonden roerloos voor de spiegel, en ik zag dat ze zich in de fractie van een seconde dat het stil was opgelaten begon te voelen. Ze zocht alweer naar iets om te zeggen. Voor Raquel bestond er geen samenhang tussen uitspraken, tussen verhalen.

Het universele ruilmiddel bij ons in Wick. Daarom vulde ze de stiltes met zenuwachtig gebabbel. 'Als je met iemand voor een spiegel staat, word je gedwongen jezelf samen met diegene te bekijken en te besluiten hoe dat voelt. Te erkennen dat je in de een of andere relatie tot elkaar staat: kleermaker-klant, zus-broer, moeder-bruid, of twee naakte mensen die ontucht hebben gepleegd en nu opnieuw, maar ditmaal beter, rechtopstaand, naar hun partner moeten kijken. Dat wordt meestal beschouwd als een emotioneel moment: de snikkende moeder strijkt het haar van de bruid glad, de ogen van de minnaars vinden elkaar met hernieuwde begeerte en ze gaan weer naar bed.' Ze lachte om zichzelf en we wendden ons af van het beeld van onze eigen versmelting.

Die avond thuis ging ik naar mijn kamer, waar ik aan mijn huiswerk begon in afwachting van het moment dat mijn moeder ons aan tafel zou roepen, mij van boven en mijn vader uit zijn stoel voor de televisie, waar hij naar het nieuws keek en een dutje deed. Ik had nooit zoveel tegen mijn vader te zeggen, maar ik wist wat hij graag zou willen dat ik zei. Het kwam me voor dat hij volmaakt was, of althans volledig, onverzettelijk. Ik wist dat hij van me hield. Dat voelde ik op korte afstand, het straalde op me af vanuit zijn leunstoel, zijn plaats aan de eettafel of het aanrecht in de keuken, en soms zelfs vanaf zijn rommelige werkplek op de drukkerij, waar hij een folder neerlegde voor een uitverkoop bij de schoenenzaak.

Ik hoorde mijn moeder beneden roepen. We aten die avond lamskoteletten, en dus weet ik dat er ook erwtjes, aardappelpuree en muntsaus op tafel stonden. Diepvrieserwtjes, instantpuree en saus uit een glazen pot; het doel heiligt de levensmiddelen. Wat zouden we nog meer kunnen wensen? Mijn moeder had een hekel aan koken – ze 'gaf niet om eten', ze 'zou het zonder doen als het zou kunnen' – ook al zei ze dat nooit hardop; ze mompelde het zachtjes voor zich uit als ze het gele vet van een rauwe kippenborst verwijderde of een bittere komkommer tegen haar roze duim vakkundig in plakjes sneed boven de slakom. Ik ben haar dankbaar dat ze inzag dat ze haar opgroeiende dochter al die jaren goed te eten moest geven.

Na het eten had ik moeite om me op mijn huiswerk te concentreren. Ik moest leren voor een proefwerk Frans, een kort opstel afmaken voor Engels en een eindproject voor geschiedenis afronden, maar geen van die drie verdichtte zich in mijn hoofd zodanig dat ik er de nodige aandacht aan kon schenken. Ik overwoog Cherry te bellen, wat ik bijna elke avond deed, soms alleen maar om mezelf van vervelender bezigheden af te houden, maar ik had een vreemd gevoel, een ongewoon woordeloos, ruimtelijk gevoel dat ik me in werkelijkheid nog meer wilde afzonderen dan anders, geen enkele voelspriet wilde uitsteken. Geen woord wilde ik schrijven of zeggen, zelfs geen beweging maken, de stilte in mijn kamertje niet verstoren, waar de bureaulamp een kleine felle lichtcirkel op schriften en opdrachtvellen wierp en het verder halfdonker was in de schemerachtige blauwe schaduw die door de gordijnen voor mijn ramen drong. Buiten stierf het voorjaar een bekoorlijke dood. In de tuin wreven krekels hun poten tegen elkaar en verderop in de straat blafte een hond. Alles leek gestold en zelf leek ik te midden van al die stagnatie te zweven, maar tegelijk voelde ik me vreemd rusteloos. Het leek alsof ik werd geacht naar buiten te gaan en de verstilling te doorbreken, iets te veranderen. Moest ik de tuin in rennen, schreeuwen en met mijn armen en benen kronkelen 'als spaghetti', zoals we tijdens gymles moesten doen, als tegengif tegen een zittend leven? Of moest ik naar de videotheek fietsen en een film huren, iets wat mijn moeder leuk zou vinden, en er samen met haar naar kijken met een grote schaal popcorn tussen ons in op de bank? Dat was een van de manieren waarop ik haar kon verdragen. Maar daar was het al te laat voor. Want terwijl ik dit allemaal had bedacht was het helemaal donker geworden, en voordat ik het wist had ik mijn deur op slot gedaan en lag ik op mijn rug op bed, met mijn broek naar beneden en mijn benen gespreid, en zocht ik met mijn middelvinger voorzichtig naar iets waarover ik tot dan toe alleen maar had gelezen.

2

Het is een paar dagen later, 's ochtends vroeg. Ik loop in mijn eentje door Wick, helemaal van het ene eind naar het andere. Het is zo vroeg dat de vogels nog maar net zijn begonnen te zingen en het weer nog geen vat op de dag heeft gekregen. We beginnen altijd met deze zelfde bleke mist, dezelfde koele, maar toch vochtige lucht. Het zou half oktober of begin juli kunnen zijn. Maar het is mei.

Ik ben op weg van het huis van de Endicotts, Cherry's huis, naar het mijne, waar ik zo zachtjes mogelijk door de keukendeur naar binnen zal glippen, en dan door de gang langs Jacks kamer stilletjes naar de mijne, waar een boek ligt dat ik voor school nodig heb, voor Engels. We hebben *Frankenstein* gelezen, en vandaag worden we aan de tand gevoeld over ons begrip van hoofdstuk 12, waarin het monster vertelt over de 'beminnelijke', maar straatarme familie van een landarbeider die hij heimelijk heeft bespied. *Mijn verstand werd nu scherper en ik verlangde ernaar de motieven en gevoelens van deze lieflijke wezens te ontdekken; ik was nieuwsgierig naar de reden waarom Felix zo ellendig was en Agatha zo bedroefd. Ik dacht (onnozele dwaas!) dat het misschien in mijn macht lag om deze verdienstelijke lieden hun geluk terug te geven.* Mijn klasgenoten zijn dwazen die geen tijd of plaats hebben voor boeken. Aan het eind van de stompzinnige marteling van hun schoolloopbaan doen ze een test die bepaalt dat ze geschikt zijn om verkoper te worden of in de dienstverlening te gaan werken, in de publieke of private sector. Of anders wil het leger ze vast wel hebben.

Mijn vriendin Cherry en ik zijn anders. Niet dat we zo leergierig zijn, maar we zijn wel ruwe, ongevormde genieën en dat weten we. Dat zien we vooral in het verloop van onze eindeloze gesprekken waarin we onze dagen analyseren, die voorbodes zijn van de onbeschrijflijk rijke dagen die nog zullen volgen; *quelle richesse*, zou Cherry's moeder zeggen. Voordat ze trouwde, heette ze Bouchette. Ze heeft ons ontzettend goed geholpen met Frans.

Je ziet het ook aan de manier waarop we elkaars volmaaktheid aanvullen. We kunnen uren achter elkaar voor een spiegel, een televisietoestel of een raam zitten, en alles wat er tussen ons wordt uitgewisseld – gegiechel, stiltes, commentaar – lijkt te worden vastgelegd in de annalen der deugdzaamheid.

Raquel zal me later vertellen dat dit 'een verhoogd zelfbewustzijn' wordt genoemd. Volgens haar is het 'beter om middelmatig te zijn, want dan krijg je geen problemen'.

Maar we hebben zo'n lol. We lachen iedereen op school uit, vooral andere meisjes, en klagen over onze leraren. Soms maken we ons huiswerk samen: de oefeningen aan het eind van het hoofdstuk, boekverslagen en zelfs thuisproefwerken, die je uiteraard geacht wordt alleen te maken. Als Cherry erop aandringt maken we samen onze ogen op, en dan halen we de make-up er weer af en doen er een andere kleur op.

Cherry is twee jaar ouder. Ik heb de tweede klas overgeslagen en zij is een keer blijven zitten, in het jaar dat ze de ziekte van Pfeiffer had. Toch zegt ze vaak dat ik van ons tweeën de volwassenste ben. Ze bedoelt in intellectuele zin, want in lichamelijk opzicht is ze me vele straatlengtes voor ('logisch gezien haar leeftijd', aldus mijn moeder in een zeldzame poging mijn zelfvertrouwen te schragen). Ze heeft een paar vriendjes gehad, van wie de laatste het uitmaakte omdat ze niet verder wilde gaan dan kussen, en het daarna onmiddellijk aanlegde met een ander meisje, Barbara, die door iedereen Barbie wordt genoemd. Daarom maken we wrange grappen over Barbara. Cherry heeft drie weken niet gegeten toen het net was gebeurd, zodat ze nu een heel tenger poppetje is, en dat terwijl ze toch al ziek is – ze heeft suikerziekte, ze moet zichzelf dagelijks injecties geven, extra goed op haar gezondheid letten en driemaal per dag haar bloedsuiker controleren door in haar vinger te prikken. Wekenlang moest ze er met geweld van worden weerhouden – en voor dat geweld rekende ze op mij – om zich voor de voeten van de verrader te werpen zoals een eenzame hinde in de vuurlijn van een jager springt die zijn geweer op groter wild gericht heeft, of zoals een politiek activist uit de krant die zich aan een geliefde boom vastketent en wacht tot de kettingzaag komt. Ze lijkt nu over haar verdriet heen te zijn, hoewel ze nog steeds wegvlucht als ze hen ziet en er nu een oudere jongen in beeld is, Randy Thibodeau, iemand van de leeftijd van mijn broer, die bij de garage werkt en haar al een paar maal op straat heeft aangesproken om een praatje te maken over het weer of zoiets. En hij kwam een keer op een schoolfeest, met een van zijn jongere broers mee, en bleef rondhangen bij de tribunes, waar een heleboel jongens om hem heen kwamen staan en luisterden naar verhalen over de meisjes die bij The Lamplighter dansen. Jack struinde vroeger soms met Randy door de bossen achter de school, en dan luisterden ze naar muziek en lachten om zijn verhalen over vluchten. Hij had altijd plannen om te vluchten.

Er is weinig handel en helemaal geen industrie in mijn dorp in het hartje van Massachusetts. Een paar boerderijen houden het nog vol in het heuvelachtige, rotsige maar vruchtbare land in de omgeving, voornamelijk melkveebedrijven. Verder is er alleen maar dienstverlening voor het dorp zelf. Elektriciens, loodgieters, dakwerkers, begrafenisondernemers, leraren, verpleegkundigen, winkeliers. We hebben geen ziekenhuis, maar wel een polikliniek waar je je bloeddruk kunt laten controleren of een recept voor antibiotica kunt krijgen.

Wick is een plaats waar mensen doorheen rijden. Vanuit een auto lijkt het pittoresk. Het is het soort dorp waar je met een lichte verbazing naar kijkt. Wie zou hier in vredesnaam wonen? Als je in zuidelijke richting over Route 7 rijdt, geeft een scherpe bocht in de oude tweebaansweg je het gevoel dat je auto zou kunnen omkiepen, want de weg loopt tegelijkertijd omlaag een heuvel af. Op dat punt zie je aan je rechterhand de Wick Social Club, ons dorpshuis. Het is een plek voor mannen – een ongeschreven wet, maar de mannen uit het dorp komen er inderdaad bij elkaar, ook de gekozen gemeenteraadsleden en veel bedrijfseigenaren, en verder nog wat mannen die alleen maar vader en monteur zijn of op het postkantoor werken. Mijn eigen vader was, en is nog steeds, een van de weinigen die niet het grootste deel van zijn vrije tijd – na het werk, voor het avondeten, na het avondeten, zaterdagmiddag en zelfs zondag – op de Club doorbrengt. Vroeger was het gebouw uit eerbied voor een of ander streng, oeroud voorschrift zondags gesloten, maar dat beleid heeft al lang geleden plaatsgemaakt voor een compromis: zondags doet de Social Club dienst als een soort informeel gemeentehuis, een plek waar mannen elkaar kunnen treffen om met een biertje in de ene en een pen in de andere hand zaken te doen of gewichtige kwesties te bespreken, zoals de ruimtelijke ordening of de begroting voor het nieuwe fiscale jaar. Mijn vader bemoeide zich liever met zijn eigen zaken, zoals hij zei, waarmee hij bedoelde dat hij zich niet in de gemeentepolitiek mengde en evenmin vertrouwde op dronken beloften om zijn zaak drijvende te houden op de golven van de micro-economie van Wick. In plaats daarvan kozen hij en mijn moeder ervoor een onmisbare dienst aan te bieden.

Nu ben je het dorp bijna uit en zie je aan je linkerhand een oude schuur met daarop een reclame voor een Poolse bakkerij in driedimensionale letters. Het reclamebord wordt om de paar jaar opnieuw geschilderd. Er zijn een heleboel Poolse families in ons dorp, en ook Oekraïners. Ze kwamen halverwege de vorige eeuw, op de vlucht voor vervolgingen, vestigden zich hier met hun gezinnen en begonnen zaken te doen. Onder hen waren de ouders van mijn vader. De stomerij is van de Perchiks, het Shell-station van Kosowski en het Qwik-Go-filiaal is opgekocht door de ondernemende familie Lasky. Dan is er de bakkerij, en een kruidenierswinkeltje waar je kielbasa en kniesj kunt krijgen, om niet te spreken van augurken en gepekelde varkenskluiven. Mijn hele leven ben ik daar na schooltijd met Cherry naartoe gegaan om er met grote ogen en giechelend van walging naar te kijken.

De Poolse immigratiegolf was de laatste. Daarvoor waren er Frans-Canadezen gekomen, in de jaren twintig en dertig, als arbeiders bij de aanleg van het Ramapack-stuwmeer, die nooit hadden gedacht dat ze de doodskist van hun nieuwe woonplaats om zich heen sloten. Ze bouwden hun huizen langs Route 7, de Pelletiers en Robichauds, de Greniers en Roucoulets. Nu zijn hun huizen ook oud. De pastelkleurige verf is vaal en afgebladderd, de veranda maakt zich los van het huis, het raam heeft barsten en wordt niet gemaakt, het gaas van de hordeur is gescheurd en de sponning kapot. Helemaal aan de rand van het dorp, bij de school, staat een orthodox-katholieke kerk, waar zowel de Polen als de Frans-Canadezen heen gaan. Daarnaast ligt de 'nieuwe' begraafplaats, de katholieke, iets te goed verzorgd naar mijn smaak.

Vanuit de lucht gezien lijkt ons dorp een beetje op een diagram: een verticale lijn van noord naar zuid langs Route 7, en een tweede lijn die daar haaks op staat. Dat is de Old Road, die dwars over en rond het dorpsplein met zijn witte huizen loopt, en vandaar haastig het heuvelachtige land ten oosten van het dorp in. Daar ligt ons handjevol boerderijen, een paar heel oude boerenhuizen waar de zolderingen zo laag zijn dat je er nauwelijks rechtop kunt staan, en er zijn een heleboel mooie plekken om te wandelen en door niemand te worden gezien. Aan de noordkant van het plein, waar de wegen samenkomen, staan het gemeentehuis en de calvinistische congregationele kerk van Wick met zijn bemoste oude begraafplaats. Die twee witgekalkte bouwwerken staan daar voor onze neus alsof ze hopen het goede voorbeeld te geven, als een ouder echtpaar dat de ledigheid verdrijft met hobby's en liefdadigheidswerk.

Vroeger was het diagram groter. De Old Road loopt verder naar het westen, waar ooit een dal was waarin drie welvarende plaatsen lagen; nu is daar alleen een onderwatergraf van over. Op kaarten van de streek is de Old Road een dun lijntje, en waar hij onder water dwars door het Ramapack-stuwmeer loopt wordt het nóg dunner.

Mijn dorp is klein en saai, maar op de een of andere manier tegelijk elegant, kernachtig. We hebben alles wat we nodig hebben plus een paar dingen die in een dorp overbodig zijn, zoals Janines Snoepdoos (kinderen moeten altijd gieren om die naam: 'Laat je snoepdoos 's zien, Janine!') en de Qwik-Go, vierentwintig uur per dag open, naast de weg die je neemt als je het dorp aan de oostkant verlaat om naar de stad te rijden. Langs diezelfde uitvalsweg ligt The Lamplighter, een raamloze betonnen kubus bekroond door een satellietschotel, waar meisjes die we nooit bij daglicht zien hun auto parkeren, hun kleren uittrekken en in ruil voor een dollarbiljet op het biljart dansen. Wij liggen tussen de stad en het achterland. De dichtstbijzijnde grote universiteit ligt meer dan anderhalf uur rijden bij ons vandaan, ver genoeg om heen en weer reizen ondenkbaar te maken. Of althans, niemand doet het, want met het soort winters dat we hier hebben, precies zo streng als de kolonisten misschien al vreesden, zou iemand die van ver moest komen sterk in het nadeel zijn. En daarom zijn de onroerendgoedprijzen nooit gestegen. Je koopt hier nog steeds voor een habbekrats een huis.

Op mijn wandeling door het dorp denk ik aan geen van deze dingen. Ik concentreer me uitsluitend op mijn onmiddellijke en meest vertrouwde omgeving. De lucht, de grond, de bomen, huizen en winkelpuien die altijd hetzelfde zijn en dat zullen blijven zolang het duurt. Ik loop langs Gumulka's supermarkt, de congregationele kerk, de Agnes Grey-bibliotheek, Claires fashionshop, de schoenenzaak van Breslak, de Movie Magic-videotheek, Cluetts elektriciteitswinkel ('elektrische apparaten – service – onderdelen') en de Acme Pizza Parlor, die dagelijks wordt bestormd door hordes schoolkinderen. Aan de overkant van de straat is het Top Hat Café, waar ik vandaag niet hoef te werken, en boven mijn hoofd de zaak van mijn ouders, met het geschilderde raam waar DRUKKERIJ PRITT op staat.

Ik heb mijn dorp nog nooit verlaten om een andere plaats te bezoeken, maar ik probeer een zeker gevoel van afstand bij mezelf te kweken, de afstand die nodig is om een heftige emotie op te wekken uit niets anders dan beschikbare schoonheid en wilskracht. Zodat ik 's ochtends vroeg over straat naar mijn huis zou kunnen lopen en mijn aandacht kort maar opvallend zou kunnen richten op een blauw huis met een vergeten plastic pompoen op de veranda aan de voorkant, of op een doorkijkje tussen huizen in een achtertuin waar een kinderbadje ligt te verrotten, met tekenfilmplaatjes van kinderbadjes als randversiering, en dat me een onmiddellijke voldoening zou geven omdat er een grote bron in mijn hart wordt aangeboord, en dat als ik uit die bron drink het water lekker is maar zout, als tranen achter in je keel of de zee, die ik nooit heb geproefd, en dat gevoel net zo lang aanhoudt als ik wil. Soms duurt dat de hele wandeling en soms slechts totdat ik het begin voel van iets verstikkends, een aanval van ademnood. Dat is onaangenaam en ik voel me opgelaten, maar het volgende ogenblik kan ik het hele gedoe loslaten. Ik loop verder, of kom aan op de plek waar ik moet zijn, en de dag gaat verder als een diamant, fonkelend en efficiënt.

In dit geval bereik ik mijn huis, en ik ga zachtjes door de keukendeur naar binnen, glip mijn kamer in en pak mijn boek. Ik heb mijn toilet al gemaakt (gezicht, hals, oren, tanden, haar) in de schemerige badkamer van de Endicotts, waar de eierdopblauwe muren inspireren tot een kalme houding voor de spiegel. Het is tijd om de deur uit te gaan. Ik hoor mijn ouders stommelen in hun slaapkamer, laden opentrekken en zachtjes praten. Niemand komt me zoeken, me ter verantwoording roepen. Ze raken al gewend aan mijn afwezigheid in hun huis.

3

Eind mei

Cherry's moeder geeft ons boterhammen en melk aan de grote keukentafel. Ze vraagt naar mijn plannen voor de zomer en ik geef haar het gebruikelijke antwoord: vaker werken bij het café. 'Wanneer ga je je ouders helpen in de drukkerij?' vraagt ze, en ze draait zich naar me om en houdt even op met aardappelen schrappen bij de gootsteen, en Cherry zegt dat ze vindt dat ik gauw een vriendje moet zoeken en dat híj mijn ouders dan misschien kan gaan helpen in de drukkerij. 'Dan komt hij bij je vader in de zaak, weet je wel?' We noemen Jacks naam niet. Cherry denkt steeds meer aan jongens en vriendjes. Ze gaat zelfs zo ver de woorden 'mannen' en 'baby's' in de mond te nemen.

Zo kan ik niet denken. Ik gebruik de mij toegewezen toekomstvisioenen om bescheidener manieren van leven uit te pluizen. Meer inwendige veranderingen... verschuivingen in mijn begrip. Zal ik altijd degene zijn die ik nu ben? Zal mijn macht groeien of juist krimpen? Zijn de vluchtige, ongevraagde toekomstvisioenen die ik krijg over mezelf – ik loop met grote stappen door een onbekende straat, in de schaduw van hoge gebouwen; ik zit op de grond, blind, gevangen in een vochtige kelder; ik zeul geurige etenswaren over een markt – zijn dat voorgevoelens of fantasieën? Wat is het verschil?

Na de lunch gaan Cherry en ik naar buiten en slenteren rond het dorpsplein. Kinderen van school hebben hun auto's op het gras bij de kruidenierswinkel gezet en staan te roken en te wachten op niets. 'Zullen we even gaan kijken wat ze doen?' stelt Cherry aarzelend voor. Ik stel voor de zomer goed te beginnen en naar de fabriek te gaan. En dat doen we.

We lopen langs de kerk, in de richting van Main Street, en Cherry vertelt – ik geloof mijn oren niet – dat ze overweegt haar baantje bij de bibliotheek op te zeggen en bij de drogist te gaan werken. Misschien gaat ze na haar eindexamen wel naar de hogeschool in Springfield om een apothekersopleiding te volgen, zegt ze. Ze heeft met Mandy Ensler gepraat, die bij Cobb Drug werkt (we lopen er net voorbij en blijven even staan om door het raam te kijken, naar de torenhoge stapels wc-papier en voetpoeder) en die zegt dat het een goeie baan is met een heel aardig salaris. Je krijgt hoge kortingen op cosmetica en wat je verder maar uit de winkel nodig hebt. Volgens Cherry is de bibliotheek saai en muf en wordt ze altijd door een van de oude dames die daar al honderd jaar werken op de vingers getikt omdat ze de boeken verkeerd wegzet. We volgen de bocht in Main Street, waar het winkelgedeelte ophoudt; we laten het centrum achter ons en zijn op weg naar de fabriek.

Het is een absurd idee en dat zeg ik ook tegen haar. Zij is voorbestemd voor grootsere dingen dan het verstrekken van tabletten, capsules en innamevoorschriften – bij het eten, op een nuchtere maag of voor het naar bed gaan. Dat is precies het soort werk, sterker nog, het soort léven, waar we altijd op hebben neergekeken. Kun je je voorstellen – zeggen we tegen elkaar, en zeg ik tegen mezelf als ik alleen ben – hoe het zou zijn om die-en-die te zijn, onder die beperkingen te lijden, aan alle kanten tegelijk de grenzen van je leven te zien? In de bibliotheek wordt ze tenminste omringd door boeken, die grenzeloos om niet te zeggen ontelbaar zijn, en ik heb gehoord dat er een vakgebied is dat zich met het archiveren en ontsluiten van boeken bezighoudt, de 'bibliotheekwetenschap'; ik zal er Penrose naar vragen.

De fabriek is gesloten. Achter de talloze raampjes is het al driekwart eeuw donker. Cherry en ik genieten al ons hele leven de luxe vele lome uren te kunnen kijken naar het spel van het veranderende daglicht dat, gefilterd door gebladerte, op de oude gebarsten rode bakstenen valt, en onderwijl ons eigen spel te spelen.

Nu komt het gebouw in zicht, en ik krijg hetzelfde tintelende, stroperige gevoel van warme voorpret in mijn armen en benen, en diep in mijn maag, als ik vaak krijg als ik op het met ruwe stof beklede deksel van het werknemerstoilet ga zitten om een blaadje in te kijken. Zo rijk is de belofte van ons spel. We zeggen niets terwijl we over de reflecterende vangrail klimmen, die warm aanvoelt in de lentezon, en de helling van de droge rivierbedding afdalen naar ons vaste plekje. Uit de droge bedding stijgen frisse grondgeuren op.

Maar deze dag bleek een einde voor me in petto te hebben in plaats van het begin waarop ik had gerekend.

De fabriek wierp haar vroege middagschaduw en wij gingen net buiten het bereik daarvan liggen. Cherry had een idee: 'Zullen we het eens over jongens hebben in plaats van kasteeltje te spelen?' zei ze. De koele vertrekken van het kasteel vulden zich met stof bij haar onverschillige woorden; de decimeters dikke stenen muren trilden. Ik lag op mijn rug en keek naar het onverstoorbare blauw van de lucht.

'Oké,' zei ze, en ze hees zich overeind op één elleboog, 'als je niet over jongens wilt praten, laten we het dan over Randy Thibodeau hebben. Dat is eigenlijk meer een man. Is het je opgevallen dat hij almaar naar me bleef kijken, gewoon waar Terry bij zat? Nu heeft Terry de pest aan me, en ik heb helemaal niks gedaan.'

Dus dat is ons voorland, dacht ik. Het moet toch ook mogelijk zijn volwassen te worden zonder ons zo abject te verliezen in... ja, waarin eigenlijk? In de hypothetische gedachteprocessen van een jongen – of man – van wie we alleen de achternaam, het adres en de auto kennen? In het in kaart brengen van zijn handelingen, het overdenken van zijn motieven en het duiden van iedere blik die hij werpt? Maar ik deed het beste wat ik onder de gegeven omstandigheden kon doen. Ik kwam Cherry halverwege tegemoet door haar het jonge stel te offeren dat ik in het Top Hat Café had gezien. Ik zei dat Cherry de man ongetwijfeld knap zou vinden en de vrouw mooi. Ik moest onmiddellijk een complete beschrijving geven: haar, lengte, gelaatskleur, lichaamsbouw. Het beste wat ik te bieden had bleek goed genoeg. Tegen de tijd dat ik mijn exposé over Theo's zandkleurige haar, zijn lange armen, zijn vuile voeten in de leren sandalen en Raquels statige gestalte en haar merkwaardig matte, katachtige, gepijnigde gezicht had afgerond, was Cherry passend opgewonden bij het vooruitzicht van het bezoek waarvoor we waren uitgenodigd – of eigenlijk ik alleen.

Toen Cherry en ik klein waren, brouwden we drankjes van sigarettenpeuken die we van het sportveld opraapten, onder de tribunes waar de grote kinderen ze neergooiden. Peuken, dennennaalden en waterstofperoxide, en af en toe een paddenstoel als we er op onze tochten een tegenkwamen. We zouden onszelf nooit heksen hebben genoemd, maar we hoopten wel heksenbezweringen uit te spreken: we haalden ze uit een oud boek met een groen gemarmerd omslag dat ik in de bibliotheek had gevonden en dat simpelweg *Toverspreuken* heette. Ik heb het later nooit meer terug kunnen vinden. Het is waarschijnlijk uit de roulatie genomen. Maar het was heel professioneel. De ingrediënten die erin werden genoemd, waren een intrigerende mengelmoes van clichés – dingen waar we misschien nog wel aan konden komen, zoals water uit een honderd jaar oude bron, een gevorkte tak, of zelfs bladeren van een Canadese den – en dingen waarnaar we alleen maar angstig en bedeesd konden smachten: alruinwortel, de vetlaag van een doodgeboren baby, een kikker met twee koppen. Vaak maakten we vervangende mengsels van andere schadelijke stoffen. De toverspreuk waarvan we het liefst wilden dat hij werkte, heette 'Hoe men zichzelf onzichtbaar maakt en ongezien tussen de mensen loopt'. Onze omgang met het boek verminderde aanzienlijk toen mijn moeder in de gaten kreeg dat ik 'bijgelovig' werd, zoals zij het noemde. Mijn broer Jack had haar een geheim verklikt dat ik hem stom genoeg had verteld: ik was op weg van de fabriek, waar we onze toverkunsten in praktijk brachten, naar huis gevolgd door iets schuws maar toch vasthoudends – een eenzaam spook, dacht ik, dat zichzelf in een opvallend groot groen blad veranderde dat zijn bleke, geaderde onderkant tegen mijn slaapkamerraam drukte zodra ik me omdraaide om het aan te spreken. Ik had het graag wat troost geboden als ik had gekund.

Maar we waren nooit dichter bij echte toverij gekomen dan bij die fabriek. Dat we het interieur ervan nooit hadden gezien hoorde stellig bij de magische macht die de fabriek over ons had, of wij over hem.

Want voor ons was het altijd een kasteel geweest, en wij waren twee koninginnen die lang geleden, toen het koninkrijk door legers van buurstaten was veroverd en alle mensen waren gevlucht, in de steek waren gelaten door onze koninklijke familie. Cherry en ik waren de enig overgeblevenen in dat enorme, duistere, verlaten kasteel, maar binnen die muren, in de klamme, slingerende gangen en de kleine vertrekken waar het daglicht gedempt door smalle, langwerpige raampjes viel die in de dikke stenen waren uitgehouwen, gedijden wij als glimmende witte paddenstoelen. We blaakten zelfs, stalen kraaieneieren uit de nesten in het torentje en verorberden met smaak knapperige muizen die we braadden in de enorme, manshoge open haard die in de bitterkoude winters hele vertrekken verwarmde.

Maar het was altijd zomer in het kasteel, zodat we slechts een paar sjaals om hoefden te hangen en de dagen konden doorbrengen met het borstelen van prachtige vormen in elkaars haar of het fluisteren van geruststellende woorden: de koninklijke familie zou weliswaar nooit terugkeren, maar wij zouden uiteindelijk weten te ontsnappen, het landschap rond het kasteel in trekken en andere overlevenden van de ramp vinden. Misschien wel heel eenvoudige dorpelingen, aan wier gezelschap we eigenlijk sowieso de voorkeur gaven, zoals Sim-Sam het Snijdertje, de Vrolijke Vroedvrouw of Tingeling de Sieradenmaker. Want al waren we van koninklijken bloede, we putten geen genoegen uit onze hooggeplaatstheid, uit de afzondering die ons deel was krachtens onze adellijke geboorte... Ik schrok op. Cherry was op haar andere zij gerold en abrupt, bijna geforceerd heftig rechtop gaan zitten. Ik richtte me ook op, en de betovering was verbroken. Met opgetrokken knieën, haar ellebogen daarop steunend en haar gezicht tussen haar handen sloeg ze haar ogen neer naar het gras, en ze sprak zo vastberaden dat de tijd stilstond.

'Ik wil écht geen kasteeltje meer spelen, Ginger. Ik vind het ineens zo stom allemaal.' Dit was voor ons allebei pijnlijk. Ze was het niet gewend dat ze me dingen moest uitleggen. 'Ik bedoel, ik vind dat we er te oud voor zijn. Volgens mij hebben een paar mensen uit de klas ons gisteren gehoord, en ik voelde me zó kinderachtig. Ik schaamde me dood! Ik snap wel dat jij, omdat je nog maar vijftien bent...' Cherry's mooie, open gezicht had een dof waas, een spiegel waar een sluier overheen was gegooid.

Dit had eigenlijk geen verrassing voor me moeten zijn, en als het dat wel was kwam dat door mijn eigen preoccupaties, die mijn aandacht zo in beslag namen dat bepaalde volstrekt duidelijke verschijnselen me niet opvielen, me niet schokten – niet tot me doordrongen. Terwijl wij ons spelletje al speelden sinds we klein waren en ik het nog nooit stom had gevonden, geen enkele keer, hield Cherry zich de laatste tijd steeds meer bezig met spelletjes die ik wel stom vond. Make-uptasjes met lelijke kleuren, beha-catalogi en goedkoop geproduceerde meidenbladen waarin nep-idolen werden opgehemeld. 'Stom', dat was díé wereld, en niet de werelden die wij zelf schiepen.

Kasteeltje spelen was overigens maar een van de vele middelen die ik had om mezelf te verlossen van het saaie aardse koninkrijk dat voor ons was gebouwd door onze ouders, onze schoolopleiding en de routes die we tussen die twee moesten volgen. Als Cherry niet meer wilde spelen vond ik dat eigenlijk wel best, en dat zei ik ook tegen haar. Ik was ook aan iets nieuws toe.

De opluchting op haar gezicht vond ik pijnlijker dan haar eerdere bekentenis, want uit de intensiteit daarvan maakte ik op dat het voor haar al een hele tijd niet leuk meer was geweest. 'Het is trouwens sowieso tijd om naar huis te gaan,' zei ze, en daar kon ik niets tegen inbrengen.

Die avond viel ik als een blok in slaap, en toen ik wakker werd, met het gevoel dat ik nog maar een paar uur had geslapen, zag ik het eerste daglicht al over mijn sprei kruipen. Ik had een propvolle droom gehad vol onbekende figuren – mensen die ik geen naam had gegeven of zelfs maar uit elkaar had kunnen houden, wegens tijdgebrek of het ontbreken van de noodzaak daartoe. Het was feitelijk een ordeloze bende, en het was onduidelijk wat die precies wilde. Waarom was die massa bijeengekomen? Eenmaal wakker wilde ik dat ik me sommige van die mensen kon herinneren, aangezien ze me in mijn droom sterk, intens, door en door hadden geïnteresseerd.

Maar het waren de zeer vertrouwde ritmische geluiden uit de slaapkamer van mijn ouders die me hadden gewekt, trager maar op hun manier even doordringend als een wekker die onder een kussen is gestopt: mijn moeder die huilde – atonaal, ongeremd – en mijn vader die haar ritmisch en werktuiglijk suste. *Sj sj sj sj sj sj sj sj sj sj sj sj*, zoals ik kersverse moeders hun kindje had zien sussen, van de ene voet op de andere wiegend, zacht kloppend, schommelend. Mijn ouders sliepen allebei, maar mijn moeder huilde en mijn vader deed *sj sj sj*. Ik draaide me op mijn zij met mijn rug naar de slaapkamerdeur, zodat ik het sussen beter plaatsvervangend in ontvangst kon nemen, deed mijn ogen dicht en zweefde terug naar het dichtbevolkte duister.

4

Toen de laatste schooldag naderde, merkte ik dat ik vaak aan de Motherwells dacht en me afvroeg wat hen hiernaartoe had gebracht en hoe het zou zijn als ik ze weer zag. Ik wilde dat graag. Zouden zij het wel leuk vinden als ik langskwam? Misschien had Raquel het alleen maar uit beleefdheid gezegd.

Ik vertelde mijn ouders over de nieuwe mensen die ik had ontmoet. Aan het feit dat mijn moeder met een ruk rechtop ging zitten, merkte ik dat ook zij hevig geïnteresseerd was. Haar schone, sproetige gezicht werd plotseling alert en ze vroeg zich hardop af of ze hen zou uitnodigen voor ijsthee met crackers en kaas, of dat dat nieuwsgierig zou kunnen overkomen. Misschien waren ze hier komen wonen vanwege de rust en moest ze hen maar niet lastigvallen voordat ze de kans hadden gehad hun draai te vinden...? Ik viel haar in de rede met de mededeling dat ik bij hen thuis was uitgenodigd en er gauw een keer langs zou gaan, met Cherry, misschien morgenmiddag na school, de laatste dag voor de zomervakantie. De zwaarwegendste besluiten worden vaak gestuurd door onverwachte krachten.

'O,' zei mijn moeder, en verder niets. Ze richtte haar aandacht weer op de krant die ze bij het aanrecht had staan doorbladeren, waarbij ze telkens met een driftige beweging haar duim over haar tong haalde voordat ze een nieuwe bladzij omsloeg. Het deed me pijn te zien dat ze jaloers was, zich buitengesloten voelde, beledigd was dat ik de uitverkorene was. Dat ze eenzaam was, maar een paar goede vrienden had gemaakt onder de inwoners van Wick en via mij wilde leven. Ik vond het vreselijk om deel uit te maken van de verwikkelingen waarover ik in romans zo graag las.

En nu was hij aangebroken, die laatste schooldag – altijd een anticlimax. Ik stond vanuit de achteringang naar het sportveld te kijken, waar de hoogsteklassers giechelend en kwebbelend dingen in elkaars jaarboeken schreven. Ze zouden elkaar die avond zien, en de volgende dag en de dag daarna. Nu de school afgelopen was, was er geen belofte van iets specifiek nieuws, alleen de heiige warmte die als een deken over Wick neerdaalde, het loslaten van je schoolidentiteit (het rare magere meisje dat altijd leest, het mooie meisje dat met het rare meisje omgaat) en het versterken van je werkidentiteit (het meisje dat in het café werkt, het meisje dat in de bibliotheek werkt) – waarbij die laatste identiteit in de meeste gevallen meer over de rest van ons leven zei dan onze haperende, helende verhandelingen over *Macbeth* of *Ik weet waarom gekooide vogels zingen* of zelfs maar de stelling van Pythagoras.

Maar al was het dan een anticlimax, de zomer die voor ons lag had toch iets van een warm bad en ik verheugde me er heel erg op. Cherry en ik zouden er samen, hand in hand, in glijden, en voortaan zou elke dag in wezen hetzelfde zijn: wakker worden zonder concrete plannen, zonder enig idee waar we naartoe moesten en wat we moesten doen, lange dagen buiten zonder klokken en horloges, ver weg van plichten en de gebiedende stemmen van moeders. Onze enige verplichtingen waren op tijd op ons werk zijn, gaan slapen en wakker worden. We hoefden zelfs niet te eten, al moest Cherry haar insulinekit wel overal waar we heen gingen bij zich hebben.

Maar dit was iets extra's, iets nieuws. In de zak van mijn spijkerbroek zat een verkreukeld papieren servetje waarop Rachel een lachwekkend ruwe schets van ons dorp had gemaakt, met een groot kruis op de plek waar hun huis stond.

Ik had gekeken of Cherry op onze vaste ontmoetingsplek was, op de achterste rij in de aula, maar daar zat ze niet. Nu zag ik tot mijn verbazing dat ze zich te midden van de deinende massa hoogsteklassers bevond die huilden, elkaar omhelsden en platitudes in elkaars jaarboeken schreven. Ach ja, natuurlijk, dacht ik. Ze zou dit jaar ook in de hoogste klas hebben gezeten als daar in de eerste klas niet die sexy ziekte was geweest waardoor ze vele maanden lang rust had moeten houden, maanden waarin ik elke dag naast haar bed zat. In zekere zin zijn dát dus haar klasgenoten. Gelijkgestemden. Maar ik kreeg toch het gevoel dat ze het er een beetje te dik bovenop legde toen ik zag dat ze haar armen om Terry Sheeler heen sloeg, hetzelfde meisje met wie ze openlijk had gestreden om Randy Thibodeaus aandacht. Over Terry's schouder heen kreeg Cherry me eindelijk in de gaten, en ze zwaaide even naar me. Ik vond dat ze er zelf een beetje als een gekooide vogel uitzag.

We lachten om de plattegrond, spottend maar opgewonden, terwijl we de school voor ons gevoel voorgoed achter ons lieten, onze schooltassen gevuld met de inhoud van onze kastjes: zwembrillen, tampons, truien, muziek, spiegeltjes, boeken, schriften, het afgrijselijke zelfportret in acrylverf uit de tekenles. Het idee dat we een plattegrond nodig zouden hebben om iets in Wick te vinden was bespottelijk, maar bij nader inzien had het wel iets opwindends om ons eigen dorp in die proporties en met die karakteristieke kenmerken geschetst te zien – de blik van een buitenstaander. Het was Wick zoals wij het nog nooit eerder hadden gezien en zoals ik het sindsdien nooit meer níét heb kunnen zien; zie mijn eerdere beschrijving: lijnen die elkaar snijden, die eindeloos doorlopen, die onder water vervagen. Het kruis markeerde een plek die vanuit de school gezien aan de andere kant van de heuvel lag, langs de uitvalsweg. We liepen ernaartoe en daar stond het huis, onopvallend en oud, slecht onderhouden en zo te zien verlaten. Er stond geen auto op de oprit, maar voor het raam op de bovenverdieping boven de veranda meende ik even een bleek, ovaal gezicht te zien zweven.

'Heeft ze ons zomaar uitgenodigd terwijl ze ons helemaal niet kent?' vroeg Cherry terwijl we vanaf de weg naar het doodgewone huis stonden te kijken, en ik meende dat haar nuchtere, sceptische toon een angst maskeerde, of althans een aarzeling, die mijn boezemvriendin niet sierde. Ze heeft míj uitgenodigd, dacht ik, maar ik zei het niet, en vervolgens verbaasde ik me in stilte nog meer over mijn onuitgesproken hang naar exclusief bezit. Na nog een blik op het raam boven de veranda, waar niets meer te zien was, zei ik dat er zo te zien niemand thuis was en dat mijn tas zwaar begon te worden, en we draaiden ons om en gingen op weg naar huis.

Daar had je Randy Thibodeau, hij had zijn pick-up voor de bioscoop gezet en liet zich net vanaf de bestuurdersplaats op de stoep glijden, pal voor onze neus terwijl we over Main Street aan kwamen lopen. Voor Cherry's neus eigenlijk; het minimale knikje dat hij voor mij overhad, bewees dat ik er net zo goed niet had kunnen zijn. Ik dacht aan een dag, lang geleden, toen hij na schooltijd met Jack aan onze keukentafel diepvriespizza had zitten eten, hun lange benen gestrekt onder de tafel, en mijn broer zijn hand had uitgestoken en me bij mijn oorlelletje had gepakt toen ik langs hen liep, zodat ik abrupt tot stilstand kwam en krijste van pijn en overrompeldheid. Hij deed het om indruk op Randy te maken, en mijn pijn werd verergerd door die onverwachte gemeenheid van iemand die altijd aardig was geweest. Jack wilde die maand, dat jaar, net zo zijn als Randy: hij wilde net zo'n motor als Randy, net zo'n jasje als Randy, hij wilde in Randy's huid kruipen. Maar Jack was luchthartig, bleek en blond; welgemanierd, sproetig en behoorlijk slim, net als ik. Randy is donker, met warrig bruin haar en een puntig toelopend gezicht zoals dat van de otters die je in natuurprogramma's ziet. Zijn huid is glad, ook 's winters hazelnootbruin en zelfs opvallend glad op zijn hardwerkende armen, die hij dan ook vaak showt in een T-shirt met afgeknipte mouwen. Randy lachte samen met Jack om mijn kleinezusjescapriolen, mijn vergeefse, woeste pogingen om me los te wriemelen, maar Jack liet pas los toen Randy hem een snelle, harde stomp tegen zijn irritante biceps gaf, hem afleidde en achteruit van hem weg danste als een bokser. 'Je zusje is lief, laat haar met rust,' zei hij.

'Hé, Cherry,' zei hij nu bij wijze van begroeting. 'Waar ga je heen?'

'O, nergens. Wat ga jij doen, Randy?' zo luidde Cherry's bedeesde, aanmoedigende antwoord, en ze draaide zich om en liep achteruit verder zodat ze naar hem kon lachen, en op dat moment zei ik bruusk tegen Cherry dat ik haar later nog wel zou bellen, en ik wachtte haar antwoord niet af maar liep haastig door, alleen. Ik moest sowieso over een uur op mijn werk zijn.

5

Penrose bezat voornamelijk softporno en zijn blaadjes bevatten artikelen over onderwerpen die naar ik aannam voor mannen interessant waren, maar soms ook wel voor mij ('Hoe stimuleer je haar G-plek? Met je vinger!'), en een korte beschrijving van het onderhavige naakte meisje, wier glooiende heupen en bolronde borsten eruitzagen alsof ze gekaramelliseerd, geglaceerd waren. Maar soms was er ook harde porno, vrijwel zonder tekst, en dat leek meer op een papieren val waarin plaatjes tegen hun wil gevangen werden gehouden: geïsoleerde lichaamsdelen, mannelijke en vrouwelijke, verstard in een toestand van hulpeloze bloedstuwing of een staat van onpersoonlijke bevochtiging. Soms waren de borsten van een vrouw bespat met iets wat eruitzag als een kopje lijm, en lachte de vrouw alsof ze een beleefd compliment had gekregen; soms werd het droge topje van een penis met plechtig vertoon tegen het puntje van een natte tong gedrukt. Die afbeeldingen gingen vergezeld van verrassend beknopte bijschriften, nauwkeurige beschrijvingen van wat erop te zien was. Als je de plaatjes niet bij de hand had, zou je aan die woorden ook genoeg hebben, bedacht ik.

amateurchick neukt dildo
twee chicks met grote tieten doen ruig triootje
vastgebonden brunette wordt ruw geneukt en vernederd
schoolmeisje spreidt haar benen voor supergrote pik
moeder met kolossale prammen wordt hard geramd
twee lekkere babes worden in hun kont genaaid
broer verleidt zus tot woest potje neuken
roodharige meid en brunette doen geil lesbisch voorspel op bed
blonde tienerstoot trekt zich in badkamer terug voor hete actie
soldaat vindt verrukkelijk vertier bij moeder en dochter

Wat me ook opviel aan die beschrijvingen was de nuchterheid, de alledaagsheid, de toegankelijkheid ervan. Ondanks de verbluffende gevarieerdheid waren het grotendeels zaken die je in elk huis, elke slaapkamer, elke fantasie kon aantreffen.

Als mijn eigen bloed begon te stuwen en het tussen mijn benen begon te gloeien, vroeg ik me vaak af of het mogelijk zou zijn om net zo opgewonden te raken van het daadwerkelijk uitvoeren van die handelingen als van het kijken naar deze foto's met hun bijschriften in telegramstijl. Ik had al geleerd dat de meeste dingen de neiging hadden te snel te gebeuren als ze gebeurden – boven jezelf uitstijgen, je erkentelijk tonen voor een aardige opmerking, blijk geven van een vlaag van genegenheid, profiteren van een moment van inspiratie – en ik nam aan dat dat ook voor de geslachtsdaad gold. Hoe kon je genoeg afstand van de handelingen nemen om de oorsprong te vinden, het juiste perspectief, de waarnemingshoek die de optimale opwinding teweegbrengt? Ik veronderstelde dat je dan een spiegel moest hebben zoals het liefdespaar dat ik nu bespiedde, een ovale spiegel in een sierlijke vergulde lijst waarin het gezicht, de hals en de grote, witte, trillende borsten van een wasbleke jonge vrouw te zien waren die de lage schoentjes, de kniekousen en het korte rokje van een schoolmeisje droeg en over de rugleuning van een stoel gebogen stond, haar ogen en mond verwrongen tot de strakke O van het orgasme, met achter haar een grote naakte man met kort donker haar, zijn lange rug gebogen en zijn harde billen zodanig gespannen dat de suggestie van een harde stoot werd gewekt.

Ik voelde zijn stoot, en tegelijkertijd ook haar O, alsof ze op dat moment ergens onder in mijn maag optraden in plaats van in een blaadje in mijn handen. Ik weet niet of dat een sympathetische reactie is, een automatische somatische functie of gewoon een geval van extreme esthetische waardering, maar ik weet dat ik elke keer dat het me overkwam genoot van dat gevoel. Het betekende voor mij dat ik me voorbereidde, dat ik op de proef zou worden gesteld, dat ik was toegerust om de aanstaande uitdaging tegemoet te treden. Ik zat na sluitingstijd op het deksel van de wc-pot van het Top Hat Café. Het blaadje dat ik voor mijn gezicht hield, heette *De beginner* en bevatte geïllustreerde verhandelingen, sommige uitvoeriger dan andere, over mannelijke en vrouwelijke ontmaagdingen. Mijn favoriete gedeelte was de rubriek met door lezers ingestuurde verhalen over hun eigen 'prille begin', zoals het (tamelijk poëtisch, vond ik) werd genoemd. In elk nummer stond een 'Heel speciaal pril begin', een echte maagd wiens of wier inwijding in de seksualiteit, of althans de penetratie, samenviel met zijn of haar kennismaking met het snel knippende oog van de camera. Die jongens en meisjes, allemaal nog maar net officieel seksueel volwassen – hun geboorteakte stond op de pagina ernaast afgedrukt –, werden met geoefende hand naar een kamer met zachte verlichting geleid, neergevlijd tussen zijdezachte lakens en op dikke donzige kussens en vervolgens zachtjes geprikkeld met vingers, tongen, veren, terughoudendheid en andere middelen, totdat ze zich niet meer konden beheersen en smeekten om te worden gepenetreerd of te penetreren. In de bewoordingen die ze voor die smeekbeden gebruikten, zat opvallend weinig variatie. De uitgesproken teksten werden onverkort afgedrukt.

Diep vanuit mijn verhitte concentratie hoorde ik het onmiskenbare geluid van de klikkende cilinders van het achterdeurslot: Penrose kwam terug om de dagopbrengst van het café op te halen. Kennelijk was ik langer in het toilet gebleven dan ik besefte, aangezien hij meestal pas terugkwam na een paar biertjes bij de Social Club, als de mannen uiteen waren gegaan om terug te keren naar hun gezin, hun vriendin of hun lege huis. Ik spoelde snel de wc door, stopte het blaadje onder de wasbak, draaide de kraan open en waste mijn handen zo luidruchtig mogelijk. Ik deed de deur net open op het moment dat Penrose voorbijkwam door de smalle gang tussen de achtervertrekken en het café. Ik moest de deur weer dichtdoen om te voorkomen dat die recht in zijn verbaasde gezicht knalde.

'Ginger, ben je er nog?' Hij deed de deur open en tuurde naar binnen. De oprechte verwarring op zijn gezicht verdween even snel als die was gekomen en maakte plaats voor een toenemende, gegeneerde zekerheid. Zijn blik ging snel van mijn gezicht naar het kastje onder de wasbak, en met dezelfde snelheid weer terug. Ik verstarde, mijn handen in papieren handdoekjes gewikkeld. Hij zei niets meer, maar zijn sterke arm met het bruinleren horlogebandje, de blauwe katoenen mouw strak opgerold tot aan de elleboog, ging omhoog en hij leunde met zijn hand tegen de deurpost, zijn romp leek de hele deuropening te vullen en mijn hart, dat kloppende orgaan, wilde uit mijn borstkas springen, danste op en neer als een van de organen die ik in het blaadje had gezien, in onvrijwillige opwinding.

Ik was immers niets anders dan een schoolmeisje, en hij een aardige volwassen man met veel ervaring? Bij de gedachte aan de geïmpliceerde relatie werden mijn zojuist gewassen handen klam. Ik droeg een corduroy broek, geen rok, maar dat kon je nauwelijks een onneembare hindernis noemen. En we stonden getweeën voor een spiegel, al was het dan ook in deze kleine ruimte. Misschien zou ik het keukentrapje uit het magazijn moeten halen, maar ik zou in ieder geval naar mijn eigen gezicht kunnen kijken, niet zozeer in de verstarring van de extase als wel met een trek van grimmige vastberadenheid, en het ooit zo vertrouwde gezicht van Penrose nu op en neer gaand boven mijn schouder als een supermannelijke maan, met een uitdrukking van zowel agressie – zonder dat lukt het je niet een meisje dat je al vanaf haar geboorte kent achterlangs te nemen – als vernedering. O, wat moet hij het afschuwelijk vinden om zo machteloos te staan tegenover de verleiding van mijn jonge middel, mijn binnenkant, mijn offergave... Wat moet hij zichzelf haten. Ik bedacht op dat moment dat degene die in deze houding de macht heeft, degene die het dichtst bij de spiegel staat, degene die wordt gepenetreerd, goed moet opletten haar onschuld, haar onzekerheid, haar obscure verlangens niet te verraden, want dan zou ze het risico lopen te delen in die vernedering, die machteloosheid. Ze moet van boven net zo ondoordringbaar zijn als ze van onderen meegaand is. Het kwam me voor dat seks geen gedeelde ervaring was. Seks ging onmiskenbaar altijd gepaard met de dreiging je macht te corrumperen in plaats van te vergroten.

'Goed,' zei Penrose, en hij trok zich terug uit de deuropening en kuchte in zijn hand, 'laten we even een glas limonade drinken in het café. We hebben al een hele tijd niet meer echt gepraat. Vroeger kletsten we heel wat af, weet je nog, Ginger? En nu je hier werkt hebben we nauwelijks nog tijd om eens gezellig bij te praten.' Hij stootte een kort maar welgemeend lachje uit en was al halverwege de gang.

Hij had gelijk. Vroeger toen ik klein was praatten we heel wat af, meneer Penrose en ik. Mijn moeder liet me soms op een kruk aan de bar zitten met een aardbeienmilkshake terwijl zij boodschappen ging doen, en dan vertelde ik meneer Penrose, die met zijn ellebogen op de bar leunde en oprecht geïnteresseerd leek, wat ik allemaal had gelezen. In ruil daarvoor vertelde hij me een verhaal uit de krant, of soms de plot van een roman die hij bij de drogist had gekocht.

We gingen met onze glazen limonade aan een tafeltje zitten en rolden vast papieren servetjes om setjes bestek voor de volgende ochtend. We praatten niet over boeken. Penrose vroeg me wat ik wilde gaan doen als ik volgend jaar de school had afgemaakt. Zijn dochter Daisy, die werken in het café beneden haar waardigheid achtte, zat bij me in de klas; ze had haar zinnen gezet op een carrière bij het leger, vertelde hij trots. Ze wist nog niet of ze bij de landmacht, de marine, de luchtmacht of het Korps Mariniers wilde. Voor mijn geestesoog verscheen Daisy die, liggend op haar rug, met haar dikke benen in de lucht en een camouflagebroek als een lomp juk om haar enkels, ruw werd genomen door een slanke, donkere, onevenredig groot geschapen man die op een tulband na naakt was. Maar Penrose leek iets te willen zeggen.

'Ginger, ik wil dat je weet dat je hier in het café kunt blijven werken zo lang als je wilt. Je bent een van de beste werknemers die ik ooit heb gehad en het is handig om iemand zoals jij bij de hand te hebben, iemand aan wie ik met een gerust hart dingen kan overlaten. Je bent bijzonder betrouwbaar voor iemand van jouw leeftijd.' Ik probeerde in zijn toon iets van dubbelzinnigheid, van wellustige belangstelling of zelfs maar doodgewone geilheid te ontdekken. Stelde hij zich een vervolgverhaal voor in plaats van één simpel 'pril begin' – moest ik hem elke avond op de wc opwachten, naakt op een koksschort na dat ik om mijn smalle middel had gebonden?

Maar de waarheid was schokkender. Uit de ondubbelzinnig vragende blik in zijn vermoeide bruine ogen bleek dat hij werkelijk dacht dat ik ertoe te bewegen zou zijn de rest van mijn leven in Wick te blijven en in het Top Hat Café te werken.

Toen ik thuis was, belde ik Cherry en vroeg haar me de volgende ochtend bij de fabriek te treffen. Nee, we zouden daar niet lang blijven, stelde ik haar gerust. We hadden nu een nieuw doel.

6

Zaterdag

De lange wandeling bood Cherry ruimschoots gelegenheid me in geuren en kleuren over haar middag met Randy te vertellen. Ze hadden een tijdje in zijn pick-up gezeten, op diezelfde plek aan Main Street, en waren toen een eindje gaan rijden naar het stuwmeer, waar hij – het verbaasde niemand en mij al helemaal niet – haar had gekust. Cherry vertelde het heel prozaïsch. Ik mocht zelf verzinnen dat het lommerrijk was geweest onder de nieuwe groene blaadjes, dat hun versnelde ademhaling luid had geklonken in de cabine van de pick-up en dat ze de raampjes dicht hadden gelaten tegen de muggen. Dat de radio kapot was. Dat ze verbaasd was geweest dat hij niet had gevraagd of ze haar shirt wilde uittrekken, of in elk geval of hij er met zijn hand onder mocht voelen, aan haar witte, peervormige borsten met hun roze, nog onberoerde tepels.

Cherry was spraakzamer over Randy's recente inwijding in de kringen van de echte mannen. Hij was, na een aantal bezoeken onder supervisie van zijn vader, Teddy Thibodeau, die de afvalstort van het dorp beheerde, uitgenodigd om lid te worden van de Wick Social Club en was zodoende gerechtigd na afloop van zijn werk een paar biertjes te drinken op die geheiligde krukken in plaats van in het verduisterde kantoortje van de garage of op een nog minder verheffende plek. Volgens Cherry ging het gerucht dat hij en een paar van zijn vrienden vaak bij The Lamplighter hadden gezeten. Ik vroeg me af wat ze daar hadden gezien. 'Live strippers' – meisjes uit een andere plaats? Misschien zelfs uit een ander land. Cherry was opgelucht dat Randy nu niet meer naar The Lamplighter hoefde. Haar bezitterige genoegen maakte me ongerust; het betekende dat er een band tussen hen bestond die ik niet kon zien, een onzichtbare keten. Toverij.

Het voelde griezelig en verkeerd om al één dag na het leeglopen van de school weer langs het gebouw te lopen. Het was een lege huls. Maar om ons doel te bereiken moesten we erlangs. Nu stonden er twee auto's op de oprit van de nieuwkomers, de ene rood, glanzend en nieuw en de andere vaal kobaltblauw, een klein vijfdeursautootje uit een totaal ander tijdperk. Van dichtbij in de vroege middagzon zag het huis er zonder meer goor uit.

Het was klein en het had een hele tijd leeggestaan. Er was vaak keet getrapt na schooltijd, wat te zien was aan zilverkleurige graffiti aan de oostkant – 'Sox '86' – en een met zwart getekend pentagram met het woord 'Sabbath' erin, een verwijzing naar een oeroude maar onsterfelijke heavymetalband. De muurbeplating onder de dikke laag vuil was meerschuimgroen, een kleur die alleen voorkomt bij voorwerpen uit een bepaald tijdperk. Schalen in bric-à-bracwinkeltjes. De smalle veranda aan de voorkant was vaalwit en herbergde alleen een lege plantenhanger en een aluminium strandstoel met een gescheurde zitting die ingeklapt tegen de muur stond.

Iets aan dit huis zou me altijd doen denken aan een toneeldecor, of zelfs een ontwerp voor een toneeldecor. Ieder vertrek bevatte uitsluitend precies die voorwerpen die voldoende waren om het beoogde gebruik ervan aan te geven. In de eetkamer stond een krakkemikkige, zwartgeverfde vierkante houten tafel met daaromheen vier niet bijpassende stoelen met rechte leuningen, en op de tafel stond een koperen kandelaar met houders voor drie kaarsen die allemaal met gestold kaarsvet bedekt waren. Dat was alles.

In de woonkamer een open haard, een bank, een grote luie stoel, een kleed met franje en een lamp. In de keuken een ronde bruine tafel met drie stoelen en een kruk. Later zouden we de meer huiselijke voorwerpen in de kamer ontdekken: een scrabblespel waaraan letters ontbraken, een compleet servies voor vier personen in de kast, een Chinese wok en een paar potten en pannen, en één groot mes, uitsluitend gebruikt door Theo, die het altijd meteen na gebruik afwaste. Ze hadden een koffiepot die niet leek op enige andere die ik ooit had gezien, een geval van glas en chroom dat ze de 'doordrukker' noemden omdat je het drab naar de bodem van de pot duwde, waarna je steevast zeer sterke koffie overhield die lauw was en waar bezinksel in zat. Ik was de koffie bij het Top Hat Café gewend, die drabbig werd omdat hij de hele dag op het plaatje stond. De doordrukker kwam uit Europa.

We bleven even op de veranda staan, Cherry en ik, en toen klopte ik op het hout van de hordeur; op hetzelfde moment verscheen de vrouw uit het café erachter, alsof ik haar uit het niets had opgeroepen, alsof de deur een televisie was die door het kloppen was ingeschakeld en zij het programma dat erop was.

Ik werd opnieuw getroffen door de warmte waarmee ze me aansprak. 'Hallo, Ginger!' riep ze, duidelijk verheugd – het leek haast alsof ze opgelucht was –, waarna ze opeens verlegen werd.

'Ja, ik heb al dagenlang niemand gezien – ik ben net een mol in een leger, of hoe die ondergrondse holen ook maar heten waar mollen in wonen. Maar daar is Theo...' De lange man dook achter haar op.

'Kom binnen,' zei hij, en Raquel gooide de deur wijd open. We stapten een miniatuurgang in. Vanbuiten zag het huis er veel groter uit.

Ik stelde Cherry voor en daarna viel er een enigszins ongemakkelijke stilte. Wat deden we hier? Wat hadden we dit knappe stel te bieden? Ze deden me denken aan de modellen die ik in een postordercatalogus had gezien en die mensen met uitgebreide garderobes voorstelden, mensen die vreemde talen spraken en vanzelfsprekend niet meer in de kleine plaatsen woonden waar ze waren geboren.

'Wat kan ik jullie aanbieden?' sprak Raquel mijn onuitgesproken vraag uit, die daarmee overbodig was geworden, en ze ging ons voor naar de kleine keuken, waar het behang met ruitjespatroon en de donker geschilderde kastjes op gespannen voet met elkaar stonden. We stemden in met glazen ijsthee uit een kan – en niet per glas met poeder uit een bus gemaakt, zoals mijn moeder deed – en werden uitgenodigd aan tafel plaats te nemen. Goed, dacht ik. Wat hebben jullie ons te bieden?

'Wat een bijzonder dorp is het waar we wonen, vinden jullie niet?' begon Raquel. 'Ik heb gewoon het gevoel alsof mijn hele leven hier opnieuw begint.' Cherry en ik keken elkaar aan. Dat was een veelbelovend begin.

Theo kwam binnen, pakte een biertje uit de ijskast – terwijl het nog maar één uur was – en ontkurkte geleund tegen het aanrecht het flesje. Zijn katoenen overhemd was niet dichtgeknoopt en ik zag een smalle reep borst en buik, en kleine haartjes op zijn onderbuik. Dat kon later met Cherry worden besproken. 'Dus dit zijn de dochters van Wick?' zei hij grijnzend, en hij nam een slok. Tegenover me aan tafel dronk Cherry nerveus van haar ijsthee en keek me over de rand van het glas aan. Ze wist evenmin als ik of er een antwoord van haar werd verwacht.

'En wat een prachtige dochters,' kweelde Raquel. 'Dit is het bewijs waar we naar op zoek waren. Zoals jullie eruitzien! Wick is precies het soort heilzame omgeving dat we voor ons eigen jong wilden.' Ze lachte lief naar Theo.

'O, bent u in verwachting?' Bij dit vertrouwde onderwerp kreeg Cherry vaste grond onder de voeten. Veel meisjes in Wick werden in de hoogste klas zwanger en waren korte tijd later getrouwd. Ik keek onderzoekend naar Raquels platte buik in haar witte T-shirt, dat eruitzag alsof het van Theo was.

'Nog niet, maar als we geluk hebben rond de jaarwisseling...'

'Raquel,' viel Theo haar vriendelijk in de rede. 'Ik weet niet of Ginger en – Cherry? – meteen álles van ons willen weten.'

'Theo, dit zijn opgroeiende meisjes. Hoe meer informatie ze kunnen krijgen, hoe beter, toch? Waarom zouden we preuts doen? En ik weet zeker dat wij van hen ook een heleboel kunnen leren. De wijsheid van de jeugd, de wijsheid van het platteland... je weet wel, dat de eenvoudige dingen van het leven zo moeilijk te bevatten zijn en zo. Toen ik jong was, had ik er een lief ding voor overgehad als iemand eens eerlijk tegen me was geweest, weet je dat? Toen ik opgroeide, dacht ik dat een man en een vrouw een baby kregen als ze te dicht tegen elkaar aan zaten op een bankje. Ik bedoel, ik wou dat iemand me eens wat had verteld over geboortebeperking' – bij dat woord kreunde Theo en ging hij de keuken uit, terwijl Cherry giechelde van angstige verrukking – 'orgasmes en allerlei standjes...' Daarmee had ze ons gepaaid. We waren zilverkleurige vissen die met opengesperde monden aan haar haak hingen.

Wij hadden beknopte instructies over geboortebeperking

gekregen in een speciaal onderdeel van de gymles, ergens tussen volleybal en basketbal, maar geen volwassene had het ooit met ons gehad over de daad die die geboortebeperking noodzakelijk maakte. We wisten heel goed dat het gebeurde, en Cherry had menige spannende avond met al haar kleren aan op de bank in de hobbykamer liggen vrijen met het een of andere zweterige vriendje, maar erover horen praten – over geslachtsgemeenschap – in de context van echte volwassenen die hun tijd konden besteden zoals ze zelf wilden...

De middag vloog voorbij terwijl we gedrieën rond de keukentafel zaten, ijsthee dronken en later popcorn aten (Raquel bezwoer ons dat dat het enige was wat ze zelf kon klaarmaken), en Raquel vertelde dat ze de pil had geprobeerd, maar dat die maakte dat ze op de vreemdste tijdstippen van de dag in slaap viel, waar ze ook was; dat ze alleen van het kíjken naar condooms al onpasselijk werd (vooral als het gebruikte waren); dat het pessarium haar goed beviel, omdat het inbrengen ervan Theo de tijd gaf om wat te 'kalmeren', zoals ze heel nuchter zei, zodat hij 'het langer kon uitstellen'. En dat zij, Raquel, tegelijk met de penetratie op allerlei manieren met de hand gestimuleerd moest worden om tot een orgasme te komen, en dat dat het best lukte als Theo haar achterlangs nam; en dat ze het liefst zo snel mogelijk een kind wilde. Dat ze (ze boog zich naar ons toe en liet haar stem dalen) van plan was met een speld een gaatje in haar pessarium te prikken: Theo zou van niets weten.

En zo hadden we al meteen een geheim met z'n drieën, en toen Theo na een poos weer binnenkwam, ging Raquel rechtovereind zitten en improviseerde ze: '... dus dat is eigenlijk het verhaal, zo hebben we besloten dat Wick de goeie plek voor ons was. Het is fantastisch om in een dorp te wonen dat zo'n geschiedenis heeft. Ik vind het heel belangrijk dat er een verbondenheid met het verleden is, en met een plek, dat ik het gevoel heb dat ik misschien toch ergens thuishoor.' Na deze halve toespraak keek ze triomfantelijk rond, en ze lachte Theo nog eens toe, nog inniger dan eerst. 'Ik moet naar de wc. Houd jij de meisjes even bezig, Theo?' Ze ging de keuken uit en beklom luidruchtig de trap.

Haar lege stoel stond tegenover ons. Theo plofte erin neer. Hij keek ons strak aan en even keken we terug, toen naar elkaar – ik zag dat Cherry bloosde – en vervolgens omlaag. Zijn grijze, nadenkende blik deed me denken aan een massa water. Je kon er geen afdrukken in maken, je kon je er alleen maar door laten overspoelen, omverwerpen, erin verdrinken.

Plotseling boog hij zich naar voren. De tafel piepte. Zijn stem klonk welluidend, goed gearticuleerd. 'Hebben jullie niks nuttigers te doen?' Hij klonk ernstig, zelfs streng, ook al was wat hij zei als grapje bedoeld, nam ik aan. We waren uitgenodigd. Of althans ik. 'Moeten jullie geen koeien melken, elkaars haren vlechten op het veld of blokken voor jullie introductiewerkstuk voor de universiteit?'

We piepten als muizen. 'Dat is volgend jaar pas!' riep Cherry, nuchter als altijd. Ik geneerde me voor haar en wilde net iets geraffineerds naar voren brengen waarvan ik hoopte dat het indruk op hem zou maken, toen Theo achteroverleunde en zo zachtjes begon te praten dat we doodstil moesten zijn en ons een beetje naar hem toe moesten buigen om hem te verstaan.

'Ik herinner me nog dat ik zo oud was als jullie...' Cherry rolde met haar ogen. 'Ik dacht dat de zon opkwam en onderging in mijn reet.' We lachten weer, verrast, en keken hulpzoekend naar elkaar, en ik zag dat Cherry haar stoelleuning vastgreep alsof ze aanstalten maakte om op te staan. 'Ik dacht dat ik alles kon krijgen en alles kon doen als ik het maar graag genoeg wilde.' Hij keek ons even aan, zijn uitdrukkingsloze blik flitste van Cherry's gezicht naar het mijne en weer terug als de gevorkte tong van een slang, terwijl de ene punt van zijn roze tong uit zijn mondhoek gleed en daar even bleef liggen, alsof hij van zijn eigen huid wilde proeven.

'Ik verlang er al een hele tijd naar om uit de droom te worden geholpen. Kunnen jullie me helpen, wat denk je?'

Het viel onmogelijk uit te maken wat hij bedoelde. Uit zijn toon, zijn gezicht of zijn woorden kon ik niets afleiden. Ik wist niets beters te doen dan maar weer te lachen.

Maar Cherry nam hem te serieus. Of niet serieus genoeg. 'Het is waar! Niemand kan alles doen wat-ie wil,' zei ze berispend.

Maar hij leek haar niet te hebben gehoord.

'Giechelen is prima,' zei hij, en hoewel hij ons allebei aankeek, hoewel zijn blik nog steeds heen en weer schoot, had ik het gevoel dat hij het alleen tegen mij had. 'Giechel alsjeblieft zoveel je wilt, zoveel je kunt... Maar zorg ook goed voor jezelf. Kom voor jezelf op. Kijk goed uit...' Hij praatte tegen mij alsof er maar sprake was van één 'jij', alsof Cherry en ik ondeelbaar waren. Maar volgens mij had hij eigenlijk moeten zeggen dat we goed voor elkáár moesten zorgen, voor elkáár moesten opkomen. 'Je weet maar nooit wanneer...' – en toen ging zijn blik omhoog, en we keken om naar de deuropening, waar Raquel stond.

'Wat zijn jullie aan het bekonkelen? Jullie plannen toch niet stiekem een feestje, hè?' Ze keek ons allemaal om beurten aan. Ze had er een grapje van gemaakt, maar de onzekerheid in haar ogen was echt. Ik had het gevoel dat ik haar op de een of andere manier had verraden, al had ik niets anders gedaan dan proberen iets te begrijpen. Je weet maar nooit wanneer wát? Wanneer we genoeg hadden gehoord? Ik geloofde niet dat ik ooit genoeg zou kunnen horen. Het viel moeilijk te zeggen wie hij eigenlijk probeerde te beschermen. Misschien had hij op het punt gestaan iets nietszeggends te verkondigen, dat dit de mooiste jaren van ons leven waren en dat we er maar beter van konden genieten zolang het nog kon of zo. Hoewel het voor mij zonneklaar was – door de manier waarop hij in zijn lijf zat, soepel, behaaglijk – dat hij veel plezier had in de huidige fase van zijn leven.

Toen verstrakte hij, en al zijn grilligheid en onvoorspelbaarheid was terug. 'Ik weet dat je niet van verrassingen houdt, lieverd. Nee, Ginger vertelde ons net een spookverhaal. Over dat meisje wier hoofd eraf valt als ze het lint om haar hals losmaakt.' Dat verhaal kende ik. Het was een van mijn lievelingsverhalen, al kon ik me het begin nooit herinneren, alleen de ontknoping.

'Ginger en Cherry moeten zo naar huis, Theo. We moeten afscheid van ze nemen.' Raquel gaf ons een knipoog en drukte zich plat tegen de deurpost ten teken dat wij geacht werden op te staan en langs haar te lopen. We gehoorzaamden, Cherry met meer bereidwilligheid dan ik voelde.

'Kom gauw eens terug! Het is hier eenzaam.' Raquel zwaaide vanaf de sjofele veranda en keek ons na terwijl we de heuvel beklommen.

Onder het lopen bleef Cherry zich maar hardop verbazen over Raquels gedurfde instructies – 'Wat denkt ze dat ze is, gymlerares?' – en Theo's prikkelende terzijde. 'Denk je dat hij met ons flirtte?' vroeg ze ongelovig, en ik knikte afwezig en liet mijn gedachten haastig ver afdwalen van die banale interpretatie.

7
Zondag

Cherry's huis is een fraai, groot wit bouwwerk aan het dorpsplein. De Endicotts behoren tot de oudste families van het dorp. Ze hebben een boerderij in de heuvels die nog steeds in bedrijf is, en meneer Endicott is zijn vader opgevolgd als advocaat van ons dorp en behandelt scheidingen en voogdijgeschillen, overdrachtsaktes, testamenten en rechtszaken. Hij vertelt ook graag sterke verhalen en gaat graag met een stel vrienden een biertje drinken en een potje bowlen. Mijn ouders zijn altijd bevriend geweest met de Endicotts, en Cherry en ik waren als kleine meisjes al altijd samen. We hadden gemeen dat we allebei enig kind waren, althans, door het verschil van zeven jaar tussen Jack en mij voelde het zo, zelfs al voor het echt zo was.

In een dorp vol katholieken is een enig kind een zeldzaamheid. Cherry's ouders aanbidden het gezond verstand. Losse papiertjes worden bewaard voor het opschrijven van telefonische boodschappen, de tijd tussen het uittrekken van je sokken en het naar bed gaan dient te worden benut om de sokken met de buitenkant naar buiten in de wasmand te stoppen. Ik sliep al zo lang bij Cherry dat haar ouders speciaal voor mij een slaapbankje in de erker van Cherry's kamer hadden gezet. Ze noemden hem 'Gingers erker'.

Ik hield van het huis van de Endicotts. Het was tochtig, en de muren en steile trappen ademden een sfeer van soberheid en rechtlijnigheid. In de tijd dat het huis gebouwd werd, was het idee dat alle ruimte beschikbaar diende te zijn voor de bewoners nog niet gangbaar; de ruimte in het huis was tot de laatste vierkante centimeter onderverdeeld in kamertjes met lage plafonds, bijna allemaal met een eigen haard. De Endicotts hadden uiteraard centrale verwarming laten aanleggen, maar Cherry en ik kropen boven toch vaak weg onder vele lagen spreien en dekbedden. Op zaterdagochtend namen we, zelfs op de middelbare school nog, al onze dekens en kussens mee naar beneden om daar op de grond naar een oude zwart-witfilm te kijken.

Vandaag was het zondag, en het leek erop dat we de verleiding gewoon niet konden weerstaan. Of ik was degene die dat niet kon en Cherry had nog niet de kracht gevonden om míj te weerstaan. Zodoende liepen we tegen het eind van de ochtend wat doelloos rond, met een onuitgesproken maar onmiskenbare neiging in de richting van het huis van de Motherwells. Eerst gingen we een poosje in de regen onder de druppelende luifel van de aula zitten, een vrijstaand gebouw bij de school dat rond en raamloos was als een graansilo. Daarna stonden we een paar minuten op de heuvel naar het huis te kijken. Ik zag een lichtje branden in de slaapkamer op de bovenverdieping, een gezellig geel schijnsel in het donkergrijs. Er reed een auto met een stel mensen van school voorbij die sneller ging rijden op de natte weg. 'Ze zouden wel wat voorzichtiger mogen zijn,' zei Cherry, en ze keek de auto na terwijl we steeds dichter bij het huis van de Motherwells kwamen, maar ik hoorde een vleugje melancholie in haar afkeuring. Volgens mij had ze misschien liever in die auto willen zitten.

'Goh, wat fijn dat jullie hebben besloten vandaag weer langs te komen, want als jullie dat niet hadden gedaan was ik helemaal gek geworden, hier in m'n eentje met die stortregen.'

Dat geloofde ik graag. In die slaapkamer onder het dak was het net of we onder een uitgeklapte zwarte paraplu zaten. Theo was niet thuis; Raquel zei niet waar hij naartoe was. Ik moest om drie uur in het café zijn. Het regende al sinds de vroege ochtend; buiten glom het gras in de modder en ik kreeg daar in die warme kamer een heerlijk loom, ingekapseld gevoel.

'Ik word gek van mezelf als ik alleen ben. Uiteraard kan het gezelschap van anderen ook ondraaglijk zijn... maar ik geloof dat ik een aardig compromis heb gevonden. Ik zat net in mijn dagboek te schrijven.' Raquel hield een in leer gebonden boekje met een vergulde kaft en een slotje omhoog, ongeveer zo groot als een doos bonbons. 'Is het niet schitterend? Hebben jullie er ooit zo een gehad, met een slotje en een sleuteltje? Je zou een heel meisjesleven aan deze bladzijden kunnen toevertrouwen. Ik bewaar het hier' – ze wees naar de bovenste la van haar toilettafel – 'bij mijn ondergoed, en het sleuteltje apart, zoals ieder zichzelf respecterend meisje, in dit schaaltje.' Het leek alsof ze ons, de voormalige indringers, nu in haar privéleven inwijdde. Het witte schaaltje stond op de toilettafel en bevatte behalve het sleuteltje zo te zien nog een hele rits oorbellen, waarvan ik haar er nooit een zou zien dragen. Haar oorlelletjes waren altijd onversierd.

Ik had heel vroeger een dagboek bijgehouden, toen ik elf was. Het was een cadeau geweest van mijn ouders, op advies van een rouwconsulent. De data waren voorgedrukt, en ik schreef op elke bladzij iets zuiver onpersoonlijks. Wat voor weer het die dag was, mijn huiswerk, de gegevens van een van de vele boeken die ik ooit had gelezen, compleet met schrijver, titel en de datum dat ik was begonnen met lezen. Ik maakte wel een notitie van de eerste keer dat ik ongesteld was geworden, de 'bloedende gast', zoals mijn moeder het noemde, op de laatste dag van de zomervakantie waarin ik twaalf was. En daarmee eindigde het verslag van mijn rouwperiode.

Ik wist dat Cherry er een gewoonte van maakte in een notitieboekje trouwhartig alle contacten vast te leggen die ze (in de gang op school, bij de rivier, in Main Street) met de jongen had door wie ze op dat specifieke moment geobsedeerd was. Er zaten vijf volgeschreven deeltjes in een schoenendoos onder haar bed, en aan het zesde werd gewerkt. Maar dagboeken leken haar als gespreksonderwerp niet te interesseren.

'Vertel eens hoe jij en Theo elkaar hebben ontmoet?' Dat was iets waar Cherry wel enthousiast over kon worden.

'Wat? Wou je de stemming op deze sombere dag nog verder bederven met een smerig verhaal?'

Ik keek Cherry aan en bedacht dat we waarschijnlijk hetzelfde dachten: dat dit juist een ideále dag was om zo'n verhaal aan te horen. Niets kon verrukkelijker zijn dan tot de rand toe te worden gevuld met een verslag van andermans belevenissen als de dag buiten vochtig en kil en maar al te bekend was. Een goed verhaal wordt alleen overtroffen door een prikkelende dagdroom.

'Nou ja, het is ook eigenlijk wel een aardig verhaal. We kennen elkaar nog niet zo lang, trouwens, dus ik heb nog niet de kans gehad het vaak te vertellen.' Ze ging op bed verzitten, sloeg haar benen over elkaar en nestelde zich op haar nieuwe plek. Ik vond dat ze er mooi uitzag in het gele licht van de lamp op het nachtkastje, met haar lange donkere haar rond haar schouders, haar armen en benen bloot en de rest van haar lichaam gehuld in een verbleekt-rode katoenen zomerjurk. Haar voetzolen waren stoffig. Ik bedacht dat ze het een beetje koud moest hebben en trok de mouwen van mijn trui over mijn handen, alsof zij het daardoor warmer zou krijgen.

'Theo en ik studeerden geschiedenis aan dezelfde universiteit. We waren allebei aan het promoveren. Maar vrees niet, ik ben geen doctor. We zijn voor die tijd gestopt. Zijn vakgebied was godsdienstgeschiedenis, het mijne doodgewoon Amerikaanse geschiedenis, met een accent op bepaalde onverkwikkelijke episodes.

We kenden elkaar niet goed, hoewel we al een paar jaar op dezelfde faculteit rondliepen. Ik was altijd een beetje bang voor hem als ik hem op de campus of in de stad tegenkwam. Hij kwam zo onverschillig over. Op faculteitsfeestjes zat hij soms gewoon een boek te lezen, en in de universiteitsbibliotheek betrapte ik hem een keer innig verstrengeld met een meisje – dat bij mij nog een werkgroep had gevolgd – en met zijn tong diep in haar mond. Ze stonden nog net niet te vozen. Hun gedrag was onmiskenbaar ontoelaatbaar volgens alle regels van de universiteit en ook in strijd met de goede zeden, maar hij had iets over zich wat maakte dat hij daar niet vatbaar voor was, een soort suikerlaagje waardoor hij soepeltjes door het keelgat van iedere netelige situatie gleed. Misschien is het helemaal niet zo'n mysterie. Het is tenslotte een knappe vent.' Ze leek even te verzinken in een dagdromerij over vleselijke lust.

'Hij had, anders dan ik, altijd een heleboel vrienden, maar net als ik had hij moeite om ze vast te houden. Ik zag hem de hele tijd met één bepaalde vrouw, of een groep medestudenten, en dan leek de band ineens op mysterieuze wijze te zijn verbroken en liepen ze hem in de gangen van de faculteit voorbij zonder iets te zeggen – of zelfs met een wijde boog om hem heen.

En toen bleken we vorig voorjaar – zo kort geleden nog

maar! – allebei op dezelfde beurs te zitten vlassen, een beurs die de winnaar in staat zou stellen een jaar te besteden aan een onderzoeksproject naar keuze.

Ik herinner me de dag dat we allebei op de gang bij de kamer van de decaan op de uitslag zaten te wachten. We maakten wat grapjes en vielen toen stil, en ik dacht na over het geplande jaar van intensief onderzoek, om nog maar te zwijgen van de eer van het krijgen van de beurs zelf, maar werd daar al snel van afgeleid door de elegante pose van concentratie van Theo – zijn wang, de pezen in zijn hals – op de stoel tegenover me.' Raquel ging verzitten en sloeg haar benen anders over elkaar. Ze keek ons doordringend aan en glimlachte.

'Kennen jullie dat al, het zeldzame genoegen van de wederzijdse aantrekkingskracht?' Het was een retorische vraag. 'Het is een gevoel verlicht te zijn, samen met de ander gevangen te zijn in een zeepbel van licht. Bijna alsof je elkaars ogen niet kunt zien omdat ze zo licht zijn. De felle gloed kaatst eindeloos heen en weer. Hij werpt je op jezelf terug als je er te lang naar kijkt, en dat is het allerlaatste wat je wilt. Je wilt juist de ander zien, zo lang als je maar kunt.

Maar die ervaring zorgt niet alleen voor de ultieme huivering van de wederzijdsheid, het is ook een voedingsbodem voor de ultieme twijfel: een onzekerheid die elk stukje zekerheid tot een opluchting bombardeert. Is het echt waar? Klopt het wat ik voel? Kan ik mijn gevoel vertrouwen? Is het wel een gevoel? Waarin verschilt het van een zinsbegoocheling? Mag ik bij mijn handelingen uitgaan van iets wat deel uitmaakt van dit gevoel, dat hoogstwaarschijnlijk een zinsbegoocheling is? Hoe zal ik het ooit weten als ik het niet vraag?

En dus vroeg ik het. "Wat ga jij doen als je de beurs niet krijgt?" was mijn opening, een zelfverzekerde opening waarmee ik te kennen gaf dat ik mezelf een goede kans gaf om te winnen. Zijn antwoord was resoluut. "Bij jou wonen en jouw geld uitgeven," zei hij kalm en zonder te aarzelen, en hij keek me langer aan dan ik kon verdragen. "Zo, zo," wist ik nog uit te brengen, en toen ging de deur open en verzocht de decaan ons bedremmeld zijn kamer te betreden, waar al snel pijnlijk duidelijk werd dat Theo had gewonnen met zijn voorstel om het hele land door te trekken en overal onuitgenodigd godshuizen te betreden, de reacties van de aanwezige gelovigen op zijn aanwezigheid vast te leggen en hun een aantal door hem ontwikkelde onderzoeksvragen voor te leggen. De resultaten van het onderzoek zouden uiteindelijk uitmonden in een proefschrift. Hij zegt altijd dat dat boek, als hij het ooit schrijft, *Vandaag kreeg mijn kerk bezoek van de duivel* zal gaan heten.

Theo hield de deur voor me open toen we de kamer verlieten. Mijn gefnuikte ambitie omhulde me als een nauwe lijkwade. Toen we net weer buiten stonden, bleef hij staan. Het was een zonnige dag, een frisse wind had de blauwe lucht helemaal schoongeblazen. "Het is genoeg voor twee als we zuinig leven," zei hij. Hij lachte naar me, en ik kreeg de indruk dat hij niet gewend was zomaar naar iemand te lachen. Ik begreep dat hij het meende. Hij deed me een aanzoek. Hij vroeg me dat jaar met hem door te brengen, samen met hem het onderzoeksproject te zíjn: een onderzoek naar geluk, echtelijk of anderszins. Als jullie Theo beter leren kennen, zul je die kant van hem ook zien. Hij is heel resoluut in zijn verlangens en weet hoe hij ze kan verwezenlijken. Als hij oneindig veel zorgvuldiger omging met de uitwerking die die verlangens op anderen hebben, zou hij een wereldleider kunnen zijn. In dit geval zou zijn uitgesprokenheid mijn redding betekenen, en het maakte niet uit of dat onbedoeld was. Als ik zijn radicale opvattingen niet had herkend voor wat ze waren, zou ik hem waarschijnlijk hebben bedankt voor zijn hoffelijke aanbod en mijn eigen weg zijn gegaan. Maar ik besefte dat zijn aanbod in potentie veel meer behelsde dan het genoegen me een poos uitsluitend met mijn onderzoeksgebied bezig te kunnen houden. Hij bood me niets minder aan dan een gedeelde werkelijkheid. Een leven in de zeepbel, met z'n tweeën.' Raquels bosgroene ogen schitterden bij de intense herinnering aan die ingrijpende ervaring. Ik had nog nooit zoiets wonderbaarlijks gehoord, zelfs niet in een van de talloze goedkope romannetjes die ik tijdens een bijzonder gulzige fase in de bibliotheek had verslonden. Maar terwijl ik naar Raquels verhaal luisterde en naar haar ernstige, fijn getekende gezicht keek terwijl ze hoogtepunten van humor en scherpzinnigheid beschreef, begreep ik onmiddellijk wat Theo tot zijn voorstel had geïnspireerd. Ze deed me denken aan *la belle dame sans merci*, de antiheldin van het gelijknamige gedicht dat we op school hadden gelezen, een denkbeeldige vrouw die haar reële aanbidders hevig aangedaan en uitgeput op een heuvel achterliet, 'een bleek en eenzaam zwerveling'. Ze hadden haar nooit meer terug kunnen vinden. Maar hij had haar gevonden, wie ze ook was. Ik vroeg me af of het er voor hem toe deed wie ze was, of dat hij een nog grotere sprong had gewaagd dan Raquel besefte en zichzelf op goed geluk op haar had afgeschoten als een proton, een vonk uit een haard, een vrij zwevende gloeiende sintel van betekenisloosheid.

'Het leek niet voldoende om samen bij dat gebouw weg te lopen en voortaan bij elkaar te blijven. We besloten samen met de studie te stoppen maar dat pas na ons gezamenlijke beursjaar aan de faculteit mee te delen. We hebben dat nog steeds niet officieel gedaan. We zouden het geld innen en met een eenvoudig vijfdeursautootje op reis gaan, het hele land door, zoals zoveel ondernemende Amerikaanse stellen, maar onderweg geen kerken bezoeken. We gaven onszelf de hele zomer om de reis te maken en vertrokken een week later uit ons universiteitsstadje. We reden de hele dag en de hele nacht door, in noordwestelijke richting, door Ohio, Illinois en North Dakota, in een waas van routeplanning en avondwinkelkoffie. Ik wees de hele tijd op geschikte plekken voor ons nieuwe leven, plaatsjes midden in de rimboe, en dan zei Theo: "Nee, nu nog niet." Want we beseften niet dat er een heen- en een terugreis zouden zijn. We dachten dat we voorgoed vertrokken waren.'

'Voorgoed vertrokken' – wat een vreemde formulering. Ik keek naar Cherry, want er brandde een vraag op mijn lippen, maar haar gezicht had de uitdrukking van beleefd onderdrukte verveling die het ook kreeg als een vriendin van haar moeder bij de bibliotheek tegen haar stond te kletsen. Dit verhaal was niet wat ze had verwacht. Ik was daarentegen juist vervuld van een afgeleide verrukking: ik zat in een autootje en doorkruiste zonder ooit te stoppen tientallen plaatsjes die nog veel kleiner waren dan Wick. Ik zat alleen in die auto.

'Als ik nu terugkijk, zie ik heel duidelijk waar we mee bezig waren. We trokken gestaag westwaarts. We waren pioniers die elkaar steeds verder lokten met het goud voorbij de laatste grens. We wilden iets nieuws, en wat kon er nieuwer zijn dan het weidse landschap dat voor ons lag en er voor ons, die het overvolle New England gewend waren, heel ongerept uitzag? We kwamen door boerendorpen, melkveedorpen, bergdorpen, cowboydorpen, veehoudersdorpen en toeristendorpen, en overal zag ik ons wel wonen. Ik kon me zonder moeite voorstellen hoe ons plekje eruit zou zien en hoe we het ons konden toe-eigenen. Ik zou kinderen krijgen, Theo zou kunnen studeren. We konden allebei in de plaatselijke tandenborstelfabriek gaan werken of les gaan geven op de middelbare school. Dat kan altijd, overal zijn jonge, ongevormde geesten.' Raquel glimlachte, zich koesterend in onze onverdeelde aandacht.

'Toen we het Glacier National Park in Montana bereikten,

waren we volledig uitgeput, en bovendien ondervoed omdat we uitsluitend op pindakaas en witbrood hadden geleefd. Daarom besloten we daar een tijdje te blijven. We huurden een plaats op een camping. Het was eind mei en nog behoorlijk koud. Er lag sneeuw op de bergtoppen. Zelfs op de hoogte waar wij waren was het 's nachts soms maar een paar graden boven nul, en we werden 's ochtends helemaal verkrampt en stijf achter in de auto wakker, waar we dicht tegen elkaar aan gedrukt hadden liggen slapen.

Ik kan me niet herinneren ooit zo'n idyllische tijd te hebben beleefd. 's Ochtends stonden we op, dronken oploskoffie en aten brood en appels, en dan trokken we eropuit. Het park wemelt van de bizons. Overal vind je hun spiraalvormige uitwerpselen, op elk pad, in elk weiland. Het lijken precies enorme kaneelbroodjes van poep.' We giechelden gehoorzaam.

'Maar ik aarzelde om de zwaardere paden op te trekken. Het woord "aarzeling" geeft mijn houding tegenover dat korte verblijf in de wildernis goed weer. Ik weet precies wat voor relatie ik geacht word met de natuur te hebben: een verheven, bovenaardse, intieme band. Je zou kunnen zeggen dat het de bedoeling is dat ik een verstandhouding krijg met de blaadjes aan de bomen, met de weilanden en de wilde bloemen die er welig tieren, met de warme regen die op onze hoofden en schouders viel toen we een keer in een vroege zomerstorm belandden.' Cherry kuchte, en toen ik mijn hoofd naar haar toe draaide keek ze me veelbetekenend aan, maar ik wilde me niet laten afleiden. Ik richtte mijn volle aandacht weer op Raquel.

'Maar ik kan geen vriendschap voelen voor een zaadje als ik weet dat er een kolossale boom uit zal groeien. Ik word gek van het ongemak dat nat gras me bezorgt. De boselfen mijden mijn gezelschap. O jee, moet je zien hoe laat het is! Verveel ik jullie?'

Ik keek naar de wekker op het nachtkastje; het was halfdrie.

Naast me rekte Cherry zich met een besmuikte geeuw uit. 'We moeten over niet al te lange tijd weg,' zei ze, met een dikke stem van het lange zwijgen. Maar ik vond dat ik nog wel twintig minuten kon blijven zonder te laat te komen voor mijn werk in het Top Hat Café.

'Oké, waar was ik... o ja. Goed, na een poos gingen we weer weg uit het park en reden verder over kleine landweggetjes, door het ene dorp na het andere, allemaal vol mogelijkheden, totdat we in de staat Washington de kust van de Stille Oceaan bereikten. We logeerden in een motel in een bosarbeidersdorp, douchten en sliepen een paar dagen heerlijk tussen stugge, gebleekte lakens. Daar kreeg Theo plotseling het verlangen om naar huis te bellen – "gewoon om iedereen te laten weten dat alles goed met ons is", zei hij.' Raquel viel even stil en zuchtte. Ik keek haar ernstig aan, me ervan bewust dat er een belangrijke plotwending aankwam.

'We bereikten het beloofde land nooit. Helaas bleek thuis niet alles goed te zijn. Theo's moeder had een nieuw knobbeltje in haar overgebleven borst ontdekt, na een remissie van vele jaren. Ze was onmiddellijk met chemotherapie gestart en ze was erg ziek, gaf voortdurend over en was zwak en duizelig. Zijn vader Ted zei dat hij Theo's hulp nodig had en vroeg ons dringend naar huis te komen.

We haalden ons boterbriefje ergens onderweg op onze gehaaste, onromantische terugreis, in het Details National Park. Een kantonrechter leidde de plechtigheid op onze camping. Ik heb foto's – wil je ze zien?'

Ik stond op het punt te zeggen dat ik ze graag wilde zien – al twijfelde ik niet aan het waarheidsgehalte van haar verhaal – maar toen draaide Raquel zich met een ruk om naar de wekker naast het bed. 'Ginger, moet jij niet naar je werk?' vroeg ze met zachte dwang. Ik kreeg plotseling het onaangename gevoel dat ik te veel was. Vond Raquel Cherry aardiger dan mij? Dat zou me niet verbazen. Cherry was ongetwijfeld de sociaalste, de boeiendste van ons tweeën. Ze was geslaagder dan ik. Ze beantwoordde over het geheel genomen meer aan de norm voor tienermeisjes, en ik had al begrepen dat Raquel een groot bewonderaarster was van alles wat aan normen beantwoordde. 'Ik wil niet dat je door mijn schuld te laat komt. En trouwens, wat nu nog komt is het treurige deel van het verhaal, het saaie volwassen deel waarin we een burgerlijk leven gaan leiden en elkaar gelukkig proberen te maken.' Ik was opgestaan en stond op het punt afscheid te nemen toen Cherry voor mij antwoordde.

'Nee, helemaal niet saai. Hoe ging dat? Belden jullie je ouders direct nadat je getrouwd was? Waren ze "ontzettend blij" voor jullie?' Ik zag dat Cherry ineens heel anders keek. Begerig. Wellustig. Alsof Raquel een dikke ader had geopend voor een kersverse vampier die de last, de vurige hartstocht, van een heel leven van honger voelde.

Ik kreeg het benauwd in de vochtige beslotenheid van Raquels slaapkamer, waar een steeds sterker wordende geur van drogend textiel hing. Het tikken van de sterk afgenomen regen op de ramen beloofde een weersverbetering, en ik ging naar buiten. Raquel zwaaide naar me en beloofde me nog een heleboel dagen zoals deze. Cherry vroeg of ik haar na mijn werk wilde bellen. Ik liet hen achter in de knusse kamer, en terwijl ik de trap afdaalde hoorde ik Cherry met haar zachte, enigszins toonloze stem vragen: 'Maar waren jullie verliefd?'

8

Zondagavond

Later die avond belde ik zoals beloofd met Cherry, wat we bijna elke avond deden, zelfs als we net de hele dag in elkaars gezelschap hadden doorgebracht.

'Dit móét je horen,' zei ze. 'Het gaat over de Motherwells. Je zult je oren niet geloven.'

Juist wel, dacht ik, als het over de Motherwells ging zou ik waarschijnlijk alles geloven. Ik had de hele middag en het begin van de avond in het Top Hat Café geleund tegen de bar staan mijmeren over alle verrukkelijke waarheden die ik nog in me zou kunnen opzuigen, alle goedgelovigheid die ik nog bezat en zou kunnen mobiliseren. Ook een vorm van macht.

'Sorry hoor,' zei ze, 'maar die mensen zijn zó bizar. Raquel heeft me de raarste dingen over haar en Theo verteld. Misschien moet ik het je maar niet eens vertellen. Je gaat denk ik alleen maar door het lint... Ik weet hoe preuts jij bent als het over jongens en seks en dat soort dingen gaat.'

Ze wachtte alleen maar tot ik haar zou overtuigen van de onvoorstelbaarheid van het idee dat ze ook maar het geringste voor me zou achterhouden. Dat is denk ik een van de extra's van zo'n soort vriendschap: totdat er iets onuitspreekbaars gebeurt dat je echt niet hardop kunt zeggen, zelfs niet tegen je beste vriendin, lijdt het geen twijfel dat je open boeken voor elkaars begerige ogen bent. Dat is waarschijnlijk ook wat je feitelijk van zo'n vriendschap leert: als er één iemand is die je alles vertelt, dan zijn er per definitie ook mensen die je maar een deel vertelt en weer anderen die je niets vertelt. Ouders doen het meestal goed in die laatste hoedanigheid.

'Toen je weg was,' begon ze – en ik verplaatste mijn gewicht van mijn rechter- naar mijn linkerheup; ik zat scheef geknield voor het bureau op het dunne grijze kleed in het telefoonhoekje –, 'begon Raquel me van alles te vertellen. Ik weet zeker dat ze het jou ook had verteld als je was gebleven. Hoe ging het op je werk?' Zoals gewoonlijk sprong ze van de hak op de tak.

Ik verzekerde haar dat er op mijn werk zoals altijd niets bijzonders was gebeurd. Ik liet een problematisch bezoek van Randy onvermeld: hij had een hele tijd voor het café rondgehangen met zijn bekertje koffie, een sigaret gerookt en verscheiden keren van onder zijn warrige haar in mijn richting gekeken – maar misschien keek hij gewoon naar de klok aan de muur boven de bar, of misschien was het glas op dat moment ondoorzichtig vanwege het vernislaagje van de late namiddagzon die nog net over de rij daken aan de overkant heen kwam, en wierp hij alleen maar een blik op zijn eigen lichtgevende spiegelbeeld. Cherry vertelde verder.

'Zou jij ook niet zeggen dat alles perfect is tussen die twee? Ze lijken zo'n geheid stel. Maar moet je horen wat er gebeurde. Het was heel gek.' Cherry vertelde me van een droom die Raquel had gehad – maar was het wel een droom? Dat was mij evenzeer een raadsel als het dat waarschijnlijk voor Cherry was geweest. Raquel had altijd diep geslapen, maar sinds ze het bed met Theo deelde, werd ze bezocht door vreemde visioenen en gewaarwordingen. Ze werd in bed gesmoord door een arm die stom en roerloos over haar neus en mond lag; er werd in bed telkens opnieuw in de huid van haar billen geprikt door naaldachtige uitsteeksels, alsof ze een speldenkussen of een voodoopop was. 'Ze houdt van hem,' zei Cherry stellig, geruststellend, 'maar soms is ze een beetje bang voor hem, zei ze.'

Ook mijn mond werd geblokkeerd door een zware klomp stom vlees. Ik werd ademloos en in een ongelovige paniek wakker; de arm van mijn vriend, mijn vriend naast wiens lichaam ik elke nacht sliep, was gekomen om me te smoren, misschien wel onvrijwillig, als een soort dodelijk neveneffect van onze wederzijdse bewusteloosheid. Of, nog beangstigender: van het onderbewuste. Hoe dichter de gesuggereerde neiging bij een bewust verlangen kwam, hoe ondenkbaarder die werd. Ik voelde de woorden als een ziekte in mijn mond schuimen: wat is er gebeurd? vroeg ik, een vraag die voortkwam uit een stilzwijgende toestand die geen aarzeling, geen berekening kent, alleen een zuiver spraakvermogen.

Ik zat te hyperventileren terwijl Cherry opgewekt nog meer details gaf van een steeds verontrustender verhaal. Mijn eigen dromen hebben meestal iets te maken met het interieur van huizen.

'... En hij zegt: "Huh? Waarom zou ik naalden in je kont steken?" En ditmaal leek het volgens haar alsof de rollen waren omgedraaid, want nu was hij degene die zich gekwetst en verraden voelde – alsof hij niet kon geloven dat zij dacht dat hij zoiets zou kunnen doen.'

Dat was natuurlijk de vraag: in hoeverre geloofde zij dat hij tot zoiets in staat was? En hoe kon zij hem toestaan hem dat te laten merken, zelfs in haar halfslaap? Het kwam me voor als een gruwelijke intimiteit, een schending op zichzelf.

'Wat denk jij?' vroeg Cherry weer, helemaal opgewonden en

gretig. 'Ik geloof geen woord van wat ze zegt. Volgens mij is ze gestoord of zo. Ik vind haar een beetje eng.' Maar ik zat nog steeds klem, het omhulsel van mijn lichaam was met een vork doorboord, als het velletje van een worst.

'Volgens mij zijn ze allebei behoorlijk gek,' vervolgde Cherry behulpzaam, hoopvol, maar toen ik niet zei wat ze wilde horen gaf ze het op en zei ze dat ze nog iets op tv wilde zien en dat we elkaar morgen wel weer zagen. 'Slaap lekker!' koerde ze lachend, en ze hing op.

Maar natuurlijk kon ik niet slapen, en natuurlijk besloot ik om nog een eindje te gaan fietsen. Ik zeg 'natuurlijk' omdat het buiten donker was, en omdat ik al bang wás, zelfs al voordat ik door de glazen schuifdeur de achtertuin in holde en de hoek van de garage omsloeg. Terwijl ik van huis wegreed, had ik het gevoel dat mijn rug groter was dan mijn hele lichaam, als een schietschijf, het rauwe, onbeschermde gevoel van totale kwetsbaarheid, totale machteloosheid tegenover iedere macht die zich op me zou willen storten. Het leek zelfs een uitnodiging om dat te doen, 's nachts alleen op pad gaan met mijn gedachten, die steeds luider werden terwijl ik in de richting van het huis van de Motherwells trapte en streed tegen visioenen van wat er achter me zou kunnen zijn. Ik zei 'natuurlijk' tegen mezelf, hardop, want er zijn dingen waarvan je weet dat je ze niet moet doen als je veilig wilt zijn, als je het gevaar wilt mijden. Als je naar een horrorfilm kijkt weet je dat het meisje moet zorgen dat ze niet van de groep gescheiden raakt als ze buiten de plot wil blijven. Ze moet niet in het meer gaan zwemmen. En ze moet al helemaal geen bereidheid tonen om te worden aangeraakt. Als ze dingen in de speels-flirterige sfeer doet zal ze een bijrolletje krijgen, maar als ze zich aan de duisternis uitlevert, zal die haar zeker overmeesteren. En hier fietste ik:

ik zou niet kunnen zeggen aan wie ik me liever zou willen uitleveren.

Er brandde licht in de keuken. Ik liep naar de achterkant van het huis en bleef even voor de deur staan. Onder de groezelige kanten gordijnen door zag ik ellebogen op de ronde tafel en de restanten van een maaltijd. Wijnglazen en een kaars. Ik klopte, en na een halve minuut nog een keer. Ik meende vaag iemand te horen roepen dat ik binnen moest komen – de wind, of een gehoorshallucinatie, die mijn wens verhoorde. Ik deed de hordeur en de binnendeur open en stond in de gang. Zodra ik haar stem hoorde, heel duidelijk en resoluut, wist ik dat de uitnodiging die ik had gehoord niet hardop uitgesproken was.

'Bijvoorbeeld als ik woorden als "vochtig poesje" hoor. Dan ben ik meteen kletsnat.' Raquel. Ik verstarde.

'O, en hoor je die woorden vaak?' Theo's stem, mild spottend.

'Je hebt geen idee hoeveel van de tijd dat ik wakker ben ik besteed aan het oefenen van nieuwe woordcombinaties. Of seks. Seksoefeningen. Of liever: gedáchten aan seks.'

'Er is niets conceptueels aan seks. Seks is niet iets abstracts.'

'Dat hangt ervan af wat je als seks definieert. Ik kan in een fractie van een seconde klaarkomen als ik aan bepaalde woorden of woordcombinaties denk. Als ik helemaal alleen ben. Vochtig poesje.' Op droge toon, sotto voce.

'O?' Theo plagerig, ironisch. 'Waarom denk je niet aan mij als je alleen bent?'

Ze lachte, zuchtte. 'Het heeft allemaal te maken met afgescheiden zijn van de werkelijkheid.'

'Dat is alles bij jou, toch.' Het was geen vraag.

'O, maar dit vooral! Als ik een visioen, een fantasie bij mezelf zou opwekken van daadwerkelijk lichamelijk contact met jou... dat zou gewoon helemaal niet werken.'

Ze nam een slok. Het glas werd met een galmend *ping*-geluidje weer op tafel gezet. 'Want als ik aan woorden als "vochtig poesje" denk, dan is het mijn eigen... waar het over gaat, en wat me opwindt is het idee dat iemand in de toekomst – nabij of veraf – mijn poesje zou kunnen, en waarschijnlijk zál, omschrijven als "vochtig". En die opwinding veroorzaakt op haar beurt in mijn lichaam het verschijnsel, of de toestand zo je wilt, van het "vochtige poesje".'

Ditmaal liet ze de woorden zijdezacht tussen haar lippen door glijden, ze golfden naar buiten als een glanzend lint.

Theo was wat zachter gaan praten. Ik moest mijn oren spitsen om hem te horen. 'Ga door...'

'Hou je vast. Ik ga je iets nog veel geheimers laten zien.'

'Dat werd tijd,' zei Theo, en ik deinsde sidderend van paniek achteruit in de schemerige gang, in de richting van de deur. Maar als ik nu een geluid maakte, tegen de deurpost stootte of mijn keel schraapte, zouden de twee in de keuken onmiddellijk begrijpen dat ik hen al een tijdje roerloos in de gang had staan afluisteren. Aan de andere kant móésten ze me haast wel hebben horen binnenkomen: de deur was zwaar, en de hordeur was ertegenaan geslagen, teruggestuiterd en nog een keer dichtgevallen voordat hij tot rust kwam. Als ik bleef staan luisteren, zou dat het dilemma alleen maar verergeren. Met ieder woord dat ik hoorde werd mijn bedrog gruwelijker en mijn schuld groter.

Maar ik kon niets doen. Er klonk een geluid van een andere stoel die achteruit werd geschoven. 'Zo, ik zet dit even weg... kom 's hier.' Voetstappen, en vervolgens snel achter elkaar het *zzzzt* van een rits en geruis van kleren die over huid schoven, van armen en benen werden geduwd. 'Daar zal-ie wel tegen kunnen, toch?'

Wat ik daarna hoorde was puur vleselijk. Ik kon niets benoemen behalve 'zuigen', en een gesmak als van iemand die een reep eet; soms een zacht strijkend geluid, pure wrijving. De tafel piepte een beetje, maar niet veel. En toen:

'... en gewoon "neuken" ook. "Neuk me hard" of "kom, neuk me"... ah, je neukt me...' Haar stem was lager geworden, leek uit een dieper weggestopte plek in haar keel te komen, een gesmoorde plek. Er klonk een geklets, een slaan van huid tegen huid, en de voegen van de tafel piepten.

Toen Theo weer wat zei, klonk zijn stem hees, haast fluisterend, maar fluisterend zoals op het toneel.

'Ze is mooi, hè. Ik zou haar best willen neuken.'

'Tja.' Ze zwegen een hele tijd, maar de geluiden gingen door. 'Ik ook wel.' Haar adem leek in haar keel te stokken.

'Waarom doe je het dan niet?' vroeg Theo nogal koeltjes. De tafel protesteerde luid.

'Rustig aan, lieveling. Omdat ik jou nu neuk, klootzak. Godsamme. Bovendien, fantasie is geen... werkelijkheid. Voor zover ik weet ben *jíj* mijn werkelijkheid, schat.'

De tafel kraakte hevig. Hun ademhaling werd luider, een gesprek dat werd besloten met een wederzijdse overeenkomst. Ik schatte mijn afstand tot de deur en begon zachtjes achteruit te lopen.

'Mmm... trek 'm eruit... voordat je...'

Met alle omzichtigheid die ik nog in me had deed ik de deur achter me dicht.

9

Op een avond later die week stond ik dromerig bij de gootsteen in het huis van de Endicotts, met mijn handen in het zeepsop. Buiten toonde de avondhemel nog een laatste vleugje van het blauw van zo-even. Cherry droogde af en ik waste. We zeiden niets, hadden de hele dag niet veel gezegd. Voor mijn gevoel zaten we in een impasse, hoewel zij daar niet van op de hoogte kon zijn. De nieuwheid van deze persoonlijke ervaring, het op de hoogte zijn van iets wat zij niet wist en ook niet te weten zou komen, was tegelijkertijd pijnlijk en aangenaam, zoals ik feitelijk ook wist dat Cherry die mooie 'zij' moest zijn over wie de Motherwells het hadden, met haar zwarte haar, haar blozende wangen, haar volle lippen en haar witte huid.

Aan de andere kant had Cherry plagerig gezegd dat ze Theo naar mij had zien kijken. En dat ze dacht dat ze meer in mij geïnteresseerd waren. Het waren allebei van die intellectuelen, zei ze. Op een keer had ik op de veranda gezeten, helemaal verdiept in een boek, en toen zag ze Theo naar me kijken, zei ze. Ik had me net gretig op een volkomen onintellectueel, maar ontzettend lekker hapje gestort: *Drakenvlucht*, het eerste deel van de serie *De drakenrijders van Pern*, waarin op een verre planeet draakjes die net uit het ei zijn gekomen proberen te 'prenten', dat wil zeggen een telepathische band te smeden met een menselijke 'rijder', die dan hun eeuwige metgezel en leidsman wordt. Cherry merkte ook luchtigjes op, maar wel met een zijdelingse blik als om de schok te taxeren die ze teweegbracht, dat ze dacht dat ik een obsessie met Raquel en Theo ontwikkelde. Het was een raar gevoel om zo in de gaten te worden gehouden.

Nu nam ik in gedachten onze eerste ontmoeting in het café nog eens door, en ik bedacht dat dat prille begin al een soort zwakke voorafspiegeling had behelsd van wat er nog zou komen. Maar ja, dat geldt voor elk moment, bedacht ik. In ieder ogenblik schuilt een patroon, een code, waaruit alle volgende momenten te voorspellen zijn. Net zoals we onze familiegeschiedenis leven, zoals ik in gelijke mate op mijn moeder en mijn vader lijk, en zoals Jack op beiden leek, afhankelijk van de voorkeur en vooringenomenheid van de waarnemer. Ons hele lichaam, volledig bepaald door dunne lijnen: armen, benen, lippen, wimpers, haar, handen en voeten. Met uitzondering van de sproeten.

Die eerste dag was ik verlegen geweest en had ik niet veel gezegd. Raquel had haar opzichtige avances gemaakt en Theo zat ernaar te kijken, geamuseerd, misschien op zijn hoede, maar in elk geval goedkeurend. Aan het vervolg beleefden we alle drie plezier. Voor mij waren zij volwassenen en oneindig exotisch, al kreeg dat exotische een dun laagje van vertrouwdheid naarmate de zomer verstreek en ik steeds meer avonden in hun gezelschap doorbracht, dikwijls ver na middernacht op hun bank in slaap viel nadat ik mijn ouders had gebeld om te zeggen dat ik bij Cherry was en de volgende ochtend direct na het ontbijt thuis zou komen om de taken te vervullen die ik had veronachtzaamd, en nog een paar extra.

Ik had Cherry meegenomen naar hun huis omdat ik bang was om alleen te gaan. Zoals je bang bent voor alles wat je voor de eerste keer doet. Er was bijna niemand in Wick bij wie ik niet ooit een keer thuis was geweest, bij een dodenwake, een verjaarsfeestje of voor het bezorgen van een doos met drukwerk uit de zaak van mijn ouders. Dat is toch juist het mooie van zo'n dorp? Ik was zelfs in beide kerken geweest, hoewel mijn ouders noch bij de katholieken, noch bij de congregationalisten hoorden.

'Wat ben jij eigenlijk, joods?' vroeg een jongen me een keer in de pauze waar een hele troep andere kinderen bij stond, en hij keek me aan met een mengeling van brutaliteit en vrees. Ik herinner me nog dat ik dacht: en als ik nou eens 'ja' zei, wat zou hij dan zeggen? Er was nog nooit een jood in ons dorp geweest, zodat alle vooroordelen die hij wellicht had hopeloos afgezaagd en gedateerd moesten zijn. Had hij niet iets dreigenders kunnen verzinnen, iets nadrukkelijker uitheems? Bijvoorbeeld 'heidens' of voor mijn part 'een duivelaanbidder'? Ik vermoed dat het feit dat iedereen weet dat mijn moeder niet uit deze contreien komt, de weg had geplaveid voor zijn fantasieloze veronderstelling. Vroeger vroeg ik mijn moeder elke avond als ze me naar bed bracht om over de plek te vertellen waar zij vandaan kwam, over de wereld buiten Wick, maar ze deed het nooit. Ze was bang dat ik anders niet genoeg slaap zou krijgen. Ze had zich geen zorgen hoeven maken.

Midden in de nacht werd ik wakker in mijn erker in het huis van de Endicotts.

Cherry had het lampje naast haar bed aangeknipt. Ik ging overeind zitten, knipperde met mijn ogen en vroeg fluisterend wat er aan de hand was. Ze gaf niet meteen antwoord. Ze zat met haar armen om haar opgetrokken knieën en haar hoofd op haar gekruiste onderarmen. Haar haar was helemaal in de war, alsof ze had liggen woelen en draaien.

'Ik weet het niet precies. Ik heb heel raar gedroomd.'

Als Cherry en ik bij elkaar bleven slapen, vertelden we elkaar 's morgens bij de cornflakes vaak wat we hadden gedroomd. Soms vond ik haar dromen saai, maar soms waren ze ook fantastisch. Haar suikerziekte beïnvloedde haar slaap. Als haar insuline te hoog of te laag was, had ze woeste dromen. Ze herinnerde ze zich altijd heel gedetailleerd, terwijl mijn dromen wat lucliditeit betreft enorm variëren, van volstrekt warrig – dromen waarvan 's ochtends vroeg niet meer rest dan een vaag spinnenweb van gemoedstoestanden – tot absurd weloverwogen, dromen waarin mijn wakkere geest heel helder aan de slag gaat met de verzinsels uit de droom en elke beweging van het onbewuste in harmonie is met het bewuste.

Maar vreemd genoeg kon Cherry zich niet meer herinneren wat er die nacht zo vreselijk was geweest dat ze er wakker van was geworden, alleen dat ze enorm opgelucht was dát ze wakker was en na een ogenblik besefte dat de consequenties, de werkelijkheden of de conclusies uit de droom van nul en gener waarde waren. Ze ging naar de badkamer en mat haar bloedsuiker, iets wat ik altijd leuk vond om naar te kijken: ze prikte in haar wijsvinger en drukte er een grote vermiljoenrode druppel uit. Alles was in orde. We kropen weer in onze bedden.

10

De kastanjebruine auto minderde vaart en bleef met knerpende banden naast ons rijden. We fietsten op de vluchtstrook, op weg naar de fabriek om daar in de schaduw nog snel een boterham te eten voordat ik naar het café moest.

'Hé, waar gaan de mensen hier naartoe om een duik te nemen? Ik heb net het hele eind van de stad hiernaartoe gereden en ik heb zin om te zwemmen.'

Het was juni en warm, één uur 's middags, de zon stond hoog aan de hemel en deed alles behalve de allerzwartste contouren verbleken. Theo leunde in het schemerige interieur van de auto op het stuur en legde zijn magere wang op zijn knokkels.

'O, ja, ik ook,' zei Cherry, en ze streek haar bezwete pony uit haar ogen. Wat ging het haar makkelijk af om zichzelf op een presenteerblaadje aan te bieden. 'In het meer kun je lekker zwemmen – weet je hoe je daar komt? Je moet wel de speciale plekjes kennen.'

Er waren verscheiden toegangen tot het stuwmeer, de meeste op beboste plekken en uitsluitend toegankelijk voor mensen met een jacht- of visvergunning, maar zwemmen was overal verboden. Het meer was natuurlijk de bron van het drinkwater van honderdduizenden, zo niet miljoenen stadsbewoners. Maar er was één speciale plek waar de kinderen uit het dorp graag naartoe gingen, vooral omdat hij onzichtbaar in een kleine inham lag, vanuit Wick gezien helemaal aan de andere kant van het meer. Je kon er alleen met de auto komen en daarom kwamen wij er niet vaak meer nu we een hekel hadden gekregen aan de onvermijdelijke autoritjes met onze ouders.

'Bepáálde speciale plekjes ken ik maar al te goed, lieverd,' – Cherry lachte en bloosde – 'maar in dit dorp weet ik heg noch steg. Willen jullie me niet gidsen? Lijkt je dat wat? We kunnen Raquel ook oppikken. Ze zal aangenaam verrast zijn.' Ik vroeg me af of Cherry nu aan kussens en speldenkussens dacht, of dat de warmte alle gedachten had verjaagd. Of misschien was de momentane opwinding van deze indringer, diens welbespraaktheid, zijn toespelingen, zijn slungelachtige lichaam dat over het stuur hing, genoeg om alles behalve de behulpzame dorpelinge in haar het zwijgen op te leggen.

'Ginger moet naar haar werk,' begon Cherry, en ik voelde me ineens heel neerslachtig. Ik was ballast, een spelbederver. Ze zouden me lozen. Op het moment dat ik het doorhad, zonk ik al. Even overwoog ik de alternatieven: kon ik te laat op mijn werk komen? Kon ik me ziek melden of zeggen dat mijn fiets een lekke band had en dat ik ver weg was en niet snel terug kon komen? Ik was niet gewend om smoesjes te verzinnen en kon niet snel genoeg denken.

'O,' – Theo hield zijn hand boven zijn ogen en tuurde naar mij, lachte medelijdend – 'wat jammer, Ginger. Mag ik Cherry een poosje van je lenen zodat ze me de weg kan wijzen?' Ik kreeg een raar gevoel; alsof het aan mij was om te beslissen of Cherry met hem mee mocht! Wat moest ik zeggen? Maar ze wist zelf al wat het beste voor haar was, want ze maakte aanstalten om haar fiets aan het verkeerslicht vast te maken.

'Ik zie je later, Ginger. Geef me mijn boterham maar. Ik bel je vanavond, oké?'

Theo reikte met zijn lange arm over de bijrijdersplaats en duwde het portier open; Cherry stapte in en zwaaide, en ik keek de auto na, die kleiner werd en de hoek omsloeg. Ik was alleen. Ik fietste naar de fabriek, at mijn boterham met pindakaas en jam en kwam al kauwend tot rust, bereidde me voor op de lange middag van dienstbaarheid die voor me lag.

In het café begroette Penrose me met onbegrip in zijn blik. 'Miste je ons zo, Ginger? Kun je er geen genoeg van krijgen om hier te werken?' Danielle stond op mijn vaste plek achter de bar; het was woensdag, de stilste dag van de week, en dan stond er altijd maar één serveerster ingeroosterd voor na de lunch. Ik ging bij mezelf na hoe deze scheur in het weefsel van deze specifieke werkelijkheid had kunnen ontstaan. Ik herinnerde me heel duidelijk dat ik me er nog eens extra van had vergewist dat ik deze week de woensdagdienst had. Soms paste Penrose het rooster op het laatste moment aan op speciaal verzoek van klanten.

'Donderdags is er te weinig loop voor twee serveersters, sorry! Maar heb je misschien zin in een milkshake aan de bar, nu je dat hele eind toch hebt gefietst? Net als vroeger?' Penrose pakte de grote metalen shaker en de natte ijslepel al, maar ik schudde mijn hoofd. Donderdags.

Het drong tot me door dat ik geen flauw idee had welke dag van de week het was. Ik hing in de losse omhelzing van de zomer, en nu had ook het Top Hat Café me losgelaten; ik kon de rest van deze dag, welke dag het ook was, doen wat ik zelf wilde. Ik lachte om mezelf, om mijn vergissingen, en zei dat ik naar huis moest om daar nog wat dingen te doen. Ik liep de deur uit, sprong op mijn fiets en reed zo snel als ik kon naar het huis van de Motherwells, verwoed trappend tegen de heuvel op.

Maar er stond maar één auto op de oprit, de oude blauwe van Raquel. Ik was hen misgelopen. Mijn eerste impuls was om meteen verder te jakkeren, zo snel mogelijk naar het meer – een behoorlijk eind fietsen –, en me daar bij hen te voegen, maar toen kwam het bij me op dat ik hier misschien juist éérder was aangekomen dan zij. Ze konden bijvoorbeeld eerst langs Cherry's huis zijn gegaan om haar badpak op te halen. Naar haar grote, lege huis, waar op dit tijdstip van de dag niemand was. Dat zou betekenen dat ik misschien even met Raquel alleen zou kunnen zijn. Wat zou ik met die tijd doen? Ik kon niet bedenken wat ik tegen haar zou moeten zeggen. Misschien moest ik haar laten praten. Ik liep naar het huis toe, maar terwijl ik de veranda beklom, raakte ik ervan overtuigd dat Raquel er niet was. En ook niemand anders. Het was dezelfde doorkijkspiegelachtige zekerheid waarmee je weet dat je zojuist iemand hebt gekwetst. Er is niets veranderd, er is niets gezegd; het is een minimale verandering van de chemische samenstelling, van de elektrostatische energie. Er is iemand gekwetst. Er is niemand in een huis.

Andermans privéterrein is afschrikwekkend. Maar als je bent opgegroeid in een klein dorp zoals Wick, heb je een zeker recht om iedere centimeter te betreden. Een onvervreemdbaar recht. Ik bevond me op grond die ik met mijn eigen wilskracht, met pure verbeeldingskracht had omgespit. Ik mocht wel een paar minuten rondneuzen achter hun façade.

Ik maakte mezelf wijs dat ik niet wist dat er niemand thuis was. Dat wist ik ook niet zeker. Ik liet een lang en blufferig 'Hallo-o-o' door de hordeur aan de voorkant schallen, wachtte tot de verstilde doodsheid van het huis zich had gemanifesteerd en liep toen om het huis heen en door de achterdeur de keuken in. Ik bleef even staan om met mijn vingertoppen over de geverfde tafel te strijken, waaraan we limonade hadden gedronken en waarop binnen mijn gehoorsafstand was gevreeën. Speciaal voor mij stonden de ramen wijd open. Een briesje begeleidde me door de gang. Er zat niemand aan de ronde tafel. Er was niemand in de woonkamer, en van de neergelaten jaloezieën kreeg ik een slaperig gevoel. Ik besloot een snelle ronde door het huis te maken. Ik had het gevoel dat ik alleen de oppervlakte van de vertrekken had gezien, alleen wat zij hadden gewild dat ik zag, wat me was getoond.

Ik beklom de trap. Ik wierp een blik in Theo's werkkamer, waar ik een verleidelijke plank vol mij onbekende boeken had gezien, maar ik merkte dat iets me naar de slaapkamer dreef. Daar stond een spiegel op een soort houten standaard op de grond, een bijna manshoge, ovale spiegel. Ik ging ervoor staan en zag mezelf afwisselend groeien en krimpen omdat het ding een beetje heen en weer wiebelde om de ophangpunten. Ik legde mijn hand erop tot hij helemaal stilstond, en daarna gingen mijn handen naar de knopen van mijn shirt, en ik ontblootte mezelf voor de spiegel: het zweet van mijn lichamelijke inspanning, mijn verborgen voorplecht, mijn kaarsrechte, gloeiende botten.

Ik vond mezelf mooi – en bedacht toen dat het misschien alleen maar het diepe, blauwachtige licht in Raquels koele slaapkamer aan de achterkant van het huis was dat mijn lukrake vormen en contouren tot een symmetrisch, regelmatig reliëf beeldhouwde. Ik overwoog mezelf aan te raken.

Toen klonk er een zoevend geluid en ik voelde iets warms, een huid die zachtjes langs de mijne streek. Mijn blik, die geconcentreerd was geweest op de details van mijn eigen lichaam, stelde zich met moeite scherp op de negatieve ruimte om me heen.

Wat was...? Ik schrok op, draaide me met een ruk om en stond tegenover de leegte. Had ik een hand halverwege mijn rug gevoeld, een levende hand, warm en dringend? Er was niemand, alleen een omgewoeld, onopgemaakt bed en een nachtkastje, een lamp die niet brandde, de toilettafel met de grote handgrepen. Ik draaide me weer naar de spiegel, met opzet langzaam, mijn blik scherpgesteld op een paar meter afstand, en zag nog net een witte wang, een schouder en lang zwart haar door de deur naar buiten glippen. Ik verstarde. *Stamp, stamp* door de gang. *Boink*, de hordeur. Ik bleef doodstil staan, wachtte tot de motor van de oude auto haperend zou aanslaan, maar ik hoorde niets, en toen ik mijn shirt dichtknoopte, naar beneden ging en door de voordeur naar buiten keek, stond de auto er nog steeds. Ik vloog als een uitgedreven geest het zonlicht in.

Rond het stuwmeer loopt een oude, smalle verharde weg waarvan toegangswegen aftakken, met gele borden waarop ten behoeve van jagers de officiële nummers staan. Ik weet niet wat de logica achter die nummers is, waar geen herkenbaar systeem in zit, maar ik neem aan dat dat de manier is waarop de officiële wereld werkt: net zo ondoorgrondelijk als de onofficiële.

Ik trapte met toenemende vastberadenheid door en probeerde te bedenken waarom Raquel zich in het huis zou kunnen hebben verstopt om me te bespioneren. Waarom ze niet met Theo en Cherry mee was gegaan naar het meer. Wat er door haar heen was gegaan toen ze me van achteren besloop. Ik had heel zeker geweten dat er niemand thuis was; waarom was ze weggevlucht? Dacht ze dat ik niet door zou hebben dat zij het was die achter me stond? Misschien had ze gedroomd en helemaal niet nagedacht, en zwierf ze nu doelloos rond in de zomergroene bossen achter het huis, met een toef lang gras in haar vuist. Dan zwommen Theo en Cherry dus met z'n tweeën in het koude water, dat fonkelde in de kleurloze zon, en lieten ze zich getweeën opdrogen onder die gloeiende bal.

De weg naar het meer liep over vrijwel de hele lengte af naar het vroegere dal. In een auto merkte je dat niet zo, maar op de fiets betekende het op de heenweg een flitsend, spannend ritje, terwijl je op de terugweg flink moest zwoegen. Ik zou op de steilere hellingen op de pedalen moeten staan en flink kracht moeten zetten, en dankbaar zijn voor de schaduw van de bomen. De aangename sensatie van vaart en wind terwijl ik over het gebarsten, verwaarloosde asfalt zoefde werd bekroond door mijn voorpret over hun verbaasde gezichten als ze me zo meteen zagen opduiken uit het beboste pad naar het water. Ze zouden wel een spelletje doen en ik zou naar hen toe lopen, bij hen gaan zitten en zwijgend naar hen kijken terwijl ik sproeten op mijn schouders kreeg van de zon.

Maar toen ik eindelijk de oevers van het meer bereikte, helemaal bezweet van het fietsen, bleek ook daar niemand te zijn. De oever was stil en verlaten, het zand onbetreden; nergens tekenen van recente zomerpret. Zelfs de lucht was nadrukkelijk kalm en vredig. Er was een mantel van witte wolken voor de zon geschoven die het licht vlakker, diffuser, koeler maakte. Van alle warmte van de dag was niets meer over.

Ik werd bevangen door een maar al te bekend gevoel. Ik liep wat doelloos rond, maakte cirkels van voetsporen in het zand. Overal waar ik heen ging en bij iedere splitsing had ik de verkeerde keus gemaakt. Ik was achter de verkeerde leider aan gelopen en alleen achtergebleven, in de steek gelaten, alleen, alleen, een lawine van teleurstelling, niet eerlijk, niet eerlijk, een withete, kinderlijke, verbitterde razernij van onbeheersbare machteloosheid. Ik ging in het zand zitten, balde mijn vuisten en ondersteunde mijn gezicht ermee. Ik stelde mijn ogen weer scherp op datzelfde punt op een paar meter afstand, en er sprongen tranen in.

Maar het was ondenkbaar dat ik zou gaan huilen terwijl er niemand was om het te zien.

Na een paar minuten begon ik me heel akelig te voelen, daar op dat zand met mijn krampachtig ingehouden tranen. Ik stond op en strompelde naar mijn fiets.

11

4 juli, Onafhankelijkheidsdag

De paar dagen daarna las ik, hielp ik mijn moeder met wieden in de tuin en ging ik naar het café; alles werd langzaam weer normaal, afgezien van Cherry's afwezigheid. Ik nam aan dat ze met hen omging, want ik zag haar nooit.

Ik genoot bijna van die afzondering. Parallel daaraan gingen mijn gedachten continu door: dat ze me wel zou missen, en hoe heerlijk het was om van al die ingewikkelde banden verlost te zijn. Frank en vrij, zoals mijn vader zei op de zeldzame avonden dat mijn moeder weg was en hij zichzelf moest zien te redden. Had ik Cherry wel nodig? Had ik überhaupt iemand nodig?

Maar toen ze alsnog belde, gaf haar vertrouwde stem me het gevoel dat alles nog net zo was als altijd, exact hetzelfde. Ze vroeg me of ik met haar mee wilde naar de Motherwells; ze hadden haar voor de lunch uitgenodigd, maar ze had niet zo'n zin om er in haar eentje heen te gaan. Ze stelde voor eerst naar hen te gaan, daarna naar de optocht en nog weer later naar het vuurwerk, want het was immers Onafhankelijkheidsdag. Ze zei dat het haar speet dat ze een tijdje niks had laten horen; ze had een paar uur per dag bij de drogist gewerkt om te kijken of haar dat beviel, en dat bleek zo te zijn.

Ik vroeg haar heel terloops, als katalysator om haar gebruikelijke stroom van gebabbel over koetjes en kalfjes op gang te brengen, hoe het zwemmen met Theo was geweest. 'O, we zijn uren bij het meer geweest,' zei ze. 'Bijna tot zonsondergang. Het was erg leuk,' voegde ze er laconiek aan toe, en ik zwom plotseling in een meer van verbijstering. Ik zag de zon ondergaan boven het lege strand, maar ik zag hem ook ondergaan boven een strand met drie figuren erop. En boven een strand met twéé figuren die door een derde vanuit het bos werden bespied. Ik zag het strand zonder de zon, want ik geloof niet dat de zon op die plek ondergaat. Ik bedacht dat ik beter iets kon terugzeggen, en daarop antwoordde Cherry dat ik blijkbaar net op een moment was gekomen dat ze alle drie heel ver het meer op waren gezwommen, ver voorbij het punt waar je nog vaste grond voelde, en dat ze daar onwaarschijnlijk lang waren blijven watertrappen. 'Raquel kan achterwaartse salto's maken in het water,' zei Cherry, maar ik wilde niets over Raquel zeggen, want ik twijfelde inmiddels aan alles wat ik had gezien en gevoeld.

Die middag na de lunch was Raquel mijn onuitgesproken vragen voor door er zelf een aantal makkelijker formuleerbare te stellen. Ze was nieuwsgierig naar mijn ouders. Ik legde uit dat Pritt een afkorting was van Pryputniewicz, dat mijn vader zijn naam had veranderd toen hij naar New York was gegaan om acteur te worden en de nieuwe naam had aangehouden toen zijn ouders waren overleden en hij met zijn knorrige, zwangere bruid was teruggekeerd om het familiebedrijf voort te zetten. Volgens hem was de nieuwe naam gemakkelijker te onthouden voor klanten. Drukkerij Pritt bestond uit één vertrek, recht boven het verzekeringskantoor, waar hij en mijn moeder alle visitekaartjes, uitnodigingen voor bruiloften, geboortekaartjes, rouwbrieven, voorgedrukt briefpapier en wat dies meer zij voor het hele dorp maakten. Ze hadden contracten met de school en het gemeentehuis, en vanwege de snel voortschrijdende techniek hadden ze een computer en een fax gekocht, met behulp waarvan ze alles op het gebied van drukwerk konden maken wat je maar kon bedenken.

'Goh, wat een prachtig verhaal,' zei Raquel, en als je haar zag moest je wel geloven dat ze het meende. Haar ogen straalden en ze had haar handen in haar schoot gevouwen als een klein meisje op een chique school. 'Ik ben dol op verhalen over families. Dan is het net alsof ik na donker door het dorp loop en in al die verlichte kamers naar binnen kijk, naar al die mensen die gaan eten of na het eten met z'n allen tv gaan zitten kijken. Naar iets licht informatiefs, zoals *60 Minutes*. Daar word ik zo heerlijk weemoedig van.'

Ze stond op uit de leunstoel in de woonkamer, waar we boterhammen met tonijn hadden gegeten, en bukte zich om onze borden vol kruimels van de grond te pakken. Cherry zat naast me op de bank heen en weer te schuiven en ik hoorde haar zachtjes zuchten, vermoedelijk van ongeduld. Het ergerde haar waarschijnlijk dat Raquel geen belangstelling voor haar familie had getoond.

'Zou iedereen daar niet van houden? Waar ik een hekel aan heb, is als ik 's nachts op straat loop en naar verlichte ramen kijk en die heerlijke weemoedigheid niet wil komen. Als ik daar alleen maar loop.'

Ze verdween voor een paar minuten naar de keuken, en in die tijd keek Cherry me even aan met zo'n blik van 'Kunnen we nu weg?' Toen Raquel terugkwam, ving ze nog net een staartje van die blik op, en ze schoot in de lach.

'Wat doe jij nou?' Raquel kwam naast Cherry op de bank zitten en reikte over haar schoot heen naar haar hand. Ze kneep erin. Toen keek ze Cherry met opgetrokken wenkbrauwen en een scheef lachje aan, alsof ze wilde zeggen: ik kan het ook, hoor, blikken werpen zonder iets te zeggen!

'Hé, gaan we nog naar de optocht?' Cherry verbrak Raquels kleine betovering met een vraag die lichtelijk naar wanhoop riekte. Ze draaide haar hoofd met een ruk naar me toe en ik haalde mijn schouders op. Om eerlijk te zijn was ik die optocht en dat vuurwerk allang vergeten. Ik bedacht dat ik er alles voor over zou hebben gehad om te zitten waar Cherry nu zat, met mijn hand in Raquels hand.

'Wil je het vuurwerk dan niet zien? Ze beginnen zodra het een beetje donker wordt.'

'Dat heet de "schemering",' merkte Raquel met een naar binnen gekeerd lachje op.

'We kunnen een deken meenemen,' ratelde Cherry verder, 'en op het gras op het dorpsplein gaan zitten. Dat zou hartstikke leuk zijn! Ik denk dat sommige andere kinderen jou en Theo graag zouden willen leren kennen, Raquel. Ze vragen steeds naar je. Ik weet nooit wat ik moet zeggen.' Cherry's hand rustte nog steeds in die van Raquel. Ik keek toe terwijl Raquel haar handpalm zachtjes met één vinger streelde. Huiverde Cherry? Ze giechelde zenuwachtig. 'Nou, als jullie niet mee willen, ga ik maar eens naar huis om te kijken of mijn ouders erheen gaan.' Ze keek Raquel weer aan en trok tegelijkertijd zachtjes haar hand terug. 'Iedereen gaat erheen, elk jaar. Zo is het toch, Ginger?'

Het klopte dat we dat tot nu toe altijd hadden gedaan, maar ik zou nu liever iets doen wat we niet altijd deden. Liever hier blijven en alleen maar naar het vuurwerk lúísteren, naar het zachte applaus dat na elke bescheiden knal en lichtflits in de verte opklonk, het simpele vuurwerk dat ons dorp zich kon veroorloven.

Cherry stond op en wierp me nog één zwijgende blik toe. Die betekende: wil je echt dat ik je hier alleen achterlaat? Bij wijze van antwoord strekte ik mijn benen en nam de plek op de bank in waar zij zo-even nog had gezeten. Ik legde mijn blote voeten aarzelend op de salontafel en kreeg geen reprimande.

Nu was ik eindelijk alleen met Raquel. Ik was bang geweest dat ze teleurgesteld zou zijn in mijn gezelschap, dat ik degene zou zijn die ze wel had kunnen missen, maar als dat al zo was, was ze een goede actrice, want ze had ons tweeën binnen een paar minuten in een soort web ingesponnen, een cocon van vragen en antwoorden en een rijk versierd, overdadig, alles in beslag nemend gebabbel. Ze wilde weten wat ik van mijn baantje bij het Top Hat Café vond, en van mijn collega's; ze informeerde naar alle leraren op school – wie er geliefd waren en wie een beetje getikt, en wie alle goede sporters automatisch hoge cijfers gaven. Ik vertelde haar alles over de lessen waarin we *Frankenstein* lazen, en over de keer dat we scènes uit het leven van het monster en zijn schepper hadden moeten naspelen.

Ik ging zo op in mijn beschrijving van Petey Kosowski's hilarische, hartstochtelijke vertolking van het nog hartstochtelijker verzoek van het monster aan Frankenstein om hem een vrouw te geven dat ik Theo's naderende voetstappen pas met terugwerkende kracht hoorde toen hij achter me kwam staan en zijn hand op mijn hoofd legde. 'Blijf lekker zitten,' zei hij, en ik kreeg een schokje van de gelijktijdige lichte druk van hand en stem. 'Ik neem een glas wijn. Willen jullie ook?'

'O ja, graag, lieverd,' zei Raquel, en ik knikte aarzelend van ja. Pas toen haalde hij zijn hand weg. Ik nam me voor later thuis mijn bureauladen te doorzoeken naar mijn dagboek en aan een nieuw hoofdstuk te beginnen. 'Zijn aanraking' zou ik er misschien boven zetten.

Want ik moest een nieuwe plek vinden waar ik dit gevoel kwijt kon, waar ik het rustig een poosje kon laten rijpen. Meende hij het? Was het zijn bedoeling geweest zijn hand zodanig op mijn hoofd te leggen dat ik de warmte ervan nog steeds kon voelen terwijl hij in een ander vertrek was? Bij die onderzoekende gedachten voelde ik mezelf met een nieuwe, onbekende macht een andere geest binnenglijden – die van Theo –, een macht die ik nog nooit eerder had uitgeoefend. Voor het eerst begreep ik waarom Cherry in bepaalde perioden helemaal in iemand anders op kon gaan en probeerde het gedrag van de betreffende jongens te interpreteren, waarbij ze soms bijna telepathische gaven kreeg. Misschien had Theo me al een hele tijd willen aanraken en pas nu deze achteloze manier gevonden, een heel onnadrukkelijk, onmerkbaar moment waarin hij contact kon maken met mijn lichaam. Terwijl ik zijn geest binnenging, voelde ik een nog grotere opwinding dan toen hij me aanraakte: hij leek precies op mijn geest – koud, sterk, hoopvol –, de overeenkomst tussen ons was zo glashelder en krachtig dat ik de oorsprong ervan niet kon bepalen. Hij strekte zich nadrukkelijk in ons beider richting uit, een lichtstraal zonder waarneembare bron, twee zuivere vectoren met een gelijke, maar tegengesteld gerichte impuls. Een totale wederzijdsheid.

Ik keek Raquel aan om te zien of ze zijn aanraking – goedkeurend? – had opgemerkt, maar ze lachte alleen maar naar me. 'Ik vind het altijd zo heerlijk als Theo uit de stad terugkomt. Dan voel ik me alsof de absolute waarheid opnieuw is bevestigd. Hij is bij zijn ouders op bezoek geweest. Bij zijn moeder eigenlijk. Die is nog steeds niet helemaal de oude.' Ik herinnerde me dat zijn moeder ziek was en kreeg een kortstondig visioen van een helder verlichte slaapkamer, vitrages die het licht diffuus maakten, Theo naast haar logge bed en zij erin, een fijner gebouwde, blekere, frêlere versie van haar lange, grijsbruine, monochrome zoon. Hij hield haar hand vast en las haar voor uit een bundel sonnetten totdat ze in slaap viel.

Ik was van plan geweest een geschikt moment in ons tête-à-tête af te wachten om Raquel te vragen hoe ze het deed, dat verschijnen en verdwijnen in dit huis, haar aan- en afwezigheid bij het meer, maar nu was Theo er, met drie volle ronde glazen met dieprode wijn tussen zijn handen, als een boeket enorme, genetisch gemuteerde rozen. Hij bleef voor Raquel staan, die een van de glazen van hem overnam, waarna hij een eindje door de knieën ging en mij het mijne gaf. Ik nam het tussen mijn handen, net zoals ik het Raquel zag doen, alsof ik me warmde aan een vuur in een kristallen bol. Het was mijn eerste glas wijn. Ik had weleens een slokje uit een glas van mijn ouders genomen, maar altijd gevonden dat het naar metaal en bloed smaakte. Nu werd iedere afkeer die ik mogelijk voelde tenietgedaan door het gevoel dat we gedrieën een toverdrank dronken, die ons in staat zou stellen eindelijk onzichtbaar te worden, in het donker te zien, gedachten te lezen of de taal der dieren te verstaan.

12

Half juli

Op een dag kort daarna leek het wel alsof de zon de hele dag gloeiend heet op het hoogste punt aan de hemel stond, alsof hij het zelfs te warm vond voor het beschrijven van zijn gebruikelijke baan. Ik dacht aan het meer, de verkoeling die het bood, en aan wat ik al had gemist. Ik wilde de schade inhalen.

Raquel was enthousiast. 'Laten we meteen gaan. We liggen hier al veel te lang als slangen op een steen.'

'Wat zijn we toch gemakkelijk beïnvloedbaar,' viel Theo haar bij. Raquel kwam, de hitte in aanmerking genomen, snel overeind uit de rafelige tuinstoel op de veranda waarin ze een vergeelde pocket had zitten lezen. Theo hing een beetje ongemakkelijk languit in de schommelstoel en tuurde met half dichtgeknepen ogen naar een oude Sears-catalogus die ik bij ons eerste bezoek – jaren geleden, leek het wel – in de gang had zien liggen. Ze straalden allebei een dusdanige futloosheid uit dat ik nauwelijks kon geloven dat ze de energie zouden kunnen opbrengen om de portieren van de auto te openen, laat staan erin weg te rijden. Maar Theo kwam met een gegrom overeind, alsof hij welbewust één enkele opzitoefening deed.

'Hartstikke goed!' Cherry klapte met onverholen enthousiasme in haar handen. Ze zag er die dag, bedacht ik met enige trots, bijzonder zomers uit met haar roze mouwloze topje en haar vaalrode gymbroek, een blos op haar wangen van de warmte en haar zwarte haar in een paardenstaart. Bij haar slapen en in haar nek waren een paar slierten losgeraakt en in de vochtige lucht omgekruld. Ik wist niet of ze blij was met het vooruitzicht verkoeling te zullen vinden of opgelucht dat de oppervlaktespanning van ons montere clubje van vier, waarin ik me steeds verder voelde wegzinken, was doorbroken. Ik begreep haar dilemma, maar kon het niet benoemen.

Ze had de vorige avond aan de telefoon iets op haar hart gehad. Haar vader had, iets strenger dan ze van hem gewend was, tegen haar gezegd dat hij er niet blij mee was dat ze zo vaak naar die nieuwe mensen ging die niemand kende. Dat had Cherry ter harte genomen. Ze had hem beloofd dat ze hem de volgende keer om toestemming zou vragen, zelfs als ik erbij was. Die toestemming had ze die dag gevraagd en gekregen. Ik bedacht dat het maar goed was dat mijn ouders kennelijk niet meer zo vaak met de hare praatten als vroeger nu we wat ouder waren. Het was niet waarschijnlijk dat ze mij hetzelfde zouden vragen.

We namen de oude uitvalsweg, de weg die recht op het water af koerst, en daarna de weg rond het meer in noordelijke richting, het deel dat de heuvel op en weer af loopt. Theo reed roekeloos, midden op de weg, zelfs vlak voor bochten. Veel jongens uit het dorp rijden zo, net als hij op weg naar het meer maar meestal 's avonds, met een kofferbak vol bier en de achterbank vol gillende minderjarige meisjes.

Nu waren we aan een heel ander soort uitstapje bezig, met een evenwichtig samengesteld gezelschap van twee volwassenen en twee jongeren, en ik voelde me gelukkig, opgenomen in en gekluisterd aan dat subtiele evenwicht, alsof we een nieuw soort beest met vier koppen of vier harten waren. Voor een deel waren het gevoelens waarnaar ik altijd had verlangd.

De weg zelf lag geheel in de schaduw van het dikke zomerlover boven ons, maar door de bomen heen zag je de belofte van zonlicht op blauw water en de weidse lucht daarboven.

Het zwemplekje bevindt zich op de plaats waar vroeger een kerk stond, waarvan je de funderingslijnen nog in de donkere aarde kunt zien. Naast de weg stond een donkerblauwe pick-up die ik herkende als de auto van Randy Thibodeau. Ik keek naar Cherry, die de leuning van de voorbank als hefboom gebruikte om zich van de achterbank naar buiten te duwen, helemaal glazig van de warmte, als een klein kind. Ze rolde met haar ogen, keek naar de pick-up, richtte haar blik weer op mij, rolde nog een keer met haar ogen en vertrok haar mond tot een grimas alsof ze zeggen wilde: 'Wat kan mij het ook schelen.' Maar ik wist dat het haar niet onberoerd liet. Ze gaf genoeg om Randy om 'hartstikke pissig' te zijn dat hij haar niet had gebeld na hun recente, voor haar behoorlijk aangrijpende geflirt. Theo en Raquel liepen al met handdoeken om hun hals op het smalle pad naar het zandstrandje. Wij trokken in de schaduw van Randy's auto onze kleren uit en onze badpakken aan en volgden.

Randy zat op een oude badhanddoek en leek een en al oor voor het gebabbel van Brianna Pickering, die in de videotheek werkte. 'Ze geeft hem vast gratis films mee,' fluisterde Cherry me toe. Haar ergernis leek me ongegrond; wat had het arme kind ons ooit misdaan? Cherry zou haar dankbaar moeten zijn dat ze de aandacht van de zo weinig kieskeurige Randy afleidde.

Op dat moment werd mijn eigen aandacht afgeleid doordat Raquel en Theo steunend op elkaars schouders uit hun korte broeken stapten. Vervolgens trokken ze hun shirts uit, zodat ze poedelnaakt in het zand stonden.

Cherry slaakte een onderdrukte kreet en fluisterde: 'Jezus.' Mijn eigen geschoktheid en gêne was vermengd met gefascineerdheid door wat ik zag. Ik had nog nooit zoiets moois gezien als die twee daar op het strand bij het meer. Hun lichamen waren zo volstrekt verschillend. Het hare was geribbeld en gewelfd, het zijne mager en elastisch, geoptimaliseerd om soepel te duiken, als een mes in suiker. Zij waadde kalm, haar rondingen bewegend als een zachte machine, achter hem aan en bleef staan om haar buik, onderarmen en borsten ter acclimatisatie met koel water te besprenkelen. Daarna gleed ze met een soepele borstslag het meer op.

Het kwam me voor dat die twee functioneerden als een cliché: het wordt telkens opnieuw gebruikt omdat het nuttig is. Het is moeilijk voorstelbaar wat de bron ervan is geweest of dat het ooit zal verdwijnen. Toch kost het me ook moeite het juiste cliché te vinden om hun verbintenis te beschrijven: niet 'soort zoekt soort', en al helemaal niet 'als twee druppels water'. Misschien 'als olie en water', al drukt die woordcombinatie juist afstoting uit – de vorm komt hier nu eens niet overeen met de inhoud.

Cherry en ik gingen languit op onze handdoeken liggen en deden ons best om niet door de grond te gaan van schaamte of de slappe lach te krijgen. Wij waren niet verantwoordelijk, en toch ook weer wel. Randy en Brianna namen de gelegenheid te baat om een joint op te steken. Ik rook de gronderige, rijke geur van de hasj. Theo en Raquel waren ver het meer op gezwommen, waar ze zo te zien met hun gezichten naar elkaar toe aan het watertrappen waren en met elkaar praatten zonder op hun omgeving te letten.

Randy krabbelde stoned en grommend overeind en kwam slingerend naar ons toe met de brandende joint in zijn hand. Hij liep mij straal voorbij en ging op zijn hurken naast Cherry zitten. 'Wil je ook?' vroeg hij. Ik kneep in haar dij, stootte hard tegen de mijne en duwde mezelf op mijn ellebogen overeind.

Cherry ging overeind zitten, en even dacht ik dat ze de joint zou aanpakken. Maar ze was alleen maar overeind gekomen om haar enthousiasme voor hem sterker te benadrukken. 'Nee, dank je, Randy, ik moet vandaag nog een paar dingen doen. En ik moet straks ook terugrijden, trouwens. Maar bedankt.' Ik luisterde geïnteresseerd naar haar leugens. Ik wist niet of ik haar ooit eerder had horen liegen. 'Wat doe jij van de zomer zoal?' Waarom hield ze hem aan de praat? Raquel en Theo zwommen nu terug, hun hoofden gingen unisono op en neer. Ze konden elk moment druipend, glinsterend en spiernaakt voor onze neus staan.

'O, hetzelfde als altijd, je weet wel. Nu ik niet meer op school zit, is de zomer eigenlijk net als de rest van het jaar – alleen warmer.' Cherry giechelde om die triviale constatering alsof ze achterlijk was. 'Hé, waar zijn die hippies mee bezig? Waren de badpakken uitverkocht of zo? Of vinden stadsmensen dat de gewone regels niet voor hen gelden?' Ik wees Randy er niet op dat wij allemaal de regels overtraden, simpelweg door in dit meer te zwemmen. Zijn eigen onderlijf was zedig in een oude afgeknipte spijkerbroek gehuld die naar zijn pezige benen was gaan staan, waarop het haar in grillig kronkelende stroompjes was opgedroogd.

Cherry lachte en wapperde met haar hand voor haar gezicht heen en weer, alsof ze de Motherwells aan Randy's zicht wilde onttrekken. 'Ja, weet ik ook niet. Volgens mij zijn ze gewoon hun zwemkleding vergeten mee te nemen,' zei ze schaapachtig.

'Hun hersens, denk ik eerder,' kaatste Randy terug. 'Maar goed, ik moet ervandoor. Ik moet om drie uur in de garage zijn. Het werk in de smeerkuil is nooit klaar. Tot gauw. Hoop ik.'

Cherry's gezicht begon te stralen als een lamp waar een geest over wrijft. 'Pas op met die lui, Ginger,' voegde Randy mij met een zelfgenoegzaam lachje toe terwijl hij zichzelf met een hand en een pezige onderarm overeind duwde, de joint in de andere, en ik ontspande mijn strakgespannen spieren – kaak, schouders, buik – en zeeg in elkaar op mijn warme handdoek. Ik vond het niet prettig dat Randy me direct aansprak. Ik luisterde terwijl Brianna en hij hun spullen pakten en weggingen, met mijn wang op mijn armen, mijn ogen dicht en de geur van nat zand in mijn neus.

Toen ik wakker werd, was de lucht nog dieper blauw en zoemden er insecten in de struiken. Cherry's handdoek naast me was leeg. Theo en Raquel lagen een meter verderop op hun rug met hun ogen dicht en hun armen gespreid. Raquels borsten waren aan weerskanten van haar ribben opzij gezakt, zodat er een glad stuk borstbeen zichtbaar was.

Ik ging overeind zitten. Mijn mond was droog. Cherry stond een eindje verderop met haar voeten in het ondiepe water op een plek waar riet en plompenbladeren groeiden. Haar haar was nat.

Ik sloop langs het slapende echtpaar en zag Raquels bleke, geschroeide huid, Theo's iets donkerder teint, de zanderige kleur van zijn schaamhaar, de donkere huid van zijn penis, nog donkerder waar die gerimpeld was en op zijn ballen, waar zwart bloed paarsachtig onder de huid schemerde. Ik ging tot mijn dijen in het water staan en keek omlaag om te kijken of er daarbeneden iets leefde.

'Sst,' siste Cherry, en toen ik haar kant uit keek, wenkte ze me naar de plek waar zij stond. Ik keek nog een keer achterom naar het slapende paar. Ik meende Raquel één oog te zien opendoen.

Cherry duwde met haar voet tegen plompenbladeren. Ze slingerden traag rond haar enkels. Ik bleef buiten het bereik van de slingerbeweging staan en keek onder de oppervlakte van het water naar het slijk op de bodem, het dichte vlechtwerk van bruine wortels doortrokken van slijmerige groeisels van onbekende oorsprong. Die hele warboel zweefde als een smogwolk boven de toch al slijkerige bodem – de grond bestond uit zwaar leem. Tussen de wortels en de bodem bevond zich een onzichtbare zone van ruim een decimeter; het viel onmogelijk uit te maken waar je precies in stond.

'Zeg, ben je jaloers op mij of zo?' vroeg Cherry, en ze keek me even aan maar sloeg haar ogen snel weer neer. Ik kon niet bedenken wat ze daarmee zou kunnen bedoelen. Mijn hoofd liep leeg. 'Ik bedoel, ik heb het gevoel dat jij nooit wilt dat ik met iemand anders praat, en eh, ik weet dat we elkaars beste vriendin zijn, maar soms vraag ik me af of het jou stoort dat ik populairder ben dan jij en dat jij nooit voor dingen uitgenodigd wordt en zo. En of je daarom misschien zo graag omgaat met die... ik bedoel, ik snap niet echt wat we hier doen.'

Haar zachtaardigheid was, zelfs in deze confronterende situatie, zo weldadig als het briesje dat inmiddels boven het water was opgestoken. Haar liefheid en mijn wezenloosheid hieven elkaar op. Ik kon niet tegen haar zeggen dat ze het mis had. Ik kon helemaal niets tegen haar zeggen. En inmiddels kwam Raquel spetterend door het water naar ons toe gelopen, met weer een mouwloos shirt aan en een vochtig wit katoenen onderbroekje over de donkere driehoek bij haar kruis.

Ze boog zich naar ons toe en verbrak op samenzweerderige toon de stilte die tussen ons hing. 'Dit meer heeft een interessante geschiedenis, hè? Toen we het koopcontract voor het huis tekenden, zei de makelaar iets over een paar dorpen die hier vroeger lagen maar er nu niet meer zijn.'

'O, ja, dat klopt!' Cherry liet haar zedige gereserveerdheid varen en leefde helemaal op nu ze kon roddelen, ook al waren het dan heel oude roddels. Of misschien was ze gewoon blij met de afleiding. Ik voelde een sterke neiging om haar ervan te weerhouden te veel te vertellen, of zelfs überhaupt iets te vertellen. Het was het publieke geheim van ons dorp en ik wist niet wat Raquel ermee zou doen. Maar Cherry ging onverstoorbaar door: 'Vlak achter de plek waar we net lagen, kun je in het gras de funderingen van een oude kerk zien. Volgens sommige mensen, maar die praten onzin, kun je als het water heel laag staat, als het weinig geregend heeft, schoorstenen en zelfs daken van huizen boven het oppervlak zien uitsteken. Maar dat is echt niet zo. Ze hebben die dorpen helemaal met de grond gelijk gemaakt. Er waren er drie. De hele operatie heeft jaren geduurd. Ze hebben alles gesloopt en iedereen geëvacueerd voordat ze het meer lieten vollopen.' Ze praatte alsof ze de tekst vanbuiten had geleerd; jaren geleden had ik haar moeder ditzelfde verhaal precies zo horen vertellen, toen Cherry en ik klein waren en popelden om naar het meer te gaan om de torenspitsen en daken boven het donkere water te zien uitsteken.

'Ja, maar hoe kun je zeker weten dat dat waar is, Cherry?' Raquel verwoordde precies wat ik dacht. 'Ben je ooit heel diep gedoken om te kijken? Of was je erbij toen ze aan het slopen waren?'

'Nee, natuurlijk niet,' verklaarde Cherry trouwhartig. 'Dat was voordat mijn ouders geboren waren, of anders waren ze nog maar baby's. Toen mijn grootouders jong waren. Zij weten het nog precies, hoor. En mijn oudoom was een van de opzichters van de grafdelvers.'

'Mijn hemel,' zei Raquel geschrokken. 'Hebben ze de lijken opgegraven? Wat hebben ze ermee gedaan?'

'Nou, opnieuw begraven natuurlijk! Aan Route 7 ligt een

enorme begraafplaats voor alle mensen uit die dorpen waarvan de lichamen zijn opgegraven. Met de grafstenen en alles! Er liggen ook familieleden van mij.'

Raquel, die met haar tenen in het slijk op de bodem had staan poeren, keek ons aan. Door de warmte van de dag hadden haar schouders, haar wangen en haar neus allemaal een perzikkleurtje gekregen. Haar ogen waren van een lichtgevend slibachtig groen, dezelfde kleur als de modder. Ik had het gevoel alsof ergens achter die ogen een val was dichtgeklapt. 'Volgens mij,' zei ze zachtjes, 'liggen daar ook familieleden van mij.'

Onze hoofden gonsden van alle nieuwe informatie. Nu snapten we het ineens allemaal, deze twee bezoekers, deze 'ontwortelde stadsbewoners' – een formulering uit mijn geschiedenisleerboek die mijn bewustzijn was binnengesijpeld. Raquel deed onderzoek. Raquel schreef een boek! Het was een boek, had ze ons verteld toen we gedempt pratend tussen de slingerende plompenbladeren stonden, dat was begonnen als promotieonderzoek naar de geschiedenis van de heksenprocessen in New England – haar voorstel voor het beursproject –, maar sterk was uitgedijd toen Theo en zij Wick hadden gevonden. Nu stond het boek in het teken van persoonlijker, veel uitzonderlijker zaken. Raquel beweerde dat de geschiedenis van haar familie een dramatische opeenvolging van tragische voorvallen behelsde: om te beginnen was minstens één van de onschuldige vrouwen die tijdens de beruchte wreedheden in Salem als heks waren opgehangen een rechtstreekse voorouder van haar; en dan was in ons eigen overstroomde dal een andere onfortuinlijke voorzaat, die de onwaarschijnlijke achternaam Goode droeg, gemarteld uit naam van de deugdzaamheid. En nog weer later waren de overgebleven familieleden uit hun huizen verdreven en gedwongen te verhuizen, van al hun bezittingen beroofd – de ultieme vernedering. Zo was het boek van een simpele, waarschijnlijk saaie, mogelijk overbodige historische verhandeling van een al ruimschoots gedocumenteerde reeks dwalingen uitgegroeid tot een biografie van een vervloekte familie, met niet toevallig raakvlakken met zowel culturele als industriële revoluties.

Dit was de coda van het verhaal dat ze ons op die regenachtige dag in haar knusse slaapkamer had verteld, en van de leugen die ze ons op de dag van het eerste gesprek in de keuken zo monter had opgedist. Nu viel het allemaal op zijn plaats, de aanwezigheid van Raquel en Theo in Wick – wat ze hier kwamen doen –, en ik kan nu wel opbiechten dat dat ergens een opluchting voor me was. Ik had gesmacht naar mysteries, spanning en zelfs verwarring, als die daar logisch uit volgde, maar nu ik daarvan had geproefd in de vorm van dit vreemde stel... Toen eenmaal duidelijk was geworden dat ze terug zouden moeten naar de oostkust, dat ze vanwege Theo's familieverplichtingen hun pioniersdroom zouden moeten opgeven, had Theo er van harte mee ingestemd haar tijdens dit onderzoeksjaar waarin ze aan haar boek werkte financieel te steunen met het beursgeld van de universiteit, zei ze. Ze zouden in Wick wonen en tegelijkertijd verantwoordelijk en productief zijn – Theo als goede zoon, Raquel als goed wetenschapper. En misschien zouden ze zelfs zo productief zijn dat er een kind kwam, een kind van Wick.

Het was koeler geworden en ik draaide me om naar de oever. Theo kwam overeind, alsof hij op dat gebaar had gewacht, en pakte zijn T-shirt. Boven de toppen van de hoge dennen die het meer omzoomden verschenen onheilspellende zilvergrijze wolken, en Cherry rilde even en zei: 'Ik moet zo terug.' Het was me opgevallen dat ze helemaal niets over Raquels verrassende bekentenis had gezegd, en later die avond aan de telefoon klaagde ze dat ze zich door Raquel voor gek gezet had gevoeld toen die haar had verleid tot een enthousiast verhaal over iets waarvan Raquel duidelijk veel meer wist dan zij.

Tijdens de rit naar huis zwegen we.

Ik heb nog niet verteld dat ik nooit zwem. Dat is het soort verbod dat groepsactiviteiten dwarsboomt, maar als je consequent voet bij stuk houdt vindt iedereen het na verloop van tijd heel gewoon. Ik zwem nooit, overdag niet en zéker niet 's avonds, als er geen hoop is dat je de bodem kunt zien of kunt uitwijken voor lijken, lichaamsdelen of zachte, verrotte resten waar je met een blote voet of hand tegenaan stoot. In het donker is je huid volledig overgeleverd aan het zwarte water, en alles in het water aan je huid.

13

Ik vroeg uit gewoonte of Cherry meeging, en toen ze zei dat ze niet kon voelde ik iets wat dicht in de buurt van opluchting kwam. Ze zou de volgende dag niet meegaan naar de Motherwells, maar met Randy 'en een paar kids van school' naar het meer gaan om te zwemmen. 'Ik ga met Randy en een paar kids van school naar het meer om te zwemmen,' zei ze woordelijk, en het viel me op dat ze het taaltje sprak dat wij tweeën samen nooit zouden hebben gebruikt.

Maar hoewel ik opgelucht was dat ik van het obstakel Cherry verlost was – van mijn rivale, moet ik nu denk ik wel zeggen – was ik er nog niet aan toe om alleen te gaan. Om op de deur te kloppen, iets te roepen in het koele, schemerige huis en er vervolgens in te worden ondergedompeld. Wel bijna, maar nog niet helemaal. Ik had behoefte aan een intermediair, een buffer. Ik besloot naar de fabriek te gaan om een paar uur met mijn gedachten alleen te zijn.

Ik ging op mijn rug naar de lucht liggen kijken; de zon werd hoffelijk gesluierd door een withete wolk waarvan de paarse randen op een naderende bui wezen. De 'kids' die naar het meer waren zouden dubbel nat worden, extra nat van de regen.

De jongeren uit mijn dorp waren boerenpummels. Zomer of winter, ze vonden niets zo leuk als met de auto van hun ouders de heuvels in rijden, daar zo dronken worden dat ze op de achterbank in slaap vielen en kokhalzend van hun eigen kots weer wakker worden. Sommigen stierven omdat ze niet op tijd wakker waren geworden; dat gebeurde zo ongeveer eens in de tien jaar. Het overkwam Jack, laat op een oktoberavond, toen ik elf was. Hij was achttien en is nooit ouder geworden.

Stel je voor: wakker worden en merken dat je ademhaling is gestopt, wakker worden en niet meer ademhalen, je laatste adem al uitgeblazen hebben toen je bewusteloze geest nog worstelde, begeleid door de onwillekeurige bewegingen van het lichaam, die altijd zo soepel functioneren tenzij ze worden geblokkeerd of geobstrueerd door een onvoorzien obstakel, zoals overgegeven eten en alcohol. Stel je het onuitsprekelijke verdriet voor van je familieleden die alleen achterblijven.

Raquel sprak de hele tijd een taal die was bedoeld om indruk te maken. Een taal die formidabel was en riekte naar de toekomst. Ze vertelde me dagelijks op allerlei kleine manieren dat ik ooit keuzes zou moeten maken in mijn betrekkingen met de wereld, keuzes die verstrekkender zouden zijn dan ik me ooit had kunnen indenken. 'Het gaat er allemaal om wat je je indenkt.' Dat heeft ze heel wat keren tegen me gezegd. Vaak zomaar zonder aanleiding, zoals iemand anders misschien zou zuchten zonder iets te zeggen, zodat je je ging afvragen of je iets verkeerds had gedaan.

Begreep ik zelfs maar de helft van alles wat ik in die tijd te horen kreeg? Zoals ik al zei was ik vijftien, op school een klas verder dan ik eigenlijk zou moeten zijn en introspectief van aard, maar ik had nog geen vocabulaire ontwikkeld om mezelf voor mezelf te evalueren. Ik noteerde mijn indrukken niet in een dagboek, maar sloeg ze allemaal in mijn hoofd op voor later gebruik. (Raquel zei later, toen het een keer over dagboeken ging, dat die eenzaam waren. 'Je zit tegen niemand te praten.' Soms kon ze heel kernachtig en luchthartig praten over dingen die haar diep raakten. 'Diep raakten?!' zou ze hebben uitgeroepen als ze me dat had horen zeggen. 'Ik ben mijn hele leven nog nooit diep door iets geraakt.')

Raquel was een vreemde taal en ik, die die taal bestudeerde, ging helemaal in mijn studie op. Wat ik deed, was niet zozeer begrijpen als wel in me opzuigen, als marinerend vlees. Het kwam zover dat ze soms vergaten dat ik er was – althans, Theo vergat me, tot mijn ergernis, als zijn aandacht door iets hoogst belangwekkends in beslag was genomen; ik weet niet of Raquel er ooit van kon worden beschuldigd haar toehoorders te vergeten – en een intiem gespreksonderwerp aansneden of zelfs, enkele zeldzame keren, in een behaaglijk stilzwijgen vervielen. Ik ervoer het althans als behaaglijk; Raquel zat altijd ongemakkelijk te draaien, keek om zich heen en lachte Theo en mij gegeneerd toe, alsof ze zich herhaaldelijk stilzwijgend verontschuldigde voor haar aandeel in de afgrond waar we in waren gestort. 'Stilzwijgend verontschuldigde?' hoor ik haar al ongelovig vragen. 'Als ik praat, dan praat ik hardop. Als ik zwijg, dan zwijg ik ook volkomen, daar kun je van op aan. Als ik een inwendige monoloog of voor mijn part dialoog voerde, zou dat betekenen dat er al een gespreksonderwerp was vóór het moment dat ik mijn mond opendeed.'

Dan vraagt Theo haar: 'Nou, wie ben je dan? Wie ben je nu? En nu? En nu? Nu?' Hij prikt haar met zijn wijsvinger, bepaald niet zachtzinnig.

Ze slaat zijn hand weg en legt hem definitief het zwijgen op. 'Een intellectuele exercitie, zoals alles.'

Net als de beschrijving van dit gesprek voor mij. Dit was een kwestie die ze niet in mijn bijzijn zouden bespreken. Misschien wel helemaal nooit, waar ik bij was, met zijn tweeën of voor Jahweh. Ik had me dit alles alleen maar verbeeld, zoveel lijkt wel duidelijk. Hoog boven het torentje van de fabriek loosde de wolk zijn lading; dikke druppels luidden een stortbui in, en ik ging in de regen op weg naar huis.

14

Nog meer juli

De regen hield dagenlang aan. Wick was doorweekt, de lucht koelde af door de overmaat aan vocht. Op een namiddag knoopte ik een trui om mijn middel en verliet ik mijn kamer, waar ik me een paar uur lang had teruggetrokken met *Het nut van sprookjes*, een boek dat ik vanwege de fascinerende titel had meegesnaaid uit de bibliotheek maar dat tot mijn teleurstelling bleek te gaan over de mate waarin sprookjes ons, psychologisch gezien, voorbereiden op de heksen, vervloekingen, amputaties en verminkingen van het volwassen leven.

'Ginger!' Mijn vader riep me vanuit de woonkamer, waar hij in zijn stoel zat met de krant en een bedauwd flesje bier op een viltje op het tafeltje naast zich. Ik bleef staan, teruggefloten op het moment dat ik wilde uitvliegen. 'Ginger, heb je vanavond iets? Een belangrijke vergadering waar je naartoe moet?' Mijn vader stak graag de draak met wat hij zag als mijn voortijdige volwassenheid, mijn serieusheid, mijn ernst. Ik stond in de deuropening de schemerige kamer in te kijken; hij las bij één enkel lampje. 'Je moeder is in Jacks kamer met de administratie bezig... ga in ieder geval even zeggen dat je weggaat, lieverd.'

Mijn moeder had haar werkplek thuis op Jacks bureau ingericht. Volgens mij had ze alleen maar een excuus gezocht om daar te zitten en naar zijn spullen te kijken: posters, boeken en platen, zijn trompet, zijn prijswinnende geschiedenismaquette uit de eindexamenklas – een schaalmodel van het Shift-dal uit de tijd voor het stuwmeer. Speelgoed waarvan hij zich niet meer had kunnen ontdoen omdat het te kinderachtig was geworden. Ik denk dat ze blij was dat ze al die dingen had.

'Ha lieverd. Waar ga je naartoe?' Ze zat naar het scherm te turen. Voor haar op het bureau lagen rekeningen. Ik zei dat ik naar Cherry's huis ging en ze ontspande zich; kennelijk kwam het niet bij haar op dat ik zou kunnen liegen.

'Hé, Ginger, als je nog even hebt – ik wil graag iets met je bespreken. Het duurt niet lang. Ga even zitten, liefje.' Ze streek Jacks sprei glad. 'Het gaat om... Ja, ik wist dat dit vroeg of laat aan de orde zou komen omdat je zo close bent met Cherry en zij ouder is dan jij, en volgens mij is dit het juiste moment. Ga zitten.' Een bevel. Ik ging op Jacks bed zitten.

'Oké. Ik weet dat Cherry tegenwoordig met jongens uitgaat en zich serieus met dat soort zaken bezighoudt, en het lijkt me verstandig dat we even bespreken of we voor jou ook iets moeten regelen. Voorbehoedmiddelen – je weet toch hoe dat allemaal zit, hè?' *Bóing*. Mijn moeder wierp zich zonder enig gevoel voor relativering op als mijn beschermster, maar ik was me scherp bewust van het verschil tussen het verstrekken van latex condooms en daadwerkelijk ouderlijk toezicht. Met dezelfde koele afstandelijkheid deelde ik haar mee dat ik geen voorbehoedmiddelen nodig had. Nee, mam, dank je. Ik geloof dat ik een beetje bloosde of zelfs vuurrood werd, waarmee ik blijk gaf van mijn intacte onschuld en een aangeboren fijngevoeligheid die een verdere bespreking van het onderwerp ongewenst maakte. Ik gaf haar snel een kus op haar koele wang en glipte de deur uit, de donkere gang door en naar buiten, waar de dag al een voorbarig vleugje herfst in zich droeg.

Vind jij ook dat ik aan voorbehoedmiddelen toe was? Ai, gênant. Zoals ik al eerder zei, voelde ik me in die tijd leeftijdloos, zoals naar ik aanneem alle kinderen. Een kind is zich niet bewust van zijn leeftijd – niet zoals volwassenen, die zich steeds meer zorgen gaan maken over hun status, hun chronologie die steeds duidelijker valt af te lezen aan hun lichaam en het gestaag afnemende aantal dagen dat nog voor hen ligt. Een kind heeft geen zicht op leeftijd, en dientengevolge kan het vooronderstellingen van anderen, van waarnemers, over het gevoel dat het een of het ander hem geeft niet dulden of verdragen, want het is 'nog maar een kind'. Overtredingen, hints, berispingen, ingrepen. Dat zijn etiketten die volwassenen op ervaringen plakken. Zodoende verkeer je in een moeilijke, bijna onmogelijke situatie. Want het is nu eenmaal je taak – als volwassene – om de kinderen te beschermen. Want zij kennen hun eigen gevoelens niet. Ze weten niet hoe ze zich bij bepaalde dingen behoren te voelen. Jij moet dat voor mij voelen.

Op school speelde Jack trompet in de drumband, waarmee hij strak in het gelid marcheerde, maar thuis deed hij de deur van zijn kamer dicht, zette een van de oude jazzplaten van mijn vader op, plugde zijn koptelefoon in en speelde mee met de solist. Hij speelde telkens anders: krachtig en vloeiend, met korte schrille intermezzo's, af en toe een fladderend arpeggio en dan weer een reeks fluitachtig gebonden noten. Ik mocht meestal niet op zijn kamer komen, maar een paar keer heb ik op zijn bed naar hem zitten kijken, verbijsterd over zijn vrolijke frons, zijn om het mondstuk geperste lippen, de manier waarop hij door het instrument leek te praten in plaats van er alleen maar lucht in te blazen. Het was een uitdrukkingsmiddel, net als een mond, een tong of een verhemelte, met een woordloze taal die uit zuiver gevoel bestond. Ik was trots op hem.

Ik was ook trots geweest op de dag dat hij zijn schooldiploma kreeg, toen Cherry en ik op een prachtige junidag dicht tegen elkaar aan gedrukt tussen mijn ouders op de tribune zaten in onze zomerjurkjes. Jack marcheerde het sportveld rond met de drumband, en korte tijd later beklom hij met verende tred het podium om de speciale prijs in ontvangst te nemen voor zijn project over de begindagen van Wick, 'Een dorp ten prooi aan de wisselvalligheden van het lot'. *Al voor de Amerikaanse Onafhankelijkheidsoorlog, in 1762, vond in Wick, waar de handel toen al bloeide, de eerste markt van ons land plaats!* (Een zwakke afspiegeling daarvan vindt nog steeds elke derde zondag van de maand plaats op het parkeerterrein van de kruidenier, als het weer het toelaat.) *Wick en de naburige dorpen Hammerstead, Shadleigh en Morrow gebruikten de overvloedige kracht van de vele waterlopen in de streek voor de verwerking van grondstoffen en de productie van goederen: hout, textiel en ook kanonskogels, toen die nodig waren. De uitvinding van de stoommachine bracht onze producten naar alle windstreken, en de fabrieken draaiden overuren om aan de vraag te voldoen en voorzagen zo de eerste golf immigranten van werk. Daarop volgden vele tientallen jaren van tevredenheid. Maar in de jaren dertig van de twintigste eeuw hadden de concurrentie en diversificatie op de markten onze efficiëntie merkbaar doen verminderen en gingen er steeds meer banen verloren in ons dal. Tegelijkertijd stroomde er iets anders toe: water. Een duivels plan, dat jarenlang was uitgebroed door de wetgevende macht van Massachusetts, werd eindelijk catastrofale werkelijkheid in de vorm van een grootschalige landroof, waartegen verbitterd oppositie werd gevoerd. De zaak kwam zelfs voor het Hooggerechtshof, maar net zoals het land ooit door de blanke kolonisten van de Ramapaquet-indianen was gestolen, zo werd het ook nu weer geroofd, geëffend, ontbost en misvormd; rivieren en zijrivieren werden omgeleid en verplaatst, en ten slotte in de loop van een aantal jaren*

– onmenselijk, letterlijk losstaand van elke andere menselijke beslissing, goedkeuring of beoordeling, het onophoudelijk doorsijpelen van een door mensenhand bewerkstelligde ramp – *geblokkeerd met tonnen graniet. Er werd een dam gebouwd en het dal liep voorgoed onder water. Alleen Wick, dat hoger lag, boven het meer dat zo tactloos het Ramapack-stuwmeer was gedoopt, overleefde en bestaat tot op de huidige dag, evenals wij, de beklagenswaardige bewoners ervan.*

Jacks project was multimediaal, multidimensionaal. Hij had foto's genomen, er begeleidende teksten bij geschreven en van balsahout, karton en papier-maché met grote moeite de maquette gebouwd die nu boven op de kast in zijn kamer authentiek plaatselijk stof stond te verzamelen, compleet met minuscule huisjes en automobielen, tractoren en zelfs miniatuurburgers die over stoffige wegen van A naar B trokken. Een egale laag stof. Een petieterig maar leesbaar wegwijzertje dat de weg aanwees die het dal uit liep, naar Wick. Cherry en ik hadden op onze hurken bij de maquette gezeten en naar de miniatuurdorpen, de verdronken dorpen, gekeken met de aangeboren desinteresse van wie hier geboren is. Maar Jack was 'een echte geschiedenisfanaat', zoals zijn leraar die dag zei terwijl hij mijn vaders hand schudde en toekeek terwijl Jack het podium beklom om zich ook de hand te laten schudden en de eervolle prijs in ontvangst te nemen. Ik boog me voorover om langs Cherry heen mijn moeder te kunnen aankijken. Ze keek lachend terug, haar gezicht stralend van moederlijke trots, maar achter haar ogen meende ik een vaag misnoegen waar te nemen – het was iets wat haar wereld kleurde en deel uitmaakte van elk verhaal dat ze vertelde – dat wat ze niet kon zeggen, wat ze verzweeg: wat ze werkelijk had gewild. Ze was bedrogen uitgekomen; ze had dit leven, dit dorp niet gekozen, ze had op iets beters gehoopt. En nu had haar eerstgeboren zoon, die zo pienter was, zo vervuld van dezelfde belofte die nog altijd in haar bruiste, gezegd dat hij niet wilde studeren, dat hij 'nog een poosje in de buurt zou blijven rondhangen'. Een andere moeder zou daar misschien blij mee zijn geweest. Ik voor mij vond het heerlijk. Ik kon me ons huis niet zonder Jack voorstellen.

Later liepen we rond over het feestterrein, mijn ouders maakten praatjes met andere vrolijke ouders, Jack schreef dingen in jaarboeken en liet anderen in het zijne schrijven, overal om ons heen high fives en kreten van blijdschap. Mijn moeder had haar arm om mijn schouders geslagen terwijl we rondslenterden, en ik weet nog dat ik verbaasd bedacht dat ik ooit hetzelfde zou meemaken als Jack nu, dat ik keuzes zou moeten maken. Ik kon me toen niet voorstellen dat iemand er ooit voor zou kunnen kiezen om afstand te doen van die warme omhelzing, die op die zonnige middag zo tastbaar was. Er was veel wat ik me niet kon voorstellen. Op bepaalde gebieden overcompenseerde ik dat misschien.

15

Mijn klop op de deur van de Motherwells bleef onbeantwoord, dus ik ging maar naar binnen. De huiskamer was leeg. Ik liep naar de keuken in de verwachting Raquel daar aan te treffen, maar ook daar was niemand. Op de ronde tafel stond een bord met kruimels – Raquel wist hoe je brood moest roosteren –, maar afgezien daarvan wees niets erop dat daar de afgelopen tien jaar iemand was geweest.

Ik liep naar de gang en zette mijn voet behoedzaam op de onderste traptree; ik kon niet besluiten of ik me muisstil zou houden, zoals mijn gewoonte was, of mezelf zou verrassen door naar boven te roepen. Afgezien van de momenten dat Raquel en Theo in gesprek waren of een hapje aten, leken ze het grootste deel van de tijd door te brengen met het inhalen van slaap. Wanneer hadden ze al die uren gemist? En inderdaad, toen ik op de overloop was, zag ik ze op het veldbed in Theo's werkkamer tegen elkaar aan liggen, met op de grond naast zich een wijd opengeslagen boek waarvan de rug gebroken was. Ze bewogen zich niet toen ik even in de deuropening kwam staan, wat me vreemd voorkwam. Ik bestudeerde oplettend het op en neer gaan van hun borstkassen, hun ademhaling. Ik geloofde niet dat ze echt sliepen. Zag ik daar niet het oppervlakkige ritme van een geveinsde bewusteloosheid? Hadden ze een soort val voor me gezet?

Maar nadat ik daar enkele ogenblikken zo gestaan had, merkte ik tot mijn verbazing dat ik heel slaperig was; het was een verlammende slaperigheid, zo een waarbij je met moeite je ogen openhoudt en eigenlijk staand al slaapt. De deur van hun slaapkamer stond half open en het lampje naast het bed wierp een knus schijnsel op de omgewoelde dekens en lakens. Toen ik dichterbij kwam, zag ik dat er een boekje met aan de rand vergulde bladzijden opengeslagen op Raquels kussen lag – daar waar ik mijn hoofd wel zou willen neerleggen –, en ik ging op de rand van het bed zitten en pakte het.

Zodra het volledig tot me doordrong wat ik zag – het kriebelige handschrift, de data boven de notities – legde ik het haastig weer neer, alsof het een hete pan was die ik zonder pannenlap had aangepakt.

Toen bedacht ik dat die twee heel rustig in de andere kamer lagen – slapend en elkaar zachtjes maar nadrukkelijk strelend, of gewoon afwachtend –, en ik wist dat het wenselijk was dat ik las wat er in het boekje stond.

Het dagboek begon ten tijde van hun aankomst in Wick en was daarna met zeer lange tussenpozen bijgewerkt.

13 mei

Theo heeft me opgedragen dit dagboek bij te houden, een verslag van ons gestolen jaar samen, en daarom zal ik doen wat ik kan met de middelen die ik heb: dit volmaakte gereedschap, een pen, en dit ideale kistje met zijn slotje en sleuteltje. Als hij mijn vlees en bloed was, zou hij me niet beter kunnen kennen. Wil hij me beter kennen?

7 juni
Ik weet niet of ik de moed heb om door te gaan. Al die mensen vertrouwen me blijkbaar. Och, mensen – wat zijn ze lief en wat zijn ze dom. Als ik een hart had dat kon breken… – onthouden: mooie tekst voor een country-smartlap.

28 juli
Mijn vraag blijft: waarom nemen mensen de moeite dingen leesbaar in hun dagboek te schrijven? En, nu we toch bezig zijn: waarom schrijven ze in het Engels? (Of Spaans, Frans, Pools of welke rottaal ook.) Waarom verzinnen we geen nieuwe talen, of tenminste codes die alleen wij kunnen ontcijferen? Ik neem aan dat Michelangelo dat deed – of was het Da Vinci? (Ik mijmer, mompel, overdenk dit bij mezelf, leef me helemaal in.)

Dat was de notitie van vandaag. Ik bedacht dat ik nog nooit zoiets droevigs had gelezen. De inkt glansde nog een beetje; als ik er met mijn vinger over zou strijken – de verleiding was groot –, zou ik vlekken maken. Ze moest heel kort geleden, vlak voordat ik het huis betrad, nog in bed hebben liggen worstelen met de taak die haar was gesteld. En daarna? Ze had de kamer zo achtergelaten als ze wilde dat ik hem zag en was snel naar Theo's werkkamer geglipt, waar hij zat te werken, te mediteren of wat hij ook maar deed als hij niet aan Raquels zijde was, en had hem met zachte drang bewogen op het logeerbed te gaan liggen.

In hun slaapkamer, aan de andere kant van de muur, legde ik het dagboek opengeslagen terug op Raquels kussen en ging ernaast liggen met mijn gezicht ernaartoe, op Theo's kussen. De sloop geurde vaag naar hooi. Ik tastte achter me, op zoek naar de lamp.

Ik werd wakker van de klik van de schakelaar, het licht dat aanging en Raquel die met haar zachtste stem zei: 'Wakker worden, slaapkop. Ik wil je wat laten zien.' Nóg iets? dacht ik dromerig, en ik sleurde mezelf uit een moeras van slaap en werkte me overeind in bed. Daar was ze, met iets in haar handen wat op een oude hoedendoos leek. Ze zette hem op het bed, ging ernaast zitten, bij mijn voeten, en tilde het deksel eraf; de doos bevatte een hoop foto's, een stuk of vijftig, sommige met geribbelde witte randen en andere zonder randen en met hoekjes eraf, alsof ze uit oude albums waren gescheurd. Sommige zagen er heel oud uit; ze waren dof en de afbeeldingen waren verbleekt en allemaal van dezelfde bruine kleur, het bruin van een paardenvacht.

'Dit wilde ik je laten zien, dit huis.' De foto die ze me voorhield was van heel lang geleden en er stond een familie op, een groep van ongeveer tien mensen voor een groot wit gebouw, allemaal stijf poserend, sommigen staand en anderen op stoelen met rechte leuningen zoals op de allereerste portretten, waarbij het kleinste gebaar of elke onopzettelijke ongedwongenheid de inspanningen van een hele middag teniet zou doen. Het huis kwam me bekend voor. Het was hoekig en de donkere, misschien zelfs zwarte raamkozijnen gaven het een uitgesproken grimmig aanzien en leken de suggestie te wekken dat eventuele bezoekers beter buiten konden blijven, waar de ontberingen van het hachelijke bestaan minder vat op hen hadden.

De gesteven zwarte japonnen en pakken – ze waren allemaal in de rouw – en de keurige kapsels riepen associaties op met lang vervlogen tijden. Alle gezichten waren weggekrast, wat me tegelijkertijd ongelukkig en gepast voorkwam. Aan welke bijeenkomst of gebeurtenis dit groepsportret ook moest herinneren, het was misschien maar beter dat die niet was vastgelegd.

'Zie je het?' vroeg Raquel opgewonden, al bleef ze zachtjes praten. 'Dit zijn de afstammelingen van de Goodes, die hiernaartoe kwamen na de processen in Salem. Ze zijn hier gebleven, en ze woonden in dit huis. En deze foto is genomen de dag nadat hun jongste dochter – ze was geloof ik nog maar achttien toen ze stierf – was terechtgesteld voor een misdaad die ze niet had begaan, of althans niet opzettelijk. Volgens de familielegende was ze met een ander meisje aan het zwemmen in de Shift, en liet Emily Goode haar vriendin voor de grap zien hoe haar voorzaten waren beproefd op hekserij. Ze hield haar een poosje onder water, maar toen begon het meisje tegen te stribbelen, haar hoofd raakte een steen en ze stierf. Niemand wist of ze was gestorven aan de klap tegen haar hoofd of aan water in haar longen. Maar Emily Goode werd veroordeeld voor moord en opgehangen. Ondanks het feit dat ze hoogzwanger was. Haar nabestaanden hebben het dorp deze keiharde afstraffing nooit vergeven; ze bleven zwart dragen, gingen niet met de dorpelingen om en leefden teruggetrokken. Dit is Jacob Goode, haar broer.' Ze wees naar een lange, slanke, gezichtsloze man met een ronde hoed als van een quaker. 'Die twee trokken altijd met elkaar op. Pas door de dood werden ze gescheiden, en volgens sommigen zelfs toen niet. Hij volgde een opleiding tot predikant, maar op de dag van haar terechtstelling zwoer hij zijn geloof af. Hij zette nooit meer een voet in een kerk.

Maar hoewel de Goodes zich terugtrokken uit het dagelijkse dorpsleven, vertrokken ze niet uit het dorp zelf, zoals ze eerder wel hadden gedaan als ze met een onrecht van deze omvang werden geconfronteerd. Ze wilden zich niet laten verjagen van een plek waar ze bijna twee eeuwen thuis waren geweest. En zelfs veel later, honderd jaar later, toen de dorpen zouden worden geëvacueerd omdat op die plaats het stuwmeer zou komen, weigerden de paar overgebleven leden van de familie hun huis te verlaten. De autoriteiten probeerden hen natuurlijk te dwingen, maar ze waren onverzettelijk; ze bleven waar ze waren, zelfs toen het water al steeg, en verdronken in hun huis. Het huis dat je op deze foto ziet. Ik denk dat ze het als het ultieme onrecht zagen, en ze traden het met open vizier tegemoet.' Ik keek nog eens naar de foto en meende de vastberadenheid te zien, hun kaarsrechte houding, hun gestrekte handen. Ze waren op dat moment bereid om te sterven.

'Maar genoeg over die stoffige souvenirs! Laten we naar het water gaan, dan laat ik je de bewijzen zien.' Raquels ogen fonkelden van overtuiging en betrokkenheid, en ik dacht: aha, dat is het dus. Daarom is ze hier gekomen. Om bewijzen te verzamelen. En ik moet als haar getuige optreden, en als haar handlangster. We slopen langs de kamer waar Theo sliep, de trap af en de deur uit, en liepen over de oprit naar Raquels auto. Voor ik het wist waren we al onderweg naar de weg rond het meer, en vervolgens naar een afslag van die weg die me nog nooit eerder was opgevallen, vanuit Wick gezien op ongeveer een kwart van de omtrek van het meer, met de klok mee. Op die plek lag, diep onder water, het dorp Hammerstead. De andere twee verdronken dorpen heetten Shadleigh en Morrow – als ik die namen alleen maar in gedáchten uitsprak, huiverde ik al. Luisterden ze nog naar die stille namen nu hun grenzen waren uitgewist, hun topografie was weggespoeld en hun hemel gevuld met zwart water? Het uitspreken van de namen riep alle bewoners en hun levens weer op en plaatste ze terug op hun plek – verloren levens, ogen die wanhopig omhoogkeken vanaf de bodem van de donkerste dag die mensenogen ooit aanschouwd hebben.

'Kom er ook in, het is niet koud. Warm zelfs, zo warm als badwater.' Raquel stond tot haar knieën in het water, haar korte broek tot hoog om haar dijen opgestroopt. Ik herinnerde me niet dat we uit de auto waren gestapt of het smalle pad naar het water hadden gevolgd, maar we waren er en zij stond daar. Het moet al rond tienen zijn geweest. De lucht was diepblauw geworden en de bomen langs het water hadden al de zwarte omtrekken die zich weldra zouden verspreiden en alles in het pikkedonker zouden hullen. 'Je moet hier komen, anders zie je het niet.'

Ik waadde langzaam naar haar toe. Het water was inderdaad warm, onbegrijpelijk warm zelfs. Ik had het nog nooit zo meegemaakt, het was bijna heet. Het wekte het verlangen in me om het over mijn hele lichaam te voelen, onbelemmerd, en daarom waadde ik terug naar de oever en kleedde me uit, legde mijn T-shirt en mijn korte broek op een hoopje en liep het water weer in, naar waar Raquel met haar armen over elkaar geslagen onder haar borsten naar me stond te kijken. 'Heel goed, Ginger. Je kunt het veel makkelijker zien als je naakt bent.' Ik trok haar logica niet in twijfel; ik wist alleen dat het donkere water tegen mijn huid aanvoelde als de kolossale hand van een moeder. En Raquels hand lag op mijn schouder; we stonden inmiddels tot onze borst in het water, en daarom hoefde ze niet veel moeite te doen om haar andere hand zwaar op mijn andere schouder te leggen, die vast te grijpen eigenlijk meer, en het volle gewicht van haar drijvende lichaam te gebruiken om me van achteren omlaag te drukken, me onder water te duwen en me daar te houden.

Wat zag ik daar onder water?

Ik werd ademloos wakker, midden in een vergeefse poging lucht naar binnen te zuigen, met mijn gezicht tegen het boekje met de vergulde bladzijden gedrukt. Mijn keel was dichtgeknepen, mijn mond was droog en mijn ogen zaten vol korsten. Ik kwam overeind, zoog mijn longen vol en wreef in mijn ogen. In de badkamer van de Motherwells waste ik mijn gezicht en droogde het af met een rode handdoek. Op mijn vochtige slaap stond een vage afdruk van Raquels nieuwste dagboeknotitie. Het slotje had een moet in mijn wang achtergelaten. Ik sloop de gang op, glipte langs de kamer waar die twee nog steeds sliepen of zich stilhielden en liep de trap af en de deur uit. Ik ging op zoek naar Cherry.

16

We werden warm en uitgedroogd wakker in het huis van de Endicotts; de zon scheen weer en we besloten er een leuke dag van te maken. We streken neer bij de fabriek met een deken, een paar blikjes fris en zakken chips die we uit de kast hadden meegegraaid. Ik weet niet hoe al die uren precies voorbijgingen, maar voor we het wisten waren de muggen op volle oorlogssterkte en begon de zon te zakken. Het werd tijd om beschutting te zoeken.

Hoewel ik vreselijk opgelucht was geweest weer in Cherry's opdringerig-vertrouwde gezelschap te zijn, leek het volkomen logisch – althans voor mij, en ik had genoeg kracht om ons allebei voort te drijven – dat we even bij de Motherwells langsgingen, en, toen we daar eenmaal waren, dat we bleven eten. Cherry protesteerde niet. Ik had een flinke honger en was een beetje moe en versuft van de zon, en te oordelen naar Cherry's glazige ogen en hoogrode wangen slaapwandelde zij ook half. We droegen onze minimalistische zomerkleding: T-shirts, afgeknipte spijkerbroek en gymschoenen. Ik droeg zelfs geen onderbroekje. Van Cherry weet ik het niet.

Het eten was in de maak; Theo stond te koken en wij zaten

met z'n drieën rond de keukentafel, in de tocht tussen de hordeur en het openstaande raam, en dronken iets wat Raquel 'sangria' noemde maar wat smaakte als vruchtenbowl met citroen. Cicaden rumoerden in het struikgewas, en weldra zouden er motten en kevers tegen de horren stuiteren. We kregen het over dromen; Cherry zei beschroomd iets over nachtmerries die ze de laatste tijd had.

'Hè?' riep Raquel uit. 'Bedoel je het soort nachtmerries waaruit je rillend en zwetend wakker schrikt? Zijn ze weg zodra je wakker bent? Of ben je ook daarna nog bang? Volgens mij is het interessantste wat er gebeurt als je wakker wordt, hoe lang het dan duurt voor de angst wegtrekt. Ik droomde een keer dat ik geen gezicht had, of liever dat mijn gezicht van plastic was, dat het voortdurend van vorm veranderde en in willekeurige volgorde alle fasen van mijn leven weergaf, van kleutertijd tot hoge ouderdom. De hele volgende dag was ik onzeker over mijn uiterlijk en wist ik niet hoe ik mijn lippen moest bewegen of zelfs maar met mijn ogen moest knipperen.'

Ik zag dat Cherry zich opgelaten voelde onder Raquels aandacht. Ze gaf geen antwoord en leunde zelfs achterover in haar stoel, als om zoveel mogelijk afstand te nemen. Ze wuifde zich met een slap handje koelte toe en nam een slok uit haar glas.

'Een zware nacht voor een jeugdige geest,' besloot Raquel met een klein lachje. Ze voelde zich altijd geroepen de spanning te breken, met een verhaal of wat dan ook.

'Zeer interessant.' Theo draaide zich naar ons om en sprak op besliste toon, alsof dit het laatste was wat er over dit onderwerp zou worden gezegd, maar toen praatte hij even beslist verder. 'Dat doet me denken aan die ene Zen-koan die over gezichten gaat. De clou van een koan is natuurlijk dat hij geen uitleg verdraagt; je moet zwijgen nadat je een koan hebt uitgesproken.'

'Nou, in dat geval is alles een koan. Kom op, voor de dag ermee.' Raquels haar was opgestoken, en doordat ze een groen shirt droeg vertoonde ze een nog grotere gelijkenis met een hagedis die zich op een zwarte steen in de zwarte zon koesterde.

'Jullie kennen 'm vast al...'

'Geen lange inleiding alsjeblieft!'

Theo glimlachte, kwam naar ons toe en legde zijn handen met de palmen naar boven op de tafel, alsof hij een boek vasthield.

'Oké – wat voor gezicht had je voordat je geboren werd?' Hij sprak op zangerige toon, alsof hij echt een antwoord verwachtte.

Raquel leunde met gesloten ogen achterover, als iemand die zojuist de eucharistie heeft ontvangen. 'Ach,' zei ze, 'in elke paardendrol zit wel een theelepeltje waarheid. Gisteren zei Ginger nog tegen me' – ze keek Theo aan en wapperde met haar hand naar mij – 'dat ik de indruk maak dat ik alles meen wat ik zeg, net als iedereen. Dat ik een opvallend open gezicht heb, sterker nog, dat ik een open boek ben!'

Ik was een beetje verrast door deze interpretatie. Wat ik had gezegd (al kon ik me bij nader inzien niet herinneren dat ik het hardop had uitgesproken, alleen dat ik het had gedacht) was dat ik de indruk had dat ze alles zei wat ze dacht, maar dat ze alleen maar nadacht over wat ze zou zeggen. Ik had ook de indruk – maar dat zou ik nooit hardop hebben gezegd – dat ze apetrots was op haar onbehagen, en dat haar afvalligheid alleen haar gelijke vond in een al even groot verlangen om een 'open boek' te zijn. Het leek me in Raquels toestand de ultieme ironie als ze telepathisch zou blijken te zijn.

'Cherry.' Raquel sprak mijn vriendin toe zoals een kleuterjuf een kind waar wat mee is. 'Waarom wil je niet zeggen waar je van droomt? Dat is het interessantste wat er bestaat.' Cherry lachte een beetje, nogal mat, vond ik, en zei: 'Ik heb te veel honger.' Ik rammelde zelf ook. Theo pakte een stapel borden uit de kast. Ik stond op om hem te helpen met tafel dekken, maar Raquel gebaarde dat ik weer moest gaan zitten. 'Laat hem maar,' zei ze. 'Hij vindt dat soort dingen leuk. Ze geven hem een gevoel van nederigheid en concentratie.' Ik ging zitten. 'Nou, als Cherry niks over haar dromen wil zeggen, voel ik me als gastvrouw haast verplicht een van mijn eigen dromen te vertellen. Maar helaas kan ik me die nooit herinneren. Ze zijn voor mij een even groot raadsel als voor jullie. Jullie kunnen je mijn dromen niet voorstellen, hè? Nou, dan zit er niks anders op dan dat ik jou je eigen droom vertel.' Cherry schoof heen en weer in haar stoel en ondersteunde haar hoofd met één hand. Ik vroeg me af of zij dezelfde barstende koppijn had als ik. Te veel zon, te weinig andere dingen. Ook vroeg ik me af of het haar was opgevallen dat Raquel ons nog geen tien minuten geleden een van haar eigen dromen had verteld. Of had ik haar verkeerd verstaan? Misschien was het een dagdroom geweest.

'Eens kijken, waar zal ik beginnen. Je komt bij een huis, een oud huis op het platteland, misschien een boerderij. Het staat op een lage heuvel; de velden eromheen zijn onvoorstelbaar groen, een onnatuurlijk soort gifgroen. De hemel lijkt de enige grens te zijn. In alle richtingen raken lucht en veld elkaar aan de horizon. Er is een droog karrenspoor, met in het midden, waar de wielen nooit komen, stoffig gras.

Je bent in de warme middagzon naar dat huis toe gegaan om je beste vriend op te zoeken. Het is een lange man, helemaal in het zwart, als een lid van een religieuze sekte. De shakers of de mennonieten. Zijn baard is lang en bruin, ruig, en zijn ogen hebben de bruine kleur van modderige teelaarde.'

Maar dat was *míjn* droom. Ik weet zeker dat het mijn droom was. Was het mogelijk dat het ook Cherry's droom zou zijn? Ik durfde haar niet over de tafel heen aan te kijken om haar reactie te peilen. Ik wilde dat deze droom van mij was, en als ik hem nu maar kon vasthouden, stevig vasthouden, terwijl Raquel meedogenloos verder vertelde...

'Je bent nu binnen. In de keuken bevindt zich een groot hakblok. Jullie zitten aan weerskanten ervan met elkaar te praten, je kijkt elkaar aan. Hij is beschuldigd van een gruwelijke misdaad, een moord met een bijl. Plotseling ben je bang. Iets in zijn ogen, in de duistere, troebele diepte van zijn vertrouwde ogen, maakt dat je wilt vluchten! Rennen voor je leven! Je vertrouwt op wat je ziet. Hij is tenslotte je beste vriend, hij zou je nooit verraden.

Je rent weg, de deur uit, het weggetje over en het veld in, en aan de overkant ervan nog een paar heuvels over, almaar door, totdat je op een obstakel stuit – en blijft staan. Een hoog hek waar je niet overheen kunt klimmen, van hout maar met een draad die onder stroom staat erbovenop. Je staat naar de bovenkant van het hek te kijken, en daar voorbij, naar de groene velden die zich aan de andere kant uitstrekken, verder dan het oog reikt.

Je voelt een aanwezigheid bij je elleboog. Je kijkt opzij – en recht in de ogen van je vriend, die grijnzend terugkijkt. Hij lijkt totaal niet buiten adem, het is alsof hij uit het niets naast je is opgedoken. Zijn gezicht verandert per seconde, zijn gelaatstrekken zijn caleidoscopisch, van pruilmond naar groteske grimas, van knipoog, knippering, zenuwtrek en tranende ogen naar stralende lach. "Goede vriend," zegt hij, en de angst binnen in je komt opzetten als maagkramp, als de caissonziekte van een diepzeeduiker.

"Het is tijd dat je de waarheid te horen krijgt," zegt hij. Je staat als aan de grond genageld. Het is duidelijk dat hij je te pakken heeft. Jij bent de schuldige. De rollen zijn omgedraaid.

Datgene waar jij hem op wilde aanspreken, daarvoor moet jij nu de verantwoordelijkheid op je nemen.

"Je beste vriend is je ergste vijand." Terwijl hij deze woorden uitspreekt, vallen alle maskers weg en wordt zijn enige echte gezicht onthuld: als hij al niet de duivel zelf is, dan toch zeker een machtige boze geest...'

Ze zou zeker nog zijn doorgegaan, maar op dat moment zakte Cherry voorover in haar stoel en sloeg haar hoofd met een verrassend holle klap tegen de tafel.

Ik stond al overeind voordat Theo bij het fornuis 'Shit' had kunnen zeggen. Ik trok Cherry aan haar schouders overeind en zag direct aan haar rollende ogen en haar slappe mond dat ze ondersuiker had. Ik holde naar de ijskast en pakte appelcider en marmelade. 'Moeten we iemand bellen?' vroeg Raquel heel kalm. Ik schudde mijn hoofd en voerde Cherry met een lepeltje een hapje marmelade. Ze proefde het op haar tong en slikte het door. Ik voerde haar de hele pot, en tegen de tijd dat die leeg was zat ze rechtop en was ze weer bij haar positieven. Ze spoelde de smaak weg met een glas cider.

'Dat was stom van me,' zei ze. 'Zo lang achter elkaar niks eten. Ik heb suikerziekte,' voegde ze er verontschuldigend aan toe voor Raquel.

'Dat geloof ik graag,' antwoordde die cryptisch.

'Wauw.' Theo kwam naar voren, bijna alsof hij zich beschermend tussen Raquel en Cherry's plek aan tafel wilde plaatsen. 'Gaat het wel, denk je?'

'Ja, hoor,' zei ze schor. 'Ik moet me alleen even opfrissen.' Ze stond op en liep de gang in, waar ze het zwarte heuptasje met haar insulinekit had neergelegd. Ik hoorde de deur van de badkamer dichtvallen.

'Raquel,' zei Theo, 'volgens mij moeten we Cherry in bed stoppen.'

'Nee, hoor, die redt zich wel. Dit gebeurt vast veel vaker. Ginger kan haar straks thuisbrengen. De wandeling zal hun allebei goeddoen. Bovendien hebben we nog niet gegeten. Als ze maar eenmaal wat van jouw heerlijke prak in haar maag heeft... voelt ze zich weer op en top.'

Raquels toon was nadrukkelijk verstandig.

Maar zo ging het niet. We aten wel grote porties van een groentestoofschotel met courgette, aubergine, tomaat en dikke lagen rijst. Maar daarna liet ik Cherry, die slap op de bank in de woonkamer hing, daar om de een of andere reden achter, alsof ik door een sterke stroming naar zee werd gedreven. Ze keek me uitdrukkingsloos aan – of ze keek me smekend aan en ik keek uitdrukkingsloos terug; het onderscheid is subtiel, maar maakt een wereld van verschil – en zei: 'Wacht even, waar ga je heen?' Theo kwam van boven met een deken en een kussen, die hij aan haar voeten legde. 'Weet je het zeker, Theo?' vroeg Raquel boven aan de trap, waarna ze terugweek, vervluchtigde, wegzweefde in de stilte die volgde. Ik zei tegen Cherry dat ik haar morgen wel zou zien, en toen ik de deur achter me dichtdeed meende ik te zien dat hij zijn hand uitstak om haar haar aan te raken. Ik zag alleen het begin van het gebaar, en ik voelde een scherpe, verwarde steek van pijn en opgetogenheid. Soms doet volwassen worden pijn – dat zei mijn moeder toen ze me een keer huilend aantrof met het laatste deel van de serie over Anne van het Groene Huis, waarin Anne heel ver verwijderd is geraakt van het verrukkelijke kind dat ze ooit was. Het verlies van dat kind kon tijdelijk worden verzacht door weer met het eerste deel te beginnen. Maar deze steek leek meer op de stoot die ik voelde bij het zien van een penetratie, alleen zat hij hoger, ergens in mijn borstkas. Mijn hart kromp in elkaar en ontspande zich niet meer.

Ik had sinds die vierde juli geduldig gewacht tot hij me weer zou aanraken. Dat wachten had aan elke dag, elke avond, elk contact dat die mogelijkheid vagelijk behelsde een geheime concentratie verleend, of soms het gewicht van duizend ademhalingen, duizend blikken die ik hem toewierp. Daardoor bleef ik binnen zijn geest, in die donkere schelp waarin hij en ik in elk opzicht gelijk waren en er geen verschillen in leeftijd, positie en gezag bestonden. Daarbinnen woonde ik met hem en probeerde ik elke beweging die hij maakte te begrijpen, alle beslissingen samen met hem te nemen – elke keer dat hij besloot achter mijn stoel langs te lopen of over mij heen naar een boek, een mes of een kussen te reiken.

Zodoende doorzag ik zijn volwassen beweegredenen, zijn kinetische verlangen met een ondraaglijke scherpte, en omdat ik hem zo na stond kon ik het niet met hem oneens zijn. Zij was mooier. Ze was schitterend, en ze zou zich op schitterende wijze verzetten en zich op schitterende wijze gewonnen geven. Ze zou hem datgene geven waarvan ik wist dat hij het in een dergelijke confrontatie zocht: zuiverheid, bevalligheid. Een onwetende, zenuwachtige, ademende, levende pop, een meisje dat niet zou nadenken maar zou doen, zij het dat ze zich aanvankelijk zou verweren.

Ik wist dat ik te veel dacht; mijn hoofd was omhuld als door een helm, of een aura. Ik wist niet of die van mij een kleur had, maar ik nam aan van wel.

Op de veranda van de Motherwells, met mijn hand nog op de deurknop, riep ik Cherry's gezicht nog een keer op voor mijn geestesoog – haar lieve gezicht, dat me had geleerd wat schoonheid is. De rondingen van haar ogen, de trage stroom van haar zuivere gedachten die zich concentrisch verspreidden als plassen water of licht, of duisternis, en lege plekken achterlieten waar mijn liefde was geweest.

Ik vind het goed dat er aura's bestaan, als organisch bijproduct van het leven. Als zacht, welwillend voorbeeld van het verbijsterende potentieel aan in principe bestaanbare verschijnselen die we gewoonlijk niet als werkelijk beschouwen omdat we anders niet aangenaam kunnen leven. Aura's zijn organisch, spoken zijn bovennatuurlijk, de geest is een verbrandingsmotor van waarnemingen die aan de lopende band schept, vernietigt en herschept wat voor ons belangrijk is – de huizen waarin we wonen, de tongen waarin we spreken. Wie durft die wateren te bevaren en zich toch een nuttig lid van de maatschappij te noemen? Het beneemt je alle adem. Het berooft je verhemelte van zijn smaak voor wat aangenaam en geruststellend is. Alledaagse kennis, alledaags samenleven, alledaagse liefde.

Maar als aangenaam leven niet je hoogste prioriteit is, kun je misschien leven zoals wij deden.

17

Het ongeluk

Ik fietste naar de fabriek; in het gras zoemden insecten en de lucht was vervuld van zoete avondgeuren. Ik ging op de oever van de droge rivierbedding zitten en keek naar twee kraaien die roerloos, naar elkaar toe gekeerd, boven op het koepeltje zaten. Hun in elkaar gedoken, loerende silhouetten zagen er kwaadaardig uit. Ik vroeg me af wat ze zouden opeten als ze de kans kregen.

De avondschemering viel snel. Ik deed een paar aarzelende pogingen om in mijn eentje in het kasteel te spelen, maar vond het er ondraaglijk eenzaam. Het was altijd eenzaam geweest. Dat was wat we vroeger zo heerlijk hadden gevonden, Cherry en ik: samen zo eenzaam zijn.

Ik voelde dat er een dikke laag spijt, verlangen, begeerte naar haar over me neerdaalde, gevolgd door een plotseling schokje van opluchting bij de gedachte dat ik haar morgenochtend als ik wakker werd gewoon kon bellen, wat ik zo vaak heb gedaan dat ik haar nummer tot op de huidige dag uit mijn hoofd weet. Ze zou opnemen en ik zou vragen hoe het met haar ging, wachten tot ze me zou vertellen 'wat er allemaal speelde' en daar aanmoedigend, stomverbaasd, bewonderend-samenzweerderig of met hevige afkeer op reageren, al naargelang. Daarna zou alles op de gebruikelijke manier doorgaan en ik zou, onvermijdelijk, samen met haar volwassen worden. Ik zou haar wereld vol onbeduidende bezigheden, puberliefdes, jaloezie, geroddel, symbolische opstandigheid, kapsels en opmaakweetjes in getrokken worden, al die vaardigheden die zich tot karaktertrekken ontwikkelen.

Het was allang donker toen ik eindelijk terugging. Ik zoefde in het pikdonker door de dalende bocht bij de Social Club. Terwijl ik de bocht nam voelde ik vagelijk, hóórde ik eigenlijk meer, een heftige, hete aanraking, een grommende kreet, motorgeraas. Ik lag op de weg. Ik voelde geen pijn, maar ik voelde sowieso niets, dus dat was geen zinvolle informatie.

De stilte na de klap daalde neer en ik begon de zojuist verstreken seconden in omgekeerde volgorde af te draaien, terugwerkend vanaf het eindresultaat: ik was door een botsing uit het zadel geworpen en op de weg neergekomen. Net op het moment dat ik de heuvel af kwam, was er een motor vanaf het grind van de parkeerplaats van de Social Club de weg op gereden. Het was een blinde hoek en, zoals mijn moeder altijd zei, het was een wonder dat er daar niet meer ongelukken gebeurden, met al die drank die ze naar binnen sloegen.

De tijd hernam zijn loop. Terwijl ik nog steeds midden op de weg lag, sleepte degene die mij had aangereden zijn motor weer het parkeerterrein op, waar een tweede gehelmde gedaante met één been over zijn eigen motor stond.

Terwijl de eerste motorrijder zijn voertuig inspecteerde, legde de tweede het zijne op het grind, duwde zijn helm naar achteren en holde naar mij toe. Hij knielde naast mij op het asfalt neer en ik zag dat het Randy Thibodeau was. 'Hé, Kip,' riep hij naar de ander, 'laat die motor nou effe en help me haar naar de kant te dragen.' Kip Brossard – een jongen die vroeger bij mijn broer in de klas had gezeten, herinnerde ik me.

'O, shit,' zei Kip, en hij kwam bedremmeld naar ons toe, 'is ze verlamd?'

'Welnee, man.' Randy's lange haar zat in de war door de helm, en hij rook naar de motorolie waarmee hij dagelijks besmeurd werd. 'Ze heeft alleen een paar schaafwonden. Verder niks. Maar wat ben je nou voor een eikel, man. Je reed de weg op zonder uit te kijken. Hé,' – tegen mij – 'gaat het, Ginger? Je moet voorzichtiger rijden, hoor. Je sjéésde echt die heuvel af! Steun maar op mijn schouder. Kun je lopen? Moet ik een ambulance bellen? Kom, eerst van de weg af.'

Die laatste aansporing leek me verstandig, dus ik pakte zijn uitgestoken hand, sloeg mijn andere arm om zijn hals en steunde zwaar op zijn schouder terwijl hij me met een verrassende tederheid overeind hees. Toen schoot me te binnen dat Randy de oudste van zeven kinderen was en dat je hem vaak met een van zijn jongere broertjes of zusjes op zijn schouders zag rondlopen of hen naar de pizzatent zag escorteren. Hij had een ruime ervaring met tederheid.

Randy loodste me zorgvuldig naar een bank bij de deur van de Social Club terwijl Kip naast hem meedanste. De buitenlampen doofden terwijl Randy en ik gingen zitten en ik hoorde dat de achterdeur dichtviel en op slot werd gedaan. Even later dook er een zwarte auto op van achter de Club. De barman, Stan Lipski, keek van achter het stuur nieuwsgierig naar ons groepje van drie. 'Hé, Randy, Kip, jullie krijgen er ook nooit genoeg van, hè?' riep hij uit het raampje, waarna hij veelbetekenend lachte en wegreed.

'Geweldig,' zei Randy. 'Nog meer geroddel, daar zat ik nou net op te wachten. Is alles goed met je, Ginger?' Ik knikte bevestigend, bewoog mijn hoofd voorzichtig op en neer en vervolgens heen en weer om de stabiliteit van mijn wervels te testen. Alles leek nog te werken. Ik vermoedde dat ik een grote schaafwond op mijn linkerzij had, de kant waarop ik was neergekomen. De huid van mijn hand was afgestroopt.

Randy keek toe terwijl ik naar de weg liep, mijn fiets aan het stuur overeind trok, ermee terugliep naar de Club en hem tegen de muur zette. Kip zag zijn kans schoon om ertussenuit te knijpen met de woorden: 'Hé, ik moet naar huis. Jij regelt het verder, Randy?'

'Doe ik, man. En als je nog eens van plan bent iemand te overrijden, doe het dan in één keer goed, ja?' Ze lachten, en Kip startte zijn motor en reed met veel geraas weg.

Ik bleef een paar minuten zitten en mijn hele lijf begon op de maat van mijn hartslag te pulseren. 'Godsamme,' zei Randy terwijl hij me bekeek. 'Ik moest altijd een helm dragen van mijn moeder. Ik zat er altijd tegen haar over te zeiken, maar nu denk ik: waarom droeg jij er geen? Heb je geen hoofdwonden?'

Ik schudde mijn hoofd. Hij zweeg even, zuchtte toen en kwam naast me op de bank zitten. 'Mooie avond,' zei hij, en hij legde zijn hoofd in zijn nek en tuurde naar de talloze sterren alsof het zonnen waren. 'Wat deed jij hier om deze tijd?'

Ik wilde niet zeggen waar ik geweest was, wilde niet dat hij ook maar iets van me wist. Ik zweeg en hoopte dat hij zou aannemen dat ik nog in shock was.

'Moet je je moeder bellen dat ze je komt halen? Ik zou je best op mijn motor willen brengen, maar ik heb geen extra helm bij me. Ik heb een sleutel van de achterdeur van de Club. Je kunt binnen bellen als je wilt.'

Ik stelde me de lege gelagkamer voor, slechts verlicht door een flipperkast en het schijnsel van een koelvitrine met flesjes frisdrank. Randy zou me voorzichtig naar binnen loodsen, naar een stoel aan een tafeltje bij de bar. Hij zou de telefoon gaan halen, ermee terugkomen en hem zachtjes op het tafeltje leggen. Vervolgens zou hij naast me knielen en mijn schoenen uittrekken. 'Even naar je verwondingen kijken,' zou hij misschien zeggen, of iets nadrukkelijker dubbelzinnigs als 'Laat je plekjes maar eens kijken'. Hij zou mijn trui omhoog duwen zodat mijn ribben bloot kwamen, met zijn lippen over de zachte huid vlak onder mijn borsten strelen. Ik droeg geen bh – ik had er niet echt een nodig. Misschien zou hij een hand om een van mijn borsten leggen en me in mijn hals zoenen. Vervolgens zou hij me van onderen heel voorzichtig uitkleden, teder, zachtjes, mijn benen een voor een optillen en weer neerzetten om te voorkomen dat ik nog meer verwondingen opliep.

Ik wist niet of ik het wel wilde, maar het drong tot me door wat een perfecte ruil het zou zijn. Mijn maagdelijkheid voor de hare, haar verlies een uitbuiting van kwetsbaarheid, het mijne een bewijs van moed, hoffelijkheid, aanmoediging. Ik maakte aanstalten om behoedzaam overeind te komen, maar Randy stond snel op en stak me zijn arm toe. 'Als alles echt goed met je is, wil ik je heel graag iets vragen.' Hij keek een beetje langs me heen, naar de donkere bomen die langs de weg stonden. 'Ik word helemaal gek. Cherry wil niet meer met me praten, ze heeft al dagen geen woord tegen me gezegd. Ze is kwaad op me omdat ze denkt dat ik nog steeds in Terry geïnteresseerd ben, want eh, we gaan nu zo'n beetje met elkaar, Cherry en ik, maar zij is er net achter gekomen dat Terry vorige week bij mij thuis is geweest boven de garage, met nog een paar andere mensen. We zijn erg dronken geworden en toen is ze blijven slapen. Samen met drie anderen! En ik zweer je, ze hebben allemaal gewoon op de grond geslapen. Terry was zo zat dat ze in mijn aquarium kotste – al mijn vissen dood, verdomme.' In het vuur van zijn betoog zette hij zijn helm helemaal af, en hij veegde het zweet van zijn voorhoofd in zijn haar met een blauwe haarband die hij uit zijn achterzak pakte. 'Wil jij alsjeblieft met haar praten, Ginger? Neem haar apart en zeg tegen haar wat ik jou net heb verteld. Naar jou luistert ze wel. Ik zou echt nooit iets doen wat haar verdriet doet. Ze is voor mij... ik geef echt om haar. Als je haar ziet, wil je dan tegen haar zeggen dat ik haar heel bijzonder vind en dat ik wil dat ze dat weet?'

Ik moet bekennen dat zijn verdriet me ontroerde en ik kon het niet over mijn hart verkrijgen te zeggen dat het niet waarschijnlijk was dat ik haar onder vier ogen zou spreken.

Ik zei dat ik met haar zou praten.

'En doe je ouders de groeten van me,' zei Randy terwijl ik aanstalten maakte om naar huis te gaan. 'Ik heb ze al een hele tijd niet gezien.'

Ik herinner me de dag dat Jack stierf. Nou ja, hij stierf midden in de nacht, de nacht van Halloween, tijdstip van overlijden circa halfdrie, stomdronken, liggend op zijn rug op de achterbank van de auto van Randy's vader, dus wat ik me herinner is de volgende ochtend, de ochtend dat we hoorden dat hij in de loop van de nacht was gestorven, op een tijdstip dat hij eigenlijk thuis in bed had moeten liggen. Als er iets was geweest wat hem thuis had kunnen houden. 's Ochtends vroeg, om een uur of vijf, werd er aangebeld. Ik groef me in mijn dekens in. Ik hoorde de bel wel, maar ik hoorde hem in mijn droom en probeerde daar een deur te vinden om open te doen. Ondertussen schrok mijn moeder wakker naast mijn vader, haar voeten stonden al op de grond voordat ze haar ogen open had. Een agent op patrouille had op de begraafplaats iets afschuwelijks gezien in de lichtbundel van zijn zaklamp. Ze zakte in elkaar bij de deur, en Collins, de agent, riep mijn vader te hulp om haar naar de bank te dragen. Van zijn stem werd ik eindelijk wakker. Ik stond in de deuropening van mijn slaapkamer en keek naar mijn vader, die in badjas en op blote voeten voorbijliep; mijn moeder vertelde jammerend het nieuws. 'Jack,' huilde ze, en het onmogelijke was mogelijk geworden en kleurde de hele dag onzichtbaar: de dag verdween in zichzelf, een lege, alles opslorpende, holle processie. Ik smachtte naar het moment dat het licht weer uit zou gaan, maar dat zou nog heel lang duren. Er was ons iemand ontnomen, er was iemand die we nooit meer zouden zien. Dat verlies deed pijn. Mijn moeder hing een hele tijd boven de gootsteen in de keuken te huilen en te kotsen, alles wat in haar zat moest eruit; mijn vader hield haar haar uit haar gezicht. Daarna gingen ze op de bank zitten, of liever gezegd, mijn vader ging zitten en mijn moeder legde haar hoofd in zijn schoot en deed haar ogen dicht. Ik zat – of stond, dat weet ik niet meer – in een hoek van de kamer. Mijn vader wenkte dat ik bij hen moest komen, maar ik had het gevoel dat ik de kamer moest bewaken, dat ik een zo groot mogelijk gedeelte ervan tegelijk in de gaten moest houden, om te voorkomen dat er iets anders, iets ongewensts, binnenkwam.

Ik herinner me een paar dingen van de dag voor de nacht van Jacks dood. De dag dat hij stierf was een zaterdag en hij zou die avond met zijn vrienden uitgaan, net zoals ze de vorige avond hadden gedaan. Niet verkleed – daar was hij te oud voor. Die ochtend, zijn laatste ochtend, werd hij laat wakker, om een uur of elf. Ik was al uren op, had ontbeten, tv gekeken en in *Highlights* gelezen, het kindertijdschrift waarop ik sinds mijn vijfde geabonneerd was. Er stonden raadseltjes, gedichten, verhaaltjes en leerzame spelletjes in. Ik zou mijn abonnement op mijn twaalfde opzeggen nadat Cherry me te verstaan had gegeven dat het vreselijk kinderachtig was. Ik hing wat rond en hoopte dat Jack en ik iets leuks zouden gaan doen als hij wakker werd – bladeren harken in de tuin, en dat hij me dan in de bij elkaar geharkte hopen zou gooien, of misschien gin rummy spelen, een van de weinige spelletjes waar ik goed in was. Ik had gehoopt dat hij later met Cherry en mij het dorp rond zou gaan, van deur tot deur, om overal om snoep te vragen, maar hij had gezegd dat ik dat maar uit mijn hoofd moest zetten. Mijn moeder was waarschijnlijk het huis aan het schoonmaken, wat ze vaak deed in het weekend. Mijn vader las misschien de krant of was bezig met een klusje in de garage. Ik wachtte, en eindelijk strompelde Jack zijn kamer uit en de badkamer in, waar ik hem vanaf mijn plekje in de zon op de vloer van de woonkamer, waar ik mijn kinderachtige tijdschriftje lag te lezen, hoorde grommen, poetsen en spugen.

'Ha, zusje,' zei hij, en hij plofte in een stoel aan de keukentafel neer en pelde een banaan van de fruitschaal. 'Ik ga zo naar de gereedschapswinkel, vragen of ze een baantje voor me hebben. Ik leef al veel te lang op de zak van pa en ma.' Hij schraapte zijn keel. Hij rookte sinds kort; ik had het gezien. 'Zie ik er een beetje presentabel uit?' Hij stond op en draaide zich om, zodat ik de achterkant van zijn crèmekleurige corduroy broek en zijn geruite shirt kon zien, allebei gekreukeld. Ik hield heel veel van hem. Ik begreep niet waarom hij niet altijd zo lief voor me kon zijn als op dat moment. Dat was voor hem toch een kleine moeite? Hij draaide zich weer naar me toe en ik stak mijn duimen omhoog.

'Als ik terug ben, kunnen we misschien iets leuks gaan doen.' Hij wist hoe graag ik dat wilde. Het feit dat ik wist dat hij het wist, maakte het aanbod er nauwelijks minder aantrekkelijk op. Ik knikte, maar ik wist dat hij door de dag zou worden opgeslokt. Hij zou wegfietsen en zijn vrienden treffen op het dorpsplein, en dan zouden ze de hele dag met elkaar optrekken, tot het avondeten, en daarna zou hij met Randy in diens auto naar de begraafplaats gaan, daar rondhangen, bier drinken en lachen, bokspringen over de grafstenen, over de ruggen van de doden, hun ongeluk bespotten, hun stilte ontwijden, hun lijken uiteenrijten – hij was op het eind respectloos, wat hij in het begin nooit was geweest.

18

De botsing gaf me een mooi excuus om me terug te trekken. Ik hinkte naar huis met mijn fiets aan de hand en liet mijn moeder de paarse, vijvervormige plek op de buitenkant van mijn dij, mijn groene ribben en mijn geschaafde hand zien, en haar reactie verschafte me grote voldoening: ze haalde alle zalfjes en verbandmiddelen tevoorschijn die er in huis waren, verbond me en stopte me daarna met een schone pyjama aan in bed. Ze trok een vies gezicht toen Randy's naam viel, en daarna zei ze niet veel meer. Randy lag eeuwig diep te slapen op de bijrijdersstoel van haar verdriet terwijl Jack achterin eeuwig lag te sterven.

Cherry belde me de dagen daarna een paar keer, maar ik weigerde aan de telefoon te komen. Ik zei tegen niemand iets over die weigering, zelfs niet tegen mezelf. Ik kwam gewoon niet aan de telefoon. Het was het gevolg van een niet-bestaande daad – een steeds groter wordende lege plek waar misschien ooit de reden had gezeten. Een opgroeiend kind krijgt niet vaak de kans zich terug te trekken in onredelijkheid, terug te keren op de schreden die ze al heeft gezet op weg naar volwassen verantwoordelijkheden. Ik was als een klein kind, doof voor mezelf. Ik beantwoordde de vragende blikken van mijn moeder, als die me met haar hand over de hoorn aankeek, met iets waarvan ik aannam dat het kon worden opgevat als een typische uiting van een strikt persoonlijke puberale woede, waaruit viel op te maken dat Cherry en ik een typische puberruzie hadden. We hadden ruzie. Mijn moeder was blij te zien dat ik iets typisch puberaals deed, blij dat ze me überhaupt zag, en ik was blij dat ik voor de verandering eens om haar heen kon hangen, pizza's kon halen, naar de bibliotheek kon voor boeken of naar de videotheek om een van de Pink Panther-films te huren die ze zo grappig vond.

Maar toen nam ik 's ochtends vroeg een keer per ongeluk de telefoon op, en onmiddellijk begon Cherry in mijn oor te snikken alsof ik een fruitautomaat was en haar tranen kwartjes. Ik zou in een troostrijke woordenstroom uitbarsten als zij de juiste combinatie trof.

'Ginger,' zei Cherry, hikkend door haar tranen, 'waar zit je toch de hele tijd?' Ze wachtte mijn antwoord niet af. 'Kom naar de fabriek, oké? Ik móét met je praten. Er is iets ergs gebeurd en ik kan er met niemand over praten behalve met jou. Ik moet nu ophangen, mijn moeder komt eraan. Ik verwacht je daar om halfdrie.'

Ik hing op en vroeg me af hoe snel ik met goed fatsoen weer bij de Motherwells op bezoek kon gaan. Ik had moeten blijven, dacht ik, of voelde ik. Ik wist niet – weet nog steeds niet – wat het verschil is. Ik had moeten blijven.

Ik dacht aan Theo's vroege, onvolledige waarschuwing aan de keukentafel. Hij had ons, ons beiden samen, bevolen 'goed uit te kijken', alsof we ondeelbaar waren. Het had in mij het verlangen versterkt me te onderscheiden, bedacht ik, een proces te versnellen dat al in gang was gezet doordat Cherry steeds meer gepreoccupeerd was met andere dingen, zich steeds verder van me verwijderde. Maar als 'goed uitkijken' betekende dat je zorgde dat je geen schade leed, dat je 'veilig' was, dan was het een zeer vergeefse waarschuwing geweest.

En daar zat ik nu, al met al toch nog maar een kind, met mijn jeugd nog helemaal binnen handbereik, zo ongeschonden als het maagdenvlies van een jong meisje, naar men beweert. Ik dacht aan Cherry en er daalde langzaam een sluier van de oude liefde, de oude trouw, over mijn ogen neer. Ik deed mijn ogen dicht en tilde de sluier op; daaronder zag ik niet mijn eigen gezicht, maar het hare. Ik zou naar de afspraak kunnen gaan, naast haar kunnen gaan zitten, haar haar strelen en haar versie van het gebeurde aanhoren. Ik zou haar over Randy's liefdesverklaring kunnen vertellen. Dat zou haar helpen alle eventuele inbreuken op haar deugdzaamheid te vergeten.

Maar toen bedacht ik een gewaagde snellere manier. Ik liep naar de kast waarin mijn ouders het dunne telefoonboek van het district bewaarden. Thibodeau was een veelvoorkomende achternaam en er waren zelfs verscheidene R. Thibodeaus, maar na een paar gênante pogingen had ik degene te pakken die ik zocht.

De derde dag ging ik, nog vol blauwe plekken maar aan de beterende hand, weer in het café werken. Halverwege mijn dienst rinkelde het belletje van de deur en kwam Raquel binnen. Ze stapte glimlachend op de bar af en vroeg me hoe laat ik vrij was. Ze stelde voor een wandelingetje te gaan maken over de begraafplaats, de oude naast de kerk aan het dorpsplein. Ze zou me daar om halfzes opwachten. Ik had tegen mijn ouders gezegd dat ik rond etenstijd, halfzeven, wel thuis zou zijn, maar ik ging er, opportunistisch als ik was, van uit dat ik toch nog wel op tijd zou kunnen zijn.

19

Er wonen drie dorpen onder dat water. Het is een ziekelijk vruchtbaar en uiteindelijk gruwelijk beeld, als je het de tijd geeft om op je in te werken en substantie te krijgen. Jacks maquette, maar dan levensgroot: donkere huizenstaketsels, schuren en hekken en zelfs hier en daar een restant van meubilair, dat alles op de bodem van een opmerkelijk diep en breed, door mensenhand ontstaan meer. Dat noem ik nou bovennatuurlijk: tijden die in onze herinnering zweven, maar geschiedenis blijven totdat we ze met onze krachtige fantasie opnieuw tot leven wekken. Het verleden is angstaanjagend. Maar waaróm, daar kan ik niets zinnigs over zeggen.

Vreemd genoeg waren dat precies de vragen die me het grootste deel van die dag hadden beziggehouden toen Raquel zo onverwacht in het café opdook. 'Wat is spookachtig? Wat is bovennatuurlijk?' – en ondertussen was ik druk bezig borden af te ruimen, kopjes vol koffie te schenken en kleingeld te produceren waarmee klanten fooien konden geven of dat ze in de antieke parkeermeters (waar alleen stuivers in konden) aan Main Street, vlak voor onze deur, konden stoppen. Ik dacht aan verdronken huizen, de oneindige rust die er heerste, aan begraafplaatsen en nachtmerries, en overpeinsde het potentieel ervan om daadwerkelijk angst in te boezemen, mensen de stuipen op het lijf te jagen. Ik dacht niet aan Cherry, want ik was tenslotte nog maar een kind, en kinderen zijn in staat om in een handomdraai een nieuwe wereld voor zichzelf te scheppen. Met één klik van een sluiter.

Een hele wereld van angst die iedereen kent, het soort angst dat je krijgt als je alleen door het bos loopt – niet per se 's nachts, al helpt dat wel –, als je je gedachten toestaat af te dwalen naar dingen waarvan je absoluut zeker weet dat ze je zullen beangstigen. Een afstotelijk, dood gezicht, een waanzinnig grijnzende kop, de slappe grijns van de idiotie, of een hoofd besmeurd met bloed en huilend van ellende, zodat alles precies klopt en je kortsluiting in je hoofd krijgt en in paniek raakt, je slaat je armen om je heen en rept je (maar zonder te hollen, want het laatste wat je wilt is de aandacht op je vestigen, op jou en je nietige, onbeschermde hoofd) naar je eigen huis, waar je de deur trillend achter je op slot doet. Pas dan durf je te blijven staan en achterom te kijken naar wat helemaal niet achter je is, maar in jouzelf. Binnen in je. Dus uiteindelijk is alleen onze fantasie behekst. Of datgene wat ons behekst, is fantasie.

Ze was niet bang voor de doden, zei ze, ze was alleen bang voor andere mensen. Ik vroeg me af of ze ook zo zou praten als Cherry erbij was. Volgens mij niet. Het was me opgevallen dat de teneur van Raquels gesprekken, of beter gezegd monologen, heel anders was als ze met mij alleen was, of met mij en Theo; kortom, als Cherry er niet was. Ze sloeg dan een minder aardse, introspectievere toon aan, alsof ze eigenlijk in zichzelf praatte, al vertelde ze me een keer dat dat letterlijk het laatste was wat ze ooit zou doen. 'Ik praat wel in mezelf als ik dood ben,' zei ze. Maar het leek alsof ze voor Cherry een speciaal taaltje had ontwikkeld, dat was toegesneden op de oren van een typisch pubermeisje. Nu had ze dat soort neptaal niet nodig.

'Ik zal je vertellen waar ik echt bang voor ben,' zei ze. Ik luisterde nog maar met één oor naar haar, want het andere was gespitst op onnatuurlijk geritsel in de heggen, het geluid van herrezen doden die ons beloerden. 'Het beangstigt me als je oog in oog met iemand komt te staan, ergens in een of ander vertrek, en je kijkt die ander in de ogen en in plaats van een flits van herkenning, van wederzijdsheid, krijg je alleen maar signalen van leegte, afwezigheid, peilloze diepte. Het is de hel om zo iemand in de ogen te kijken; het is dood daarbinnen. Dan word ik bang.'

Als je naar een gezicht kijkt, beaamde ik in stilte, en je probeert met dat gezicht te praten, dan zie je, hoe je ook je best doet om het niet te zien, steeds sterker de ophanden zijnde metamorfose: de ogen en de mond die dreigen weg te glijden, open te sperren of hol en vreemd te worden. En dat is het gezicht van een vriend.

'Waar is Cherry trouwens?' Raquel plukte haar uit mijn gedachten als de kers waarnaar ze genoemd was. 'Het is niks voor jou om niet in haar gezelschap te zijn.' Dat was zo, maar ik vond dat Raquel nu niet eerlijk was. Ze wist net zo goed als ik – en waarschijnlijk veel beter – dat alles was veranderd.

'Ik stam rechtstreeks af van een vrouw die als heks is opgehangen.' Ze zei het zoals je iets zegt als 'Ik ben de Geest van de Voorbije Kerst' of 'Ik ben ontsnapt uit een groep kettinggangers', alsof iemand anders de woorden al lang voor je geboorte heeft geschreven en hardop uitgesproken, en met veel meer overtuiging. Ik keek haar aan en wachtte af. Ik was bang. Niet zozeer vanwege haar mededeling als wel omdat we nog steeds op de begraafplaats zaten, tegenover elkaar, met onze gekruiste benen bijna tegen elkaar, naast een grafsteen onder een boom in het donker. Er kwam nauwelijks licht van de maan, de sterren of de huizen rond het plein. We hadden het eind van de middag en het begin van de avond op de begraafplaats doorgebracht. Ik was verstijfd van de kou, het doodstil zitten in het donker en de pijn die nog restte van mijn smak op de weg. Telkens wanneer ik had gedacht dat we weg zouden gaan, dat we het natuurlijke einde van deze episode hadden bereikt, was Raquel begonnen aan een nieuw verhaal, een andere gedachtegang, de zoveelste peinzende preoccupatie. Nu kreeg ik het gevoel dat ze de hele tijd alleen maar had gewacht tot de duisternis zou vallen en ze me dit verhaal kon vertellen. Ze had het voor het laatst bewaard.

'Dit heet "bij het begin beginnen",' verklaarde ze plechtig. Haar gezicht was vlak bij het mijne. Ik kon de contouren ervan zien, die bijna fosforesceerden toen mijn ogen aan de nabijheid gewend waren.

'Ik denk bij het vertellen van dit verhaal niet in termen van schuld of onschuld. Ze heette Sarah Goode. Ze was de vrouw van Joseph Goode, moeder van elf kinderen, van wie er vier al op jonge leeftijd stierven, en mijn elfmaal-overgrootmoeder. Sarah was een oppassend lid van haar leefgemeenschap, een boerendorpje ten noorden van de stad.'

Om ons heen was het zo stil dat haar stem van alle kanten tegelijk leek te komen, zowel uit de nachthemel als uit de grafstenen, waarvan ik de contouren net kon onderscheiden.

'Ze was al oud en leefde met haar man vreedzaam op de boerderij toen sommige dorpelingen op het idee kwamen dat ze een heks was.

Je moet weten dat het destijds gebruikelijk was dat bepaalde leden van de gemeenschap, meestal degenen die zich met bijzondere ijver voor deze taak hadden opgeworpen, werden benoemd tot heksenspeurders of uitvoerders van de proefnemingen die ze hadden bedacht om officieel vast te stellen of iemand een heks was. Mijn favoriet is de onfeilbare "waterproef": als ze blijft drijven is ze een heks, als ze verdrinkt was ze er geen.

De mensen in die dorpjes hadden geen makkelijk leven. Ze ploeterden de hele strenge winter lang en werkten gedurende de lange, overvloedige zomer als bezetenen – als ik het zo mag uitdrukken – om genoeg eten en brandhout te verzamelen om de volgende winter door te komen. Door dat eeuwige zware leven moeten de mensen ontzettend gehard zijn geworden. Sarah was ook gehard. Ze was al in de zeventig, maar toen ze haar gevangenzetten bleef ze met gebogen hoofd in haar cel staan en bad ze. Ze zei tegen zichzelf, en later tegen degenen die achter de tafel zaten en haar ter dood veroordeelden: "De wil van de Heer geschiede, en geen andere."'

Toen Raquel dit plechtige devies citeerde, voelde ik een hevige rilling langs mijn ruggengraat omhoog en weer omlaag kruipen, want ik herinnerde me ineens dat ik midden tussen graven zat die vol lagen met de tot stof vergane botten van dorpsgenoten van vele eeuwen her. Ik kreeg het gevoel dat mijn rug bloot was, dat mijn trui, mijn T-shirt en mijn huid waren afgepeld.

'Er zijn een heleboel theorieën – sociaal-economische, psychoanalytische en zelfs biochemische – om te verklaren welke factoren bijdroegen aan die hausse van spirituele executies. De familie Goode, die met opvallend veel beschuldigingen van hekserij te kampen kreeg – twee van Sarahs zusters werden ook beschuldigd, en een van hen werd opgehangen –, had het in vergelijking met de rest van het dorp relatief goed. De Goodes woonden op een heuvel, letterlijk verheven boven de rest van het dorp. Hun boerenbedrijf rendeerde goed. Ze bezaten veel land en inden zelfs pacht van een aantal andere families, een situatie die altijd tot wrokgevoelens leidt. Het concept "eigen vermogen" was de meeste mensen onbekend. De provisiekamers van de Goodes waren vol en ze hadden geld waarmee ze goederen konden kopen.

Maar kun jij je voorstellen dat dat zoveel kwaad bloed zette? Volgens mij moet het veel onbewuster zijn gegaan. Ik denk dat degenen die de beschuldigingen uitten (dat waren trouwens bijna allemaal jonge meisjes) gewoon waren meegesleept door de kracht van hun eigen fantasie, door datgene wat ze zelf in het leven hadden geroepen. Stel het je eens voor: een stel volwassen mannen luistert de hele dag naar een groep jonge meisjes en slikt alles wat ze zeggen voor zoete koek! Ze waren bezeten, volgens mij. Van zichzelf. Van een ervaring van buitenzintuiglijke aard. Ze waren ineens belangrijk.

En dus verzonnen ze met grote geestdrift de meest fantastische dingen die ze konden bedenken – zou jij dat ook niet hebben gedaan? "Goody Rich bezocht me in mijn bed, kneep in mijn tepel en zei dat ik mijn naam in het boek moest zetten, anders zou ze zorgen dat mijn vaders koeien geen melk meer gaven. Toen kwam er een gele vogel ondersteboven aan de dakbalk hangen, en die praatte met de stem van John Rectors vrouw en zei dat ze naast de Zwarte Man had gelopen en zijn speeksel had gedronken." Denk je niet dat dat in zekere zin precies was wat ze de nacht daarvoor had meegemaakt toen ze in bed lag, in de koortsige roes van de oneindige mogelijkheden? Sterker nog, ik snap niet hoe mensen nog wisten te ontsnappen aan de extase van die meisjes, de "gekwelden", zoals ze genoemd werden. Zodra ze doorkregen dat ze steevast geloofd zouden worden, dat hun woorden als universeel geldig en onbetwistbaar werden gezien, voor het eerst in hun harde, onvertaalbare leven...' Op onverklaarbare wijze wist ze opeens niet meer hoe ze verder moest gaan, daar in die duisternis die ons omhulde als licht.

'Ik heb het niet koud. Jij wel? Maar de grond is wel vochtig.' In haar stem klonk alle besluiteloze paniek door waaraan ze ten prooi was als er een stilte viel. 'Zal ik doorgaan? Ik zei dat ik bij het begin zou beginnen, wat betekent dat ik bij het einde zal eindigen.' Ze schoof zittend een eindje achteruit, strekte haar benen en kruiste ze andersom. 'Zo, dat is beter,' zei ze. 'Goh. Het wordt laat. Het is tot negen uur nog licht...'

Ik wist dat mijn ouders ongerust over me waren en besloot me daar niets van aan te trekken, wat ik te kennen gaf door standvastig te blijven zwijgen. Raquel vervolgde haar verhaal en hervond haar evenwicht toen het spannender werd.

'Die mensen waren heel gelovig. Hartstikke vroom. Ze ploegden door een meter sneeuw naar de ijskoude kerk, waar ze hun eigen adem konden zien, en luisterden naar de predikant die met zijn gevoelloze voeten stampte en van leer trok tegen de zonden van ontuchtigen en genotzoekers. "Wie zijn dat?" zullen ze zich hebben afgevraagd terwijl ze hun blik langs alle gemeenteleden lieten gaan, op zoek naar tekenen die de zondaars verraadden. Voor hen was deugdzaamheid geen kwestie van vrije wil. Díé verantwoordelijkheid rustte in elk geval niet op hun veelgeplaagde schouders. Als je iets verkeerds deed, als je zondigde, dan kwam dat omdat de Duivel, met een hoofdletter D, in je was gevaren. Omdat je was bezocht door de Zwarte Man en hij de macht had over je ziel.

Het proces tegen Sarah duurde niet lang. Twee dagen later werd ze opgehangen. Je krijgt het gevoel dat het in haar geval allemaal een kwestie van slechte timing was. Twee maanden of misschien zelfs zes weken later keken de dorpelingen elkaar beschaamd aan, als hondjes die op het kleed hebben gepiest.'

Ik had op school niet altijd even goed opgelet, maar ik herinnerde me mijn werkstuk uit de tweede van de middelbare school over deze zwarte bladzijde in de geschiedenis nog heel goed. Ik herinnerde me bijvoorbeeld dat er een theorie was dat de wintervoorraden van het dorp door de vochtige kustwind waren gaan schimmelen en dat die 'gekwelde' meisjes high waren van de psychedelische haver, gerst en mais. Zodoende twijfelde ik niet aan Raquels woorden – waarom had ik er ook aan moeten twijfelen? – toen ze iets vertelde wat daarmee strookte: dat de familie Goode, of wat ervan over was, het dorp had verlaten en landinwaarts was getrokken om een nieuw leven te beginnen in onze streek, in het vruchtbare Shift-dal.

Maar ik verbaasde me wel over het kennelijk universele verlangen om elke verklaring voor die beschuldigingen van hekserij te aanvaarden behalve de meest voor de hand liggende. Stel nu eens dat die vrouwen en mannen niet als gevolg van hebzucht, ongelijkheid of hevige jaloezie en wantrouwen waren verbrand, of voor mijn part vanwege psychedelische graangewassen, maar omdat het echt heksen waren? Waarom waren de bomen over het hoofd gezien die zo grimmig en veelbelovend in het bos stonden? Ik wil niet de degens kruisen met een leger van sceptici, maar simpelweg pleiten voor iets wat gewoon interessanter is. Zo kon Raquel bijvoorbeeld onmiskenbaar en aantoonbaar gedachten lezen, want ze barstte in lachen uit, ze lachte luid om mijn stilzwijgende gedachten die neigden naar het duistere, en sloeg haar armen om me heen, over de heksenketel van duisternis tussen ons in heen. Haar omhelzing was losjes maar hartverwarmend, en toen ze me losliet voelde ik de koude lucht en de vochtige aarde nog snijdender.

20

'Wat zou je zeggen als ik je vertelde dat we een spook hebben gezien op de begraafplaats?' Raquel stond in de deuropening van de keuken en kamde haar druipende haar met haar vingers. Het was begonnen te regenen terwijl we terugliepen.

'Zou je dan de waarheid spreken?' Theo, die aan het aanrecht champignons stond te snijden, antwoordde zonder zich naar haar om te draaien. Ik keek naar zijn rug, hals en schouders, de lange, ruitvormige spier die zijn regelmatige bewegingen mogelijk maakte. Plotseling zag ik hem op Cherry liggen, als een tot leven gekomen foto uit een nummer van *De beginner*: zijn kont tussen haar benen, zijn romp die de hare bedekte, een onregelmatig ritme gehoorzamend aan een onzichtbare drijvende kracht, een ontembare finale. En toen zag ik het spook dat ons misschien naar huis was gevolgd en dat naar hen keek, voor een ogenblik verlost uit zijn oneindige eenzaamheid.

'In elk geval voor een deel,' kaatste Raquel opgewekt terug. 'En zoals je weet bevat elke gedeeltelijke waarheid een kiem van de absolute waarheid. Het is net als bij klonen: je hebt maar één cel van een levend wezen nodig om de hele essentie van dat wezen te kunnen kopiëren, opnieuw tot leven te wekken, te laten materialiseren.'

'Tjonge,' zei Theo nadat hij eerst zwijgend een bruine pasta die hij 'miso' noemde van een plastic bak naar een blauw aardewerken schaaltje had overgeheveld. 'Jij hebt écht op een goeie universiteit gezeten.'

Raquel trok haar haar met beide handen in een paardenstaart, ging aan tafel zitten en keek ons zwijgend aan. Ik had niets aan het gesprek toe te voegen.

'Het zien van spoken wordt bijvoorbeeld bijna altijd gezien als een soort botsing van energieën. Je weet wel: als we sterven, bla bla bla, gaat er nooit materie verloren, maar wordt die omgezet in andere vormen van energie. En sommige levenden zijn ontvankelijker voor het waarnemen van die energieën dan anderen. En dat is een waarheid die misschien niet de ultieme waarheid is, maar toch zeker wel nuttig.'

Soms had ik het gevoel dat Raquel zelf een soort spook was. Ze kon zich er nooit toe zetten zich volledig te manifesteren, ons te vertrouwen, onze liefde toe te laten, en dook steeds maar kortstondig op in de kleine wereld die wij drieën – nog maar pas vergoddelijkt, geheiligd – schiepen, om meteen weer te verdwijnen. Ik kon niet besluiten waar de andere wereld waarin ze woonde zich bevond: was het de wereld van haar verbeelding waarnaar ze ontsnapte? Of was het een definitievere, absolutere leegte, een niets dat haar helemaal dreigde op te slokken en waaruit Theo en ik, haar reddingsploeg, haar nooit konden terughalen? Af en toe maakte ik me zorgen dat ze steeds verder van ons wegdreef, dat we haar misschien niet zouden kunnen vasthouden. Ik deed alles waartoe ik met mijn beperkte krachten in staat was. Ik lachte mee als ze zenuwachtig in de lach schoot, en des te harder als ik de bron van haar vermaak niet begreep. Ik luisterde aandachtig naar alles wat ze vertelde, of dat nu was wat Theo die avond wilde koken of hoe de ware pijn van het leven zich aan haar voordeed ('als een sluier die over mijn ogen wordt gegooid, zodat ik er nooit van op aan kan dat wat ik zie hetzelfde is als wat anderen zien. En de pijn is zowel de sluier als het zien'). Ik weigerde haar nooit iets. Als ze wilde dat ik over de begraafplaats liep, dan liep ik over de begraafplaats; als ze me vroeg voor haar op de grond te komen zitten en me over de fabriek te vertellen, dan deed ik dat maar al te graag, al had ik daar met niemand behalve Cherry ooit vrijuit over gepraat.

'Maar wat écht beangstigend is,' hield Raquel aan alsof ze was teruggefloten, terwijl Theo en ik alleen maar eensgezind en samenzweerderig hadden gezwegen, 'is niet de waarneming van het spook zelf. Dat is niet meer dan een troostrijke illusie. Het idee alleen al! Wat echt beangstigend is, is de oneindige variatie van de scheppingen van de menselijke geest, of je die nu kent of niet. De geest produceert dat allemaal, inclusief die variatie. Je ziet die dingen en dan ben je weer alleen, maar dat was je altijd al: de adrenaline pompt door je heen op het moment dat je je eigen macht accepteert, je eigen inspirerende en gruwelijke macht. Ik heb uiteindelijk alleen vertrouwen in mijn eigen geest. Die staat aan de basis van al het andere.'

Ik stond op het punt om iets over Sarah Goode te zeggen – dat dat allemaal toch heel reëel en historisch aantoonbaar was, een verzameling echte mensen en dingen die echt waren gebeurd – toen er voor in het huis, in de gang, een geluid weergalmde. Een ogenblik later besefte ik dat het afkomstig was van iemand buiten, op de veranda voor het huis, die op de oeroude bel drukte, een zwak galmend geknars en gejammer in plaats van het gebruikelijke *ding-dong*. Ik was verrast door het geluid, maar het verbaasde me niet dat Raquel en Theo geen van beiden aanstalten maakten om te gaan kijken.

We bleven alle drie doodstil zitten en even later hoorde ik

voetstappen die over de veranda liepen, de treden afdaalden en in de avond verdwenen. De geest van een bezoeker.

Als ik voor Jacks maquette van het verdronken dal stond en door de minuscule raampjes van de huizen naar binnen gluurde, naar de microscopisch kleine figuurtjes die aan tafel zaten en de borden doorgaven, of als ik uitzoomde en het dal als geheel, de vruchtbare aarde en de bruisende waterlopen bekeek, dacht ik vaak aan een eerder verleden, aan de mensen die de getemde, maar meedogenloze kust van Massachusetts verlieten en zich op het veelbelovende land langs de rivier vestigden. Ze troffen een vruchtbaar dal aan en deden wat kolonisten overal doen: land ontginnen, huizen bouwen, vaste gebruiken instellen, handel drijven, zoons en dochters verwekken. Een paar generaties later ging het ons voor de wind. We hadden succesvolle bedrijven en een aangenaam gemeenschapsleven, een fraai landschap vol mooie boerderijen en schuren. In die tijd werden de mooiste huizen van Wick gebouwd, allemaal bij elkaar, als een vergadering van wijze mannen: de burgers voelden zich veilig, verankerd, bevoorrecht. Die huizen rondom ons sfeervolle dorpsplein, een monument voor de bestaanszekerheid, zijn prachtig om te zien. Ze spreken boekdelen over wat binnen en wat buiten is. Binnen is het privilege van de persoonlijke levenssfeer en de overerving. Buiten zijn degenen die door de ramen turen, hun neus in andermans zaken steken en proberen binnen te komen.

Zo legde Raquel het me althans uit toen we een keer naar het dorpsplein wandelden. 'Die huizen,' zei ze. 'Ik zou er eeuwig naar kunnen kijken zonder er genoeg van te krijgen. Ze bevredigen alle fantasieën die ik ooit heb gehad. Als ik in een van die huizen woonde, zou de droom van mijn leven voorbij zijn en zou ik eindelijk echt leven. Want dan zou ik erop kunnen vertrouwen dat ik nooit meer hoefde te verhuizen. Die huizen zijn niet alleen gebouwd op duurzaamheid, maar ook om aan de behoeften van de bewoners tegemoet te komen en te voldoen. Ze hebben families bij elkaar gehouden. Niemand had ooit kunnen denken dat ze in andere handen zouden overgaan – laat staan dat ze aan een vreemde zouden worden verkocht.'

Maar Raquel liet zich afkeurend uit over de aanwezigheid van de oude fabriek in Wick, waar Theo heel nieuwsgierig naar was. Hij zou daar wel een keer binnen willen kijken, zei hij. Het paste gewoon niet in haar beeld van hoe ons dorp zou moeten zijn. En het was inderdaad het laatst overgebleven bewijs dat er in Wick ooit sprake was geweest van een opkomende industrie en economie. Het was het spook van onze bedrijvigheid; ooit was er een goede reden geweest om hiernaartoe te komen, en veel mensen hadden dat gedaan. Destijds had niemand daar vreemd van opgekeken.

21

Ik had Theo en Raquel uitgenodigd die zaterdag in het Top Hat Café te komen ontbijten. Ik had gedacht dat het leuk zou zijn elkaar daar weer te treffen, op de plek waar we elkaar voor het eerst hadden gezien, maar nu met alles wat we inmiddels deelden, als geheime geliefden die elkaar begroetten in een elizabethaanse salon. Ik zou hen met een plagerige vormelijkheid bedienen, de koffiepot als een moedervogel laten zakken boven hun halflege kopjes, als een discuswerper borden zwierig op hun tafeltje laten neerkomen.

Ik had echter geen moment aan eventuele toeschouwers gedacht: wie zouden ons allemaal zien? Ik was zo gewend geraakt aan de zeepbel die ons overal leek te omhullen, te omsluiten, te pantseren, dat ik me het Top Hat Café op de een of andere manier had voorgesteld als een filmset die op verzoek van de zedige actrice was ontruimd voor een naaktscène.

Daarom werd ik die ochtend steeds zenuwachtiger terwijl ik op ze wachtte; mijn blik schoot de hele tijd naar de deur en de straat voor het raam, en telkens meende ik dat ze nu ieder moment konden binnenkomen. Raquel zou als eerste verschijnen, in de hoek van het raam, zwaaiend met haar lange blote arm, en daarna Theo, zich lenig voortbewegend in haar schaduw op de stoep. Ik werd me scherp bewust van de klanten die getuige zouden zijn van hun binnenkomst en aan wie ik eerder geen gedachte had gewijd. Er zouden zeker andere klanten in het café zitten en zij zouden de Motherwells ongetwijfeld opmerken – het was tenslotte een klein dorp en de mensen praatten. Sommige mensen althans. En ik voelde dat er een soort dubbel bewustzijn in me begon te groeien, een doorzien van mijn eigen motieven. Was het mogelijk dat ik hen juist naar het café had laten komen om een paar getuigen te hebben? Maar getuigen waarvan precies? Dat moest ik misschien eens onder woorden brengen.

Zelfs onder normale omstandigheden zou ik bijzonder gespitst zijn geweest op de aanwezigheid van Todd Armstrong, die aan de bar een geroosterde maismuffin zat te eten en verdiept was in een nummer van *Newsweek* dat iemand had laten liggen. Hij was een jongen uit mijn klas die net als ik weinig zei. Hij was lang, net als ik, maar in tegenstelling tot mij erg gespierd. Hij speelde zwijgend basketbal, waarbij zijn sportkleding de lange, dunne spieren in zijn rug en schouders benadrukte die bewogen als hefbomen en katrollen, cilinders en zuigers. Veel jongens in onze klas zagen er in grote trekken nog net zo uit als toen ze klein waren. Todd was een man aan het worden, maar op een aandoenlijke manier die je het gevoel gaf dat het resultaat de inspanning waard was. Op zijn bovenlip groeide wat dons, zijn broeken waren altijd net iets te kort en hij bewoog zich door de wereld met een behoedzaamheid die me deed vermoeden dat hij een paar duizelingwekkende groeispurts had doorgemaakt en nog niet goed wist waar zijn lichaam ophield en de wereld begon. Maar wat voor mij het belangrijkste was: hij hield van lezen, en ik had hem bij de bibliotheek aan een van de grote tafels midden in de zaal zien zitten, waar hij een zorgvuldige keuze maakte uit een stapel dikke boeken. Volgens mij ging zijn voorkeur uit naar praktische boeken – toen ik op een middag hartje winter opkeek uit *Palimpsest*, de geestige memoires van Gore Vidal, zag ik in een flits dat hij een boek in zijn grote handen hield met de titel *Complete handleiding biologisch tuinieren* op de rug. Ik vond het sympathiek dat hij op zo'n korte, bitterkoude dag aan planten had gedacht.

Nu zat hij te eten. Ik stond achter de bar met *Tien kleine negertjes* van Agatha Christie – ik zorgde dat ik in het café altijd een spannend boek bij de hand had voor het geval er weinig aanloop was – en vulde om de paar minuten zijn glas water bij, alleen maar om te zien hoe hij het leegdronk, hoe zijn forse adamsappel als een zuiger op en neer ging in zijn keel, die dezelfde omtrek had als mijn dij.

Hij at de laatste hap van zijn maismuffin en stond op om geld uit de zak van zijn spijkerbroek te pakken. Hij keek naar de grond en ik verstond hem bijna niet. 'Wat voer jij de laatste tijd uit, Ginger? Ik heb je al een tijdje niet meer bij de bibliotheek gezien.' Het besef dat hij in dat boekenheiligdom naar me had uitgekeken – dat hij überhaupt naar me uitkeek, dat hij misschien zelfs niet alleen vanwege onze verrukkelijke maismuffins naar het Top Hat Café was gekomen – drong als een elektrische schok tot me door. Hij keek me aan, en iets in zijn ogen maakte dat ik mijn blik afwendde. Het was hoop, zijn bruine ogen waren vochtig en heel open. Hij keek ook weg, naar de klok boven mijn hoofd. 'Hoe laat ben je vrij? Ik zou je naar huis kunnen brengen.' Mijn dienst zat er bijna op, maar ik kon niet weg – misschien waren Raquel en Theo wel net in aantocht. Ik zei dat ik een afspraak met iemand had en zag dat zijn hoop uiteenspatte. Plooide de huid rond zijn ogen zich tot al die verschillende uitdrukkingen, of kwam het door de vorm van zijn oogbollen of de spieren die ze aanstuurden? Wat zorgt precies voor die duidelijk waarneembare verschillen in iemands blik?

Todd keek naar buiten, alsof hij daar zou zien wie het was die mij voor zich opeiste, en knikte toen hij een gedaante zag die mij niet was opgevallen en die in de verste hoek tegen het glas geleund stond. De helft van een bovenlijf in een spijkerjasje, een ruige paardenstaart, een hand tegen de beslagen ruit, een magere heup. Het was Randy. Een kettingreactie, geraas in mijn oren en een opeenhoping van variabelen, te veel dingen waar ik geen rekening mee had kunnen houden bij mijn ambitieuze plannetje voor vanochtend. Het was duidelijk dat ik geen enkele greep op de gebeurtenissen had en dat ik nooit meer een plan moest maken. Ik zou ongepland verder leven, net zoals ik was verwekt, als ik tenminste geloof mocht hechten aan de bedekte aanwijzingen die mijn moeder daarover af en toe had gegeven. Mijn bewustzijn onderging die pijnlijke verdubbeling, of moet ik zeggen splitsing – een soort celdeling, of iets als de dia's van mitose die we bij biologie hadden gezien – terwijl ik de situatie tot me door liet dringen, een situatie waarin ik iets over mezelf niet wist wat iemand anders wel wist. Het was duidelijk dat Randy op mij stond te wachten en ik voelde een korte golf van walging – hoe kon ik zo zwak zijn geweest dit soort ontmaskering te riskeren? Wist hij al iets, of was hij hier om daarachter te komen? Ik bedacht beschaamd dat ik misschien stompzinnig, zonder het zelf te beseffen, als een eencellig organisme, beschutting voor mijn vrienden had gezocht in deze openbare ruimte. Daar stond Randy, die alles aan me te danken had, liefde en dood, nu en voor eeuwig, en toch zag ik ook heel helder, en begréép ik, dat hij iets van me wilde en mij tegelijkertijd iets wilde geven. Dat zag ik, en Todd zag het ook, al was datgene wat hij meende te zien mijn vervulde hoop, mijn afspraakje. Maar wat hij daar in werkelijkheid voor het raam zag staan, was een jongeman die antwoorden op een paar vragen wilde.

Die dag liep ik naar huis met Todd Armstrong. Hij ging me voor naar buiten en we knikten Randy in het voorbijgaan toe. Randy trok geamuseerd en tegelijkertijd geërgerd zijn wenkbrauwen op en probeerde mijn blik vast te houden en me iets duidelijk te maken, maar ik schoof dichter naar Todd toe en gaf met dat kleine gebaar aan dat we niet gestoord konden worden. En zo liepen we ongestoord samen verder tot de bibliotheek, waar ik zei dat ik daar een poosje alleen wilde zitten om aan een speciaal project voor school te werken. Ik had overduidelijk geen schoolwerk bij me en ik weet zeker dat hij vond dat ik heel geheimzinnig deed – misschien was hij zelfs opgelucht dat hij van me verlost was, want ik was de hele tijd doodsbenauwd geweest dat ik zomaar vlak naast dit levende, ademende wezen liep dat me 'aardig vond'.

Hij had namelijk besloten dat ik degene was die hij 'aardig vond' – dat had hij tegen me gezegd, verkondigd met de categorische zekerheid van een verliefde schooljongen. Cherry zou helemaal door het dolle heen zijn geweest van opwinding als ik haar deelgenoot had gemaakt van dit nieuws, maar nu ik op mezelf was aangewezen voelde ik alleen maar een verschrikkelijke angst, sterker en verlammender dan ik ooit eerder had gevoeld.

Deze angst viel in een volstrekt andere categorie dan de soorten angst waarmee ik vertrouwd was. Ik kende de angst voor de dood, heel bewust; ik kende de angst voor onbegrijpelijke volwassenen met hun heetgebakerde, ontregelende plannen; ik kende de angst die verweven is met de opwekkende belofte van avontuur. En ik kende de angst voor een leven waarvan misschien wel niets terechtkwam.

Maar de angst voor Todd was overweldigend, acuut, verpletterend, want hij was onverwacht verschenen, compleet met een wereld aan eigen gedachten en beweegredenen, om zichzelf aan mij te geven. Het was alsof ik mijn gebalde vuist had geopend en in mijn handpalm zijn opengesperde, vochtige ogen had zien liggen die me een pijnlijk verzoek deden met hun offergave, hun boodschap, hun stoutmoedige uitnodiging tot het menselijke dat ze verborgen hielden, veelkleurig als je maar goed genoeg, intens genoeg keek. Ik was niet voorbereid op die boodschap, niet opgewassen tegen de verantwoordelijkheid; het gewicht ervan was verstikkend. Ooit had ik naar aanleiding van een opdracht van mijn lerares Engels om een opstel te schrijven over 'het mooiste wat we ooit hadden gezien' – ja, ze deed haar best, die mevrouw Kislak – een korte verhandeling geschreven over Cherry's prachtige bruine ogen, haar hele edele persoonlijkheid die rondom dat brandpunt in al haar gevarieerdheid tot uitdrukking kwam in diametraal uitwaaierende spaken goud, oker en kastanjebruin – maar me bedacht, mijn vel papier verfrommeld en in plaats daarvan over een oneindig minder pestgevoelig onderwerp geschreven: de magnifieke rozenstruiken van mijn moeder die onze zelden gebruikte voordeur flankeerden.

Ik dacht aan de macht van hekserij. Minstens één bewoner van mijn dorp zou misschien wel hebben geloofd dat ik behekst was in dat bleekgroene huis op de heuvel. Als we echt behekst zijn, zijn we bevrijd van een zeker instinct tot zelfbehoud en misschien wel bereid onszelf op aandringen van een ander eindeloos met spelden te prikken. We zijn daartegen gehard door de kracht van andermans wil, vernuft en raffinement. Hoe had ik anders bestand kunnen zijn tegen alles wat ik deed? Hoe had ik mezelf anders kunnen verbannen, mezelf vlot kunnen krijgen, het diepe water van die dagen kunnen toestaan te stijgen? Er kan geen andere verklaring voor zijn dan hekserij, toverij, zwarte kunst. Het is de simpelste verklaring.

22

Nu waren we echt nog maar met ons drieën, en hoewel zij mijn recente poging tot een ordenend gebaar hadden verworpen, van de hand gewezen of simpelweg niet opgemerkt, meende ik dat ik misschien desondanks van nut zou kunnen zijn voor Theo in zijn rol van Raquels gids, beschermer of bewaker. Ik meende dat ik zou kunnen helpen bij het doorbreken van Raquels apathie, helpen haar het houvast terug te geven dat ze was kwijtgeraakt. Hoe, dat was duidelijk. Haar boek! Ik zou haar helpen houvast te vinden in haar boek. Aangezien ik in Wick geboren was, was ik de aangewezen persoon om haar naar de schatkamers en relikwieën van het dorp te leiden. Zo wist ik bijvoorbeeld dat de Agnes Greybibliotheek slechts de meest rudimentaire openbare documenten bezat. Ik had me in een warme zomer gedurende een aantal weken verdiept in de geboorte- en overlijdensaktes van Wick die daar in een rij in leer gebonden banden werden bewaard, en ik wist dat ze zo weliswaar kon vaststellen dat zich nooit familieleden van haar in Wick zelf hadden gevestigd, maar ook niet veel meer dan dat.

Maar waar Raquel als nieuwkomer in het dorp, die bovendien zowat als kluizenares leefde, geen toegang toe had en ik wel, dat waren de levende, ademende historici.

Toen ik Penrose om advies vroeg, raadde hij me aan naar Hep Warren te gaan, de oude man die het Historisch Genootschap in de kleine pastorie naast de kerk beheerde.

Ik ging er de volgende dag, een vrijdag, 's ochtends langs, maar de deur zat op slot. Aan een spijker die in de deur was geslagen hing een houten bord waarop met witte verf in dikke, gebarsten letters de tekst BEN ZO TERUG was aangebracht.

Ik besloot te wachten en liep naar Lawson's, de supermarkt aan de overkant van het dorpsplein, om kauwgum te kopen. Becky Lawson stond achter de toonbank en was bezig dozen crackers van prijsplakkers te voorzien met een groot etiketteerpistool dat telkens wanneer ze de trekker overhaalde van *tjsk-ûh* deed. Ik maakte even een praatje met haar. We hadden samen Frans gehad en maakten ons nogal gratuit vrolijk over de vermoedelijke seniliteit van mevrouw Clinger, onze lerares, die ons nu eens liefdevol aansprak met *mes petits choux* en dan weer met de voornamen van onze ouders, alsof ze voor een in de tijd gestolde klas stond, een onderwaterlokaal dat nooit veranderde.

Ik keek door de hordeur naar buiten, naar de heiige zomerochtend, het felle groen van het gras dat door het patroon van het fijne gaas op de een of andere manier intenser, ruimtelijker leek. Ik vroeg Becky over mijn schouder wat zij van het onder water zetten van die drie dorpen vond, en ze keek op en dacht even diep na. 'Tja, 'k weet niet,' zei ze toen, 'nooit zo over nagedacht eigenlijk.' Daarna viel er een stilte, even groot als de geluidloze muur die die dorpen nu omhulde – de Verdronken Dorpen, zoals sommige rancuneuze of berouwvolle bewoners van ons dorp ze noemden – of de oude asfaltwegen waar je nog steeds op kon lopen maar die nergens meer heen leidden. Even groot als de stilte aan de oever van het meer.

'Je weet toch dat er daarbeneden niks is, hè?' Opeens vloeide er een hele stroom woorden uit haar. 'Je hoort mensen vaak zeggen dat er onder water nog huizen en kerken en zo zijn, en dat je hoge gebouwen en torenspitsen boven het water kunt zien uitsteken als het maar laag genoeg staat, als er droogte is of zo, en dat je vanuit een vliegtuig zelfs de oude wegen nog kunt zien lopen, maar dat is niet waar, dat is gewoon een verhaal dat ze hebben verzonnen om je bang te maken. In werkelijkheid hebben ze alles platgebrand en gesloopt. Of soms hele huizen verplaatst. Mijn opa en oma hebben hun huis op een dieplader hiernaartoe gehaald. Daar zijn nog foto's van bij het Historisch Genootschap.'

Ik vertelde dat ik daar toevallig net naartoe wilde.

'Waarom ben je daar plotseling zo in geïnteresseerd?' vroeg ze terwijl ze zich over de toonbank boog om door de hordeur in de richting te turen waarin ik keek. 'Is dat de reden dat die mensen hier zijn? Die lui waarmee Cherry en jij zoveel omgaan?'

Dat is voor jou een vraag en voor mij een weet, dacht ik bij mezelf terwijl ik met mijn warme kaneelkauwgum in mijn hand de hordeur openduwde en mijn oude kinderlijke geheimzinnigdoenerij opgroef als een verstopte kastanje, maar ik zei alleen iets over een speciaal project voor geschiedenis in het aanstaande eindexamenjaar. Nu zou ze waarschijnlijk tegen haar vriendinnen zeggen dat Ginger Pritt een saai stuudje was dat midden in de zomervakantie nog aan een project voor school werkte. Iets wat Todd Armstrong volmondig zou beamen.

Ik stak het dorpsplein weer over en zag dat er – gunstig voorteken – een auto voor het Historisch Genootschap geparkeerd stond. De voordeur stond open en ik knipperde met mijn ogen in het schemerdonker van het oude gebouw met zijn lage plafonds, waar door de kleine ramen maar weinig licht naar binnen viel. Er zoemden vliegen tegen de dikke ruiten van flessenglas die golvende inkijkjes gaven in een tijd waarvan ik maar halfblij was dat ik hem niet had meegemaakt.

De voorste kamer, die vroeger de zitkamer moest zijn geweest, deed nu dienst als museum voor oude jurken, borden, stoelen en etsen. De jurken waren verbijsterend klein – kindermaatjes. Ik ging naast een paspop met een bruidsjurk staan en mijn schouders waren bijna tweemaal zo breed. Kennelijk klopt het wat ze over onze moderne voeding zeggen, dacht ik.

'Hé, hallo!' Warren kwam uit een achterkamertje; door de deuropening achter hem zag ik stoffige, in hoezen gehulde schimmen en een bureau in een lichtkring. Ik kende meneer Warren al mijn hele leven, maar had hem zelden ergens anders gezien dan op het gemeentekantoor, waar hij onder meer de functies van notaris en secretaris bekleedde.

'Wat kan ik voor je doen, Ginger?' vroeg hij terwijl hij met zijn bril in één hand de voorkamer in stapte. Ik merkte dat hij aangenaam verrast was mij daar te zien, zoals volwassenen altijd zijn als kinderen 'belangstelling krijgen' voor hun hobby's, voor genealogie, breien of de voortplanting.

Ik vertelde hem waar ik naar op zoek was en zijn wenkbrauwen schoten omhoog. 'Tja, Ginger, ik zou wat graag willen dat ik je daarmee kon helpen. Maar weet je, het is voor ons heel moeilijk iets te weten te komen over de gangen van de bewoners van de verdronken dorpen in die tijd. Bij de grote brand van 1851 is het gemeentehuis van Shadleigh verwoest en een groot deel van het archief in de vlammen verloren gegaan – geboorte-, overlijdens- en huwelijksaktes en allerlei andere documenten. Doodzonde. Hele stukken geschiedenis zijn zo min of meer uitgewist. Maar als je er echt meer van wilt weten, het Historisch Genootschap van het Shift-dal heeft alle papieren die gered zijn – een deel ervan is nog leesbaar – en alle archiefstukken van na 1851, en er zijn ook een heleboel oude foto's die mensen hebben genomen om hun leefomgeving vast te leggen voordat alles werd gesloopt toen het water kwam. De industrie, de huizen, de boerderijen, het dagelijks leven van de bewoners van de streek. Je komt waarschijnlijk zo ongeveer iedereen die je zoekt wel ergens tegen als je de tijd hebt om alles goed te bekijken.'

Ik bedankte hem en maakte aanstalten om weg te gaan, want ik wilde zo snel mogelijk naar Raquel om haar te vertellen wat ik te weten was gekomen. Bij de deur bleef ik even staan om naar de foto te kijken waar Becky het over had gehad; er stond een hoekig huisje met een puntdak op, onopvallend afgezien van de gaten op de plaats van de ramen en de deur, dat op een ouderwetse dieplader over een onverharde weg werd vervoerd door iets wat eruitzag als een woestijn of een imitatie van het dorre oppervlak van een onbewoonbare planeet, maar wat in werkelijkheid het ooit zo bruisende centrum van het platgewalste dorp Hammerstead was.

De zacht glooiende heuvels van Wick waren aan de rand van de afbeelding te zien.

Warren zag dat ik er nog steeds was. 'O ja,' zei hij, de draad weer oppakkend – ik begon te vrezen dat hij, zoals zoveel oude mensen, het gesprek eindeloos zou rekken, veel langer dan mijn bedoeling was geweest –, 'en dan is er natuurlijk nog de grote Ramapack-begraafplaats, waar ze alle graven naartoe hebben verplaatst die zijn geruimd voordat het dal onder water werd gezet. Als je specifieke mensen zoekt, vind je die daar gegarandeerd. Het probleem is alleen dat die stomme Canadezen de stenen kriskras door elkaar hebben gelegd, gewoon zoals ze van de vrachtwagens kwamen, zonder zich erom te bekommeren bij welk dorp of welk familiegraf ze hoorden. Echt schandalig. Een soort tweede dood voor die mensen, alsof ze nog een keer moesten sterven.' Hij sloot vastberaden zijn mond en zijn lichtblauwe ogen schoten in een vriendelijker stand. 'Hoe gaat het met je vader? En je moeder?' Hij zweeg even omdat hij de afwezige Pritt niet kon noemen, hem wiens aanwezigheid ik elke dag meer leek te voelen, een fluctuerende schaduw aan de periferie van mijn bewegingen, mijn blik. Een witte vlek, een donkere vlek. Ik knipperde met mijn ogen om zijn aanwezigheid te bevestigen en hij vatte dat gretig op als instemming. 'Ik hoor dat het heel goed gaat met de drukkerij? Ik moet misschien gauw wat van deze folders bijbestellen, als we van de zomer flink wat bezoekers krijgen.' Hij hield een brochure omhoog met een lijntekening van de oude kerk erop, met daarnaast de openingstijden van het Historisch Genootschap en een paar regels tekst: *Wick is geen relict uit vervlogen dagen. Hier beschermen en koesteren wij onze moderne belofte en tonen de wereld de vruchten van onze eeuwige arbeid.*

Wie had die warrige tekst in vredesnaam gefabriekt? vroeg ik me af terwijl ik op mijn fiets sprong. En wie zou hem ooit lezen?

Ik overwoog om nu meteen in mijn eentje naar de Ramapack-begraafplaats te gaan om naar de familie Goode te zoeken, maar in plaats daarvan nam ik de inmiddels vertrouwde route langs de school en reed de oprit van de Motherwells op. Ik liep met mijn fiets aan de hand naar de achterkant en ging door de keukendeur naar binnen. Raquel was thuis, zoals altijd; ze zat aan tafel een kruiswoordpuzzel op te lossen met een kop zwarte koffie voor zich.

Ik had gedacht dat dit het begin zou zijn van een lange ontdekkingstocht, een soort detectivewerk bijna. Dat we onmiddellijk in het kobaltblauwe autootje zouden springen om via de slingerende oude asfaltweg langs het meer de kleine vijftig kilometer door het bos naar Swansbury te rijden, het stadje op de heuvel boven het dal, om daar het ene na het andere onderzoek in te stellen naar de geschiedenis van de rechtschapen familie Goode, de afstammelingen van Sarah die de bezoedelde, smerige, besmeurde kust hadden verlaten om een nieuw leven te beginnen in het groene Shift-dal. In welk van de drie verdronken dorpen hadden ze zich gevestigd? En waar waren ze heen gegaan nadat het onder water was gezet? Misschien wel nergens heen, misschien hadden hun oude, koppige, hardwerkende handen met vuil onder de nagels zich om de leuningen van hun rechte stoelen geklemd. Zou er een tastbaar bewijs van hun ferme verzet bestaan?

Maar ze wilde er niets van horen. Ik liep achter haar aan naar buiten, naar de veranda, waar ze op de schommelbank ging zitten met een boek waarvan de titel schuilging achter de lange vingers van haar linkerhand. 'Ja, Ginger, natuurlijk fascineert het mij ook, en ik ben je echt dankbaar voor het veldwerk dat je tot nu toe hebt gedaan, maar weet je... dat is het 'm nou juist. Wat moet ik met feiten? Ik schrijf mijn boek niet vanuit het verlangen een reeks féíten aaneen te rijgen' – ze spuugde het woord uit alsof het een vloek was – 'maar vanuit een behoefte om een reeks gebeurtenissen toe te lichten die zich buiten de tijd, buiten de orde afspelen, of liever gezegd: die telkens terugkeren. Ik zal wel een passend tragisch uitdrukkingsmiddel vinden voor de tragische dood van een aantal van mijn familieleden.'

Ik was verbijsterd over haar uitgesproken gebrek aan belangstelling voor mijn bevindingen. Zwakjes bracht ik het Historisch Genootschap en zijn documenten en archieven nogmaals onder haar aandacht. Was zij immers geen historica, ook al had ze dan afgehaakt vlak voordat ze die titel officieel zou verwerven? Was een historisch genootschap niet precies de plek waar ze thuishoorde?

'Het is voor mij meer dan genoeg te weten dat mijn voorzaten al tot twee keer toe een zware klap te verduren hebben gekregen. Ik heb geen behoefte aan meer bewijzen voor de vloek van de schande die op mijn leven rust. Mijn vermoedens hoeven niet tot de laatste letter wetenschappelijk gefundeerd te zijn.'

En dat was niet de eerste keer dat Raquel er op perverse wijze in was geslaagd een soort scherm op te trekken rond het felle licht van de activiteit, de doelgerichtheid, de vooruitgang. Een zware klap, zeg dat wel: het was alsof ze de dag tegen zijn hoofd had gestompt. Ik ging zwijgend naast haar op de schommelbank zitten en begon in een oud sporttijdschrift te bladeren. Het was zelfs héél oud: het dateerde van juni 1978 en was kennelijk door vorige bewoners achtergelaten. De stilte waarmee mijn zwijgen gepaard ging was niet werkelijk geluidloos, maar oorverdovend, haar afwijzing als het gebulder van de zee in mijn oren. Alle goedkeurende woorden die ik van haar had verwacht.

Maar ik besloot desondanks een bezoek te brengen aan de Ramapack-begraafplaats – alleen of in gezelschap – en uit te vissen wat daar te vinden was. Ik zou haar onderzoek voortzetten.

23

'Vertel eens iets over die vrienden van je, de Motherwells. Wat zijn dat nou voor mensen?' Mijn moeder en ik stonden, bijna in gevechtshouding, tegenover elkaar in de woonkamer. Ik was net thuisgekomen, moe van mijn verijdelde pogingen, platgeslagen door Raquels desinteresse, en nu vond ik het vreselijk frustrerend te merken dat mijn moeder probeerde langs haar neus weg naar de Motherwells te vragen terwijl ik zag dat ze, anders dan Raquel, brandde van nieuwsgierigheid om meer te weten te komen. 'Je trekt de laatste tijd ontzettend veel met ze op, in aanmerking genomen dat niemand ze kent.'

'Nou ja,' zei mijn vader van achter de krant, waar zijn kalende kruin net boven uitstak, 'Ginger kent ze inmiddels natuurlijk aardig goed. Ze wóónt zo ongeveer bij ze.'

'Pete. Je weet heel goed wat ik bedoel. Niemand in het dorp of in de omgeving kent ze, de Endicotts niet en wij al helemaal niet. Onze eigen dochters zijn vreemden voor ons geworden, voor óns, hun eigen ouders!'

'Kom, kom, Serena, niet hysterisch worden.'

Raquel noemde mijn ouders vaak 'de modelburgers'. Het klopte dat ze precies zo leefden als de andere gezinnen in Wick die ik kende; voor zover ik wist leefden alle gezinnen overal zo. Mijn moeder was gewoon mam geweest, ze was thuisgebleven bij Jack en mij, en later bij mij alleen, tot na mijn eerste jaar op de middelbare school, waarna ze het toelaatbaar vond dat ik in een leeg huis thuiskwam en mijn eigen blikje groentesoep opwarmde. Ze ging bij mijn vader werken. Ze had altijd al zijn administratie gedaan, 's avonds aan tafel na het eten, als ik de borden had afgeruimd en mijn vader de afwas had gedaan, maar nu ging ze elke morgen met hem mee naar de drukkerij.

Mijn ouders. Ik voelde een merkwaardige, onaangename mengeling van minachting en vertedering voor hen als ze bij de Motherwells kritisch tegen het licht werden gehouden. Het was grappig om met zoveel afstand over ze te praten, alsof ik niet hun kind maar hun biograaf was. Maar wat kwam hun leven me onbeduidend voor!

We woonden nog in hetzelfde huis dat zij hadden gehuurd toen ze als jonggehuwden naar Wick terugkeerden. Nu was het van hen. Het was rechthoekig en rozeachtig bruin, met een plat dak en een veranda met witte zuilen. Ik had er mijn hele leven gewoond.

Mijn vader was naar de universiteit gegaan en daar gegrepen door het toneel. Hij had meegedaan aan een heleboel universitaire musicalproducties (*Kiss Me Kate*, *Oh! Calcutta!*) en ook een paar serieuze rollen gespeeld. Hij speelde de hoofdrol in *Rosencrantz and Guildenstern Are Dead*, en ook een fictief personage in de grote tragedie van Pirandello, een rol waarmee hij naar het schijnt veel succes oogstte. Zijn jaarboeken getuigen van deze onwaarschijnlijke episode. In alle vier staat hij geschminkt en in vol ornaat, op één knie gezonken, midden in een monoloog of verstild, recht in de lens van de fotograaf kijkend.

Na zijn afstuderen verhuisde hij naar New York en daarna vrijwel onmiddellijk weer hiernaartoe, na de onverwachte dood, vlak na elkaar, van de grootouders die ik nooit heb gekend (een hartaanval en een gebroken hart), maar niet dan nadat hij mijn moeder had leren kennen, die drie jaar het vuur uit haar sloffen had gelopen maar nog niet verder was gekomen dan één Palmolive-reclame en een twijfelachtig telefoontje van een producer van een soapserie, en met haar getrouwd was. Ze had de moed nog niet opgegeven, maar ze was zwanger. Jack, háár gebroken hart.

Volgens mij was Raquel nostalgisch over míjn jeugd. Als zij niet praatte en ik dus niet naar haar luisterde maar me met iets anders onledig hield – een boek van Theo's plank, een spelletje patience –, registreerde zij me. Ik zeg 'registreerde' en niet 'observeerde', omdat er van haar kant geen sprake was van interactie: haar ogen waren opengesperd en leken simpelweg vast te leggen wat ze zagen, meer als een verborgen camera dan als iemand achter een doorkijkspiegel die vertrouwd is met het doen en laten van een testgroep. Ik geloof dat ze de beelden opsloeg voor later gebruik. Ze beschouwde mijn 'volwassenwording', zoals zij het noemde, ongetwijfeld alleen maar als kijkvoer. 'Vertel nog eens, Ginger, hoe zagen jouw dagen eruit?' En dan vertelde ik weer hoe ik mijn dagen had doorgebracht sinds ik klein was: mijn moeder maakte ons al vroeg wakker met warme cornflakes en melk; ik kleedde me aan en holde naar het punt waar Cherry's route en de mijne samenkwamen; we treuzelden op weg naar school, zodat we soms te laat kwamen; dan ging de schooldag voorbij, we waren weer vrij en de dag werd een paradijs van vrijheid waarin we alleen maar speelden. Ik vertelde van de fabriek. De plek, het toneel van onze grootste daden. Onze toverspreuken, onze plannen hem tot de grond toe af te laten branden, ons voornemen hem ooit te beklimmen en in het ronde witte koepeltje te kamperen, samen te leven met de zwarte vogels die daar roestten. Ik vertelde hoezeer we ons in onze kinderlijke privacy aangetast hadden gevoeld toen Jack ons een keer was gevolgd en ons urenlang had bespioneerd terwijl wij onze zorgeloze routinehandelingen uitvoerden, onze geheime woorden uitspraken en onze nog intacte fantasieën uitleefden. Ik kon niet onder woorden brengen hoe gekwetst ik was dat hij zoiets had gedaan.

En dan moesten we onvermijdelijk weer naar huis, al hadden we eindeloos buiten willen blijven, maar het werd donker of in de winter te koud, zelfs voor onze kinderlijke onvatbaarheid voor weersinvloeden. (In dat opzicht zijn alle kinderen zoals het beroemde *enfant sauvage*; we hebben geen aangeboren behoefte aan beschutting. We zouden net zo lief buiten blijven, in de woeste oceaan, of slapen op het gras of het zand, als aan het eind van de dag terugkeren naar het nest dat voor ons is gebouwd. Al wilde Raquel dat niet geloven. Zij stelde zich liever een traditionele thuiskomst voor. We zijn moe en hongerig, onze lippen worden blauw, een natuurlijke uitputting bereikt precies tegelijk met de etensbel, het avondjournaal, het ontsteken van de lampen, het vullen van de badkuip en het schoonschrobben van onze groezelige oren en vingers haar apotheose.)

Ik moet toegeven dat ik het altijd leuk heb gevonden om karweitjes in huis te doen. Raquel schaterde het uit toen ik dat woord voor het eerst gebruikte als excuus voor het feit dat ik weg moest. '"Karweitjes"?!' zei ze. '"Karweitjes"? O, wat heerlijk... wat lief. Mag ik een keer met je mee om ook wat "karweitjes in huis" te doen? Ik weet zeker dat dat heel goed zou zijn voor mijn conditie, om nog maar te zwijgen van mijn karakter.'

Maar de Motherwells mee naar huis nemen was wel het laatste wat ik wilde, want dat zou het einde betekenen van mijn nieuwe dubbele geheim. Mijn geheimzinnige ouders hoefden mijn geheimzinnige vrienden wat mij betreft nooit te ontmoeten.

Ik vermaakte de Motherwells met verhalen waar mijn moeder mij op haar beurt mee had vermaakt – maar alleen als ik erom had gesmeekt of als ik op de voorgeschreven bedtijd niet kon slapen. 'Vermaken', ik kan geen ander woord bedenken dat de sensatie van pas ontdekte spraakzaamheid die ik gedurende de dagen – middagen, avonden, nachten – in hun huis ervoer beter beschrijft, als we met glazen robijnrode wijn rond het haardvuur zaten en eindeloos praatten. Ik had nog nooit iemand gekend met wie ik dat kon doen. Zeker niet mijn ouders, die het veel te druk hadden om meer dan een halfuur voor het avondeten – inclusief afwas – uit te trekken en die, als ze al niet onmiddellijk naar bed gingen, zwijgend en met lodderige ogen een tv-serie van een halfuurtje uitzaten in afwachting van het negenuurjournaal. 'Welterusten, Ginger. Heb je je huiswerk af?' Ja, mam. Ja, pap. Welterusten.

De Endicotts waren te efficiënt voor gratuite praatjes. 'Alles goed op school? Warm genoeg? Genoeg gegeten?' Al hun vragen konden met één enkel bevestigend gegrom worden beantwoord.

De Motherwells leefden om te praten. Ik heb ze eigenlijk nooit iets anders zien doen. Voor mij was die wereld van permanente conversatie een wereld vol wonderen, vol verrukkingen. Niet alleen toonden ze zichzelf met een ongekende eerlijkheid aan mij, ze stelden me ook vragen over mezelf, mijn leven in Wick en volwassen worden in dit onbegrijpelijke dorp, en naarmate we meer en intiemere gesprekken voerden, zij het dat die soms wat abstract waren, begon ik me in hun gezelschap thuis te voelen zoals ik me nog nooit ergens thuis had gevoeld. Misschien bezat ik ook enkele van de eigenschappen die de Motherwells zelf zo onvervreemdbaar, onmiskenbaar anders maakten. Ik wás anders: anders dan de kinderen op school, anders dan mijn ouders, anders dan de rest van het dorpje Wick. Zelfs anders dan Cherry. Was ik tenslotte niet uitverkoren om hun vriend, hun kameraad, hun vermaak te zijn? Ze leken net zozeer de voorkeur te geven aan mijn gezelschap als ik aan het hunne: eindeloos. Ze gingen met niemand anders in het dorp om. Ze gingen nooit bowlen en ontbeten of lunchten nooit buiten de deur. En ze gingen al helemaal niet naar kerkdiensten.

Ze gingen eigenlijk nooit ergens heen. Niet naar het Top Hat Café, behalve die eerste keer, toen ze mij hadden gevonden; niet naar de kruidenier, niet naar het postkantoor, niet naar het tankstation. Ik vroeg me af of ze al hun basisaankopen in de stad deden als ze op bezoek gingen bij Theo's familie.

De Motherwells waren neergestreken als twee kraaien, definitief en onverbiddelijk, en terwijl de zomer verstreek voelde ik dat er een ongedwongen omgeving om ons drieën heen groeide – zo was het echt! Ze werden me vertrouwd, en ik hun. Ik had een nieuw spelletje ontdekt, nieuwe vrienden om het mee te spelen.

Ik had me weleens in stilte over dit soort dingen verbaasd en het er met Cherry over gehad. Maar ik merkte dat ik aarzelde om mijn ouders bij wijze van antwoord op hun vragen over mijn vermoedens te vertellen. Zij hadden zo hun eigen vermoedens.

'Ze zullen hier wel familie hebben, hè?' Uit de toon waarop mijn moeder het vroeg, bleek hoe verdacht ze het zou vinden als dat niet zo was. Ik dacht aan de familie Goode, maar hield mijn mond. 'Niemand komt hier zomaar wonen. Dit is geen plaats die dat soort mensen aantrekt.' Ik wist wie ze met 'dat soort mensen' bedoelde: rijke emigranten uit de stad.

'En waar werken ze? Ze moeten toch de een of andere baan hebben. Waar betalen ze anders hun rekeningen van? Tenzij ze rijk zijn. Maar als ze rijk waren, zouden ze een mooier huis hebben gekocht. Ik snap het niet goed. Ik zie ze nooit ergens. Twee nieuwe, jonge gezichten zouden me zeker zijn opgevallen.' Ik deed er nog altijd het zwijgen toe en ik weet zeker dat dat voor hen was om gek van te worden.

Ik vermaakte hen bijvoorbeeld niet met het verhaal dat Raquel meevoelend had gezucht over de schaafwond op mijn zij toen ik haar die had laten zien, en dat ze een kus op de verblekende paarse plas op mijn dij had gedrukt, als een moeder die de pijn van een huilende dreumes wegkust. Ik had eerst gelachen, maar toen ze haar lippen nog een paar seconden langer tegen mijn huid bleef drukken keek ik omlaag, en ik zag dat er geen scheidslijn leek te zijn tussen haar huid en de mijne, haar lippen hadden dezelfde kleur als mijn wond, de warmte ervan was dezelfde als het gloeien van mijn gekwetste huid. Het leek alsof ze mijn been aan het opeten was, en ik deed mijn ogen dicht en wachtte tot ik haar scherpe tanden zou voelen.

24

De volgende morgen was het geruststellend om aan de kleine keukentafel mijn moeders wafels te eten met *Het gouden boek* van Doris Lessing opengeslagen naast mijn bord. Ik wou altijd dat ik een apparaatje had om te zorgen dat een boek op de juiste pagina open bleef liggen terwijl ik at; nu deed een zoutvaatje dienst als wankele presse-papier terwijl ik met beide handen mijn wafel in stukken scheurde. De kokkin zat persoonlijk naast me, van achteren beschenen door het felle zonlicht dat naar binnen viel door het raam met de gele gordijnen die met strikken waren opgebonden. Ik tuurde met half dichtgeknepen ogen naar haar. Sinds wanneer sneed zij de wafels niet meer voor me? Ze nam een slok koffie en stak haar hand uit om het haar van mijn voorhoofd te strijken. 'Jij bent van de zomer niet veel in de zon geweest, hè? Wat ben je bleek! Het ziet er droevig uit, een meisje van jouw leeftijd dat niet bruin is, maar waarschijnlijk is het maar beter zo. Kijk maar eens naar al mijn rimpels! Toen ik jong was, wilde iedereen zo snel mogelijk zo bruin mogelijk worden. We gebruikten babyolie! We braadden onszelf. Hopelijk heb je niet te hard gewerkt in het café – hoe laat moet je daar zijn?'

Toen ik zei dat ik die dag vrij had, werden haar pupillen eerst groot, toen klein en vervolgens weer groot terwijl ze plannen beraamde. 'Dat komt heel mooi uit!' concludeerde ze haastig. 'Je vader en ik ook! Laten we met z'n drieën wat doen. IJs eten bij Janines Snoepdoos. Niet te geloven, de zomer is al bijna voorbij en we zijn nog niet één keer ijs wezen eten. Wat moet er van de wereld terechtkomen?'

Mijn moeders zorgeloze air kon haar hevige angst niet verhullen. Waar was ze bang voor? Dat ik nee zou zeggen? Dat ik niet in het openbaar met hen gezien wilde worden? Dat ik, nu ik nieuwe vrienden had gevonden, mensen die zij niet kende, iemand anders was geworden, een nieuwe dochter, een bleek, apathisch, onherkenbaar wezen met onkenbare, onvoorstelbare gedachten en ideeën?

De waarheid was dat ze nooit had geweten wat ik dacht en er ook nooit naar had gevraagd.

En hoewel ik had genoten van mijn vers opgemaakte bed, van de schone lakens, en het fijn had gevonden te zitten lezen terwijl zij in de keuken rondliep, eten voorgezet te krijgen en verwend te worden, voelde ik geen hevige wroeging dat ik haar voorstel afwees. Ik had andere plannen. Het was een ideale dag om naar de Ramapack-begraafplaats te gaan. Ik zou er de sporen vinden die van de familie Goode restten en die zouden het uitgangspunt voor Raquels onderzoek vormen. Ze zou beschikken over namen, data, zware stenen waarin persoonsgegevens gebeiteld stonden.

Daarom maakte de heftigheid van mijn moeders reactie op mijn afwijzing me verbaasd, bedroefd en bang. Het was alsof iemand een oude leren handschoen uit een la pakte om je ermee te slaan. De gebaren waren onhandig, het instrument stug doordat het al heel lang niet meer was gebruikt. Het was gênant.

'Jij bent niet de enige mens op aarde, Ginger! Heb je je deze zomer ook maar één keer afgevraagd wat je vader en mij bezighoudt? Je arme vader kan nauwelijks meer een woord uitbrengen, zo bezorgd is hij. Hij heeft het niet tegen je willen zeggen. Maar als er iets is waar hij niet op zit te wachten, dan is het nóg een kind kwijtraken.' Die laatste woorden kwamen hard aan, en dat was ook de bedoeling. Mijn moeder had er duidelijk over nagedacht. Ze zette haar aanval voort.

'De Endicotts zijn helemaal buiten zichzelf. Vorige week was je vader met Jim naar de Social Club. Ze kregen het over die nieuwe mensen, en het blijkt dat Cherry op een avond zonder jou bij hen thuis is geweest terwijl ze tegen haar ouders had gezegd dat ze hier was, waarop je vader natuurlijk naar waarheid zei dat we haar de hele zomer nog niet gezien hebben. En nu weigert Cherry ook maar iets over die avond te vertellen en brengt ze al haar tijd door met Randy Thibodeau. Nou is dat vast een heel aardige jongeman geworden, ondanks alles... maar hij is veel te oud voor Cherry. Hij woont op zichzelf, hij heeft een auto en een eigen bedrijf! En zij is nog maar een meisje.

En we weten nog steeds niets van die mensen! Je kunt toch niet van ons verwachten dat we het goedvinden dat je zo ongeveer bij ze woont terwijl wij hen nog nooit hebben ontmoet! Op de Club werden er grapjes over gemaakt, een paar mannen zeiden dat zij een heks is, dat ze jullie heeft behekst. Niet grappig! Jij bent nog maar vijftien. Dat je een klas hebt overgeslagen op school betekent niet dat je ineens een jaar ouder bent. Misschien had ik dat toch niet goed moeten vinden... Je bent er volgens mij een beetje té zelfstandig door geworden. Maar ik dacht dat het je misschien door een zware periode heen zou helpen...' Ze doelde op de tijd na Jacks dood, toen we allemaal het liefst ook dood waren gegaan.

Nu ze zelf ook enige schuld op zich had genomen, leek het mij het juiste moment om haar wat goed gedoseerde informatie aan te reiken. Ik vertelde haar achteloos, maar wel oplettend niet te brutaal over te komen nu ze zich zo opwond, over Raquels boek en mijn hulp bij haar naspeuringen, de beurs van de universiteit en tot slot ook de familiebanden, die de voornaamste reden waren dat de Motherwells naar Wick waren gekomen.

Ik keek toe terwijl de informatie op haar begon in te werken als een verdovingspijltje in de bil van een wilde hond. Ze kalmeerde, geleidelijk ontspande haar hele lijf zich, en toen zag ik de oorspronkelijke hevige belangstelling voor de Motherwells weer in haar ogen opvlammen, die ondanks de rimpels waar ze het over had gehad nog helder, blauw en soms pijnlijk jong waren. 'Goh, wat bijzonder,' zei ze. 'Ik geloof niet dat iemand ooit nog belangstelling voor de geschiedenis van ons dorp heeft getoond sinds de ouwe Daniel Skagett is overleden. We hebben al die foldertjes over de verdronken dorpen voor hem gedrukt, je weet wel, die je bij Lawson's kunt krijgen.' Ik wist welke foldertjes ze bedoelde. Ze hadden titels als 'Geesten uit het dal' en 'Volksverhalen van Ramapack' en bevatten hervertellingen van oude verhalen over excentrieke dorpelingen, zoals de man die in een glazen kist opgebaard wilde worden zodat iedereen hem kon zien wegrotten. Ik had er nog nooit een helemaal uitgelezen. Ze waren vreselijk slecht geschreven.

Het leek me verstandig de tijdelijke verbetering van mijn moeders stemming uit te buiten, en daarom capituleerde ik ter plekke. Ik beaamde dat het leuk zou zijn die dag iets met z'n drieën te doen, iets wat onze hereniging, onze drie-eenheid, op de juiste manier zou bevestigen. Precies op dat moment kwam mijn vader vanuit de gang de keuken in, met warrig haar en een geruite ochtendjas over zijn blauwe pyjama. Hij leek blij me te zien. Hij pakte koffie en ging bij ons aan tafel zitten, waar we gedrieën plannen begonnen te maken voor de simpele genoegens van onze gezamenlijke dag.

Ik heb niet altijd zo'n voorkeur gehad voor onbehaaglijkheid, zo'n feilloos instinct voor de weg van het gevaar. In die dagen die zo snel voorbijvlogen voelde ik me een nieuweling die snakte naar het ontgroeningsritueel, maar ik herinner me als de dag van gisteren een cruciaal moment waarop ik de angst afwees, letterlijk verre van me wierp – dwars door de kamer. Ik was zes of zeven en nog maar net toegetreden tot die andere omheinde wereld, die van het lezen, en ik zat met een boek op schoot in een leunstoel in een hoek van de woonkamer terwijl mijn moeder de laatste hand legde aan het avondeten en Jack de tafel in de keuken dekte. Ik kon hun bedrijvige gedoe horen en zien vanaf de plek waar ik zat. Het boek dat ik las had mijn aandacht getrokken omdat het, anders dan de pockets die het grootste deel van de boekenkast bevolkten, groot en oud was en gebonden in een donkere, schubbige stofband, als de huid van een rode slang. De titel beloofde een geheimzinnige fantasiewereld. Ik vond die titel al een beetje angstaanjagend en ik zat al meer dan een uur stil en in sidderende afwachting te lezen, bladerde het ene verhaal na het andere door, en toen sloeg ik, vlak voordat het eten klaar was, te midden van de rijke geuren van boter, bloed en gekookte groente, een bladzijde met een kleurenplaat op waarop in verbleekte, maar toch nog altijd schrille kleuren een dermate afschrikwekkend tafereel was afgebeeld – de verschrikkingen kwamen in mijn handen tot leven – dat ik het vanuit het diepst van mijn hersenholte uitschreeuwde! Het boek sprong op, vloog drie meter door de lucht en belandde met de rug naar boven op de vloer, de verderfelijke bladzijden gekneusd en kapot. Ik schreeuwde maar door, verlamd, bijna verblind door het onuitwisbare tafereel, en mijn moeder voer tegen me uit omdat ik een erfstuk uit haar familie, de *Fantastische vertellingen* van Poe, had vernield, maar hield algauw weer op, tilde me uit de stoel en gaf Jack een standje omdat hij me uitlachte. Ze ging met mij in haar armen aan tafel zitten. Ik kon geen woord uitbrengen.

Ik liep achter mijn ouders aan het huis in terwijl de schemering over de tuin, de straat en het dorp viel. We waren alle drie uitgeput van de inspanning van het bijpraten – mijn ouders hadden mij in geen weken echt gesproken en ik hen evenmin, en daarom vielen er een heleboel dorpsroddels in te halen, een hoop nieuwtjes vanuit de bevoorrechte burelen van de drukkerij: wie waren er getrouwd, wie hadden er een kind gekregen en wie gingen er failliet. We hadden ijs gegeten, een lange tocht door de landelijke omgeving gemaakt en verscheidene keren stilzwijgend en geruststellend benadrukt dat ik heus nog steeds hun dochter was. Ze waren nu op de hoogte van het aanbod van Penrose – ze hadden gezegd dat ik maar om loonsverhoging moest vragen als hij me echt zo'n goede werkneemster vond – en van mijn bezoek aan Hep Warren en wat die me allemaal had verteld over de brand in het gemeentehuis en het verloren gaan van archiefstukken.

'Ja,' had mijn vader peinzend vanaf de voorbank gezegd terwijl we door de heuvels ten oosten van Wick reden, 'ik herinner me nog dat ik dat hoorde. Verbijsterend dat zo'n ramp de gegevens van eeuwen zomaar kan vernietigen. Nou ja, vroeger was dat zo. Nu is alles natuurlijk gedigitaliseerd. Geen brand, overstroming of tornado kan een digitaal bestand vernietigen.'

'Natuurlijk wel, Pete!' had mijn moeder tegengeworpen. 'Een computer na een overstroming is een verdronken computer, net zoals een paard na een overstroming een verdronken paard is! Je zult nooit een bestand kunnen terughalen van een computer die onder water heeft gestaan.'

'Tja, daar heb je denk ik gelijk in, Serena,' had mijn vader gezegd, en daarmee was het gespreksonderwerp afgesloten. Of als ze er wel over waren doorgegaan had ik niet meer opgelet, maar in plaats daarvan naar de heuvels gekeken en geduldig gewacht tot ik verder kon met mijn leven.

Ik ging direct na het avondeten (gebraden kip, spinazie à la crème en witte rijst uit een pak) naar mijn kamer, 'om te lezen', zoals ik zei. Maar hoewel ik opnieuw in de verleiding kwam me over te geven aan vertrouwde genoegens – mijn bed lokte me met zijn gladde sprei en het hoofdeinde waarvan ik de spijlen nog maar een paar maanden geleden had omklemd in de stuiptrekkingen van mijn eerste orgasme –, voelde ik een nog sterker verlangen om mijn vrienden weer te zien, om snel naar hen toe te gaan.

Ik wachtte tot ik het ritmische geklots van de vaatwasser hoorde, en het geluid van de tv met het onontkoombare wereldnieuws, en glipte toen stilletjes de gang door en door de schuifdeur van de keuken naar buiten.

Het huis van de Motherwells was donker. Ik ging door de achterdeur naar binnen en hoorde de vertrouwde stilte waarin Raquel en Theo sliepen. Het was tien uur. Zij hadden zonder mij kennelijk ook een lange dag achter de rug. Ik liep op mijn tenen de trap op om hen niet te wekken, aarzelde even in de donkere gang, deed de deur van hun kamer open zonder geluid te maken, bleef staan totdat ik de contouren van hun lichamen onder de dekens zag, lang en slank als jonge omgevallen bomen, en nestelde me als een hond behaaglijk aan hun voeten.

25

Er bestaat niets wat een vertrek zo scherp doet uitkomen als het schijnsel van een flakkerend vuur op een gekweld gezicht of het glanzende omslag van een boek op een plank. Een huis is pas een thuis als er een haardvuur brandt. Als je het vuur oppookt en er vliegt met een luid knappend geluid een vonk af die op je pols neerkomt, ruik je heel even brandend vlees. Of je kunt je inbeelden dat je het ruikt.

Het was een cruciaal moment en ik zal dat beeld nooit vergeten: Theo in de deuropening van de woonkamer met zijn armen vol gekloofd hout, Raquel in de groene stoel bij het vuur en ik op het grote ronde kleed met de franje recht voor de haard. Ik had in het vuur gekeken en af en toe met de pook een deel van het brandende bouwsel herschikt.

Ik heb me weleens afgevraagd wat het betekent om 'ergens goed in te zijn'. Ik weet dat ik, als ik een vuur zie dat bijna uitgaat, altijd bereid ben toe te schieten, mijn blik strak op het storende element gericht, en eigenhandig alles te verwijderen wat een obstakel vormt tussen de vlam en de onbelemmerde aanvoer van zuurstof. De vlam zal dankbaar naar elke plek snellen die je voor hem vrijmaakt.

Raquel zat zo dicht bij me dat ze langs mijn haar had kunnen strijken of me een foto had kunnen laten zien in het tijdschrift waarin ze zat te bladeren, maar ze deed geen van beide, ze sloeg alleen traag bladzij na bladzij om. Ik geloof dat het *The New Yorker* was, of misschien *Harper's*. Ze las graag de inhoudsopgave.

'Die oude dakspanen zijn heel geschikt als aanmaakhout,' zei Theo tegen niemand in het bijzonder. Ik keek op en glimlachte. 'Je klinkt als een echte landman,' zei Raquel, en ze bloosde, misschien wel van trots.

Dat leek me het ideale moment om de kwestie ter sprake te brengen, en ik vroeg me hardop af wanneer Raquel echt aan haar boek zou beginnen te werken. We zouden vandaag naar Swansbury kunnen gaan.

'Is het niet merkwaardig,' zei Raquel, kennelijk bij wijze van antwoord, 'dat een brandend haardvuur niet meer is dan dat – een haardvuur, in zichzelf besloten, een vrolijke verbranding van gassen – maar dat het voor ons zoals we hier zitten actief "een bepaalde sfeer lijkt te scheppen"?' (Ze maakte met haar wijs- en middelvingers aanhalingstekens om aan te geven hoe verdacht ze die uitdrukking vond.) Als ze zo praatte, deed dat me denken aan de taal van dromen, die helemaal geen taal is maar niettemin communicatie, doordat ze hermetisch is. Ze hoeft nooit buiten de grenzen van je eigen interpretatiesysteem te komen.

'Hm, ja,' begon Theo. 'Ik snap wat je bedoelt...'

Maar ze viel hem in de rede voor hij verder kon gaan. 'Ah, is dat zo? Dat is fijn, want voor dat soort dingen ben jij echt onmisbaar voor mij. Terwijl ik het zei, leken de woorden al iedere samenhang te verliezen en los uit mijn mond te vallen, maar toen raapte jij ze op en smeedde ze naar je eigen beeld, en daar waren ze opeens weer in volle glorie, hersteld in hun communicatieve functie.'

‘Vuren, vlammetjes aan het uiteinde van kaarsen, bepaalde toonhoogtes in muziek, bepaalde tijden van de dag...’ Theo telde op de vingers van zijn linkerhand af.

‘Bepaalde schuine lichtinvallen,’ viel Raquel hem in de rede, en daarna zweeg ze peinzend en verscheen er een uitdrukking van gefrustreerd inzicht op haar beweeglijke gezicht. Zo keek ze vaak als ze iets wilde uitleggen, wat heel vaak het geval was. Een blik die het aanbreken van de dag en aanstormende wolken in zich verenigde.

‘Ja, daar heb je het nou,’ begon ze weer. ‘Zo gaat dat met praten, met drie mensen die in een kamer bij het vuur zitten te praten, met muziek, met lucht. Het gaat zoals het gaat. Jullie tweeën kunnen er niks aan doen dat jullie hier zijn en mij horen.’ Ik merkte op dat Raquel Theo en mij gezamenlijk had aangeduid als ‘jullie tweeën’, een eenheid, en dat ze ons dus blijkbaar graag als een paar zag, al was het maar in haar fantasie. Want al had ik nooit de wens gevoeld haar te ergeren, laat staan tegen haar wil in te handelen, nu ze die woorden had uitgesproken was de mogelijkheid van een nieuwe driehoeksconfiguratie ontstaan. ‘Ongeacht wat ik al of niet uit mijn mond krijg, jullie *zíjn* er, jullie en niemand anders, en jullie ervaren wat er allemaal gebeurt, de gebeurtenissen, de vibraties, de sfeer. Daar kan ik helemaal niets tegen doen.’

‘Behalve ons vermoorden.’ Theo zei het zachtjes. (Als Theo een schimmige figuur blijft, komt dat waarschijnlijk door de aard van de aandacht die hij je schenkt. Als je iets tegen hem zegt, kijkt hij je aan alsof je een educatief tv-programma bent dat hij uitzit omdat hij vindt dat hij daartoe verplicht is.)

‘Tja,’ hernam Raquel een paar tellen later, ‘maar ik ben bang dat Gingers ouders bezwaar zullen maken tegen zo’n Endlösung. Om maar te zwijgen van Gingers eigen recht op leven...’

'Ginger kan haar eigen boontjes wel doppen. Ja toch, Ginger?' Hij wierp me een blik van verstandhouding toe die tevens het bevel leek te behelzen mijn mond te houden. Alsof ik dat niet al uit mezelf deed. 'Volgens mij lijkt ze meer op mij dan op jou, Raquel. Ik geloof niet dat iemand Ginger ervan kan weerhouden te pakken wat ze wil hebben, als puntje bij paaltje komt. Als ze wil leven, dan zál ze leven.'

We liepen gedrieën door de kille septemberschemering naar de fabriek zoals dieven naar de deur van een bank: achteloos, onverschillig, alsof we het volste recht hadden daar te zijn. Alsof we heel goed klanten zouden kunnen zijn, of de geesten van klanten, die vulsel kwamen kopen voor een doorgestikte deken of een order voor een stuk fijne stof kwamen plaatsen.

Deze inbraak was Theo's idee, een alternatief voor het historische avontuur. Hij had het achteloos geopperd toen we die middag buiten zaten, en door het gemak waarmee hij dat deed kreeg ik het gevoel dat hij vaker zulke opwellingen van crimineel gedrag had. Misschien waren die zelfs wel zijn voornaamste alternatief als hij met al zijn gebruikelijke bezigheden – lezen, koken, slapen – klaar was.

En hij bleek er goed in te zijn. Hij beraamde een simpel plan, en toen de avond begon te vallen volgden we hem het huis uit, als zeehonden die zich van de rotsen in zee laten glijden, de een na de ander. We liepen onopvallend en zonder ons te haasten het dorp door. Er was niemand op straat omdat het etenstijd was, en ik wees hen met gedempte stem op een paar oriëntatiepunten: het verlichte raam van drukkerij Pritt, waar mijn ouders nog druk aan het werk waren; de donkere bibliotheek, waar ik een aantal van mijn gelukkigste uren had doorgebracht.

De fabriek neemt in de gedachtewereld van mijn dorp een centrale plaats in, die het in de economie ervan allang niet meer heeft. Een betonnen brug voert je veilig over de droge bedding van de Shift. Daar, aan je rechterhand, verrijst een hoekig, zeer solide gebouw van rode baksteen, van opzij gezien, vanaf de overkant van de rivier, lang en massief, met een heleboel rijen raampjes.

Het was een wolfabriek geweest. Deze bestond feitelijk uit twee aparte gebouwen; op de voorgevel van het voorste, boven de poort met de grote dubbele rode deuren, hing een zwart bord met gouden letters: WOLSPINNERIJ WICK. Door die ingang gingen vroeger waarschijnlijk potentiële klanten naar binnen. Het smalle, rechthoekige gebouwtje stond vlak langs de kant van de weg en maakte reclame voor zichzelf. Zakelijke transacties vonden vermoedelijk plaats in de kantoren op de bovenverdieping van deze voorpost, die waren opgesierd met grotere ramen die over de weg uitkeken. Het andere gebouw, dat hoog en langwerpig was en een puntdak had, stond verder naar achteren, als een oom die streng over de schouder van een roekeloze neef meekeek. Aan de zijkant bevond zich een brede, zwarte dubbele ijzeren deur, als van een gevangenis, waardoor de stoet arbeiders 's morgens naar binnen en 's avonds weer naar buiten moet zijn gesjokt, met gevoelloze armen en benen en duf na een dag lang saai werk. Boven het dak stak een soort koepeltje uit, hoog en wit boven het schuine dak, een klein, belvedèreachtig geval, misschien een uitkijktoren, al is niet duidelijk waarnaar men kan hebben uitgekeken. Naderende afnemers? Stoute kinderen? Kuddes kwaadaardige herten? Cherry en ik hadden heel wat keren plannen beraamd om het gebouw binnen te dringen en naar dat hoogste uitkijkpunt te klimmen, waarvandaan je waarschijnlijk heel ver in alle richtingen kon kijken. Maar we hadden het nooit echt gedaan.

De ijzeren deuren, die Cherry en mij altijd zo onverzettelijk waren voorgekomen, leken Theo haast hartelijk te verwelkomen na een paar slagen met een bijl tegen het verroeste mechaniek dat zowel het slot als de deurknop bevatte. De luide kreten van de bijl tegen de klink van het slot galmden door de avondschemering en ik drukte me angstig tegen de bakstenen muur, maar er klonken geen antwoordkreten of andere geluiden die erop wezen dat iemand ons had opgemerkt. Theo glipte zonder aarzelen naar binnen met Raquel in zijn kielzog, en ik volgde hen, zoals inmiddels mijn gewoonte was.

Het was geen kasteel. Het interieur bestond uit één langwerpige, donkere, vieze hal met een hoog plafond, die leeg was op een paar lange, ruwhouten tafels na die zo te zien met bouten aan de stenen muren vastzaten. Langs een van de muren leidde een trap door een kleine vierkante opening naar de bovenverdieping. Ik was er altijd van uitgegaan dat de fabriek nog vol zou staan met stoffige machines, kolossale relicten van de vroegere industriële activiteit, maar die waren een eeuw geleden natuurlijk allemaal verkocht. Theo trok de deur achter ons dicht, liep de hal in en ging voor een raam aan de andere kant staan. Ik liep achter hem aan, nieuwsgierig wat de arbeiders hadden gezien als ze hier met hun werk bezig waren, zittend, staand of over een machine gebogen.

Raquel liep niet mee, en ik voelde haar aarzeling in mijn achterhoofd als een priemend ogenpaar, een blik die niet die van mij was. Ze praatte op een luide fluistertoon. 'Wat een bedrijvigheid, wat een onvermoeibare productie. Want welk product zouden ze hier hebben geprobeerd te maken? Als elk ontelbaar raampje staat voor een ontelbaar aantal handwerkers, wat een eindeloze hoeveelheid werk werd er dan binnen deze muren verzet!

Nou, ik krijg hier de kriebels van,' vervolgde ze, en ik draaide me om en zag haar langzaam, met één hand achter zich tastend, achteruitlopen in de richting van de deur. 'Het spijt me, lieverds, maar dit is te echt. Zoveel geschiedenis op één plek – ik voel het in de lucht als deeltjes die ik niet wil inademen. Maar jullie tweeën slaan je er wel doorheen. Ik wacht thuis op jullie.' Ze keek nog steeds naar ons en botste hard tegen de zware deur; hij gaf mee en zij schoof achteruit naar buiten en duwde hem van de buitenkant stevig dicht. Theo bleef zwijgend voor het raam staan, en ik verstarde op mijn plek halverwege hem en de deur. Hij liep door de hal, waar mijn ogen inmiddels wenden aan het schemerdonker dat steeds dieper werd, en bleef voor een ander raam staan. Het leek een hint; ik kwam naast hem staan en samen keken we Raquel na. De lucht tussen ons in vulde zich met een soort trillende dwang: iets dreef me naar hem toe, of van hem af. Ik worstelde om op dezelfde plaats te blijven.

Achteraf kun je zien dat er verscheidene vingerwijzingen, aansporingen of wenken waren die we volgden. Dat het een val was. Ik voel de zwaarte nog die me neerdrukte; het was vreemd om daarbinnen te zijn, door het groezelige glas van het raampje naar haar te kijken terwijl ze als een lange schaduw over de rivieroever wegkroop, haar been over de vangrail zwaaide en verdween. En het was nog vreemder om nu zo alleen te zijn met Theo. Dat was nog nooit gebeurd. Maar dat onverwachte gevoel van onthandheid, en het onaangename besef dat ik de plaats van de afwezige vrouw op de een of andere manier zou moeten innemen, was me vertrouwd, herinnerde me aan de zeldzame keren dat ik 's avonds alleen met mijn vader had gegeten als mijn moeder naar een vergadering of bij een vriendin op bezoek was. Ik was er ondertussen helemaal aan gewend om met z'n drieën te zijn; dat aantal voorzag in het juiste evenwicht. Ik was niet het draaipunt of de hefboom maar de ballast, degene die kon worden geloosd, overboord gezet als het te zwaar werd. In deze nieuwe configuratie zou ik zeker gemist worden. Had ik ineens verantwoordelijkheid.

Maar, al lag het pad dan ook gebaand en wel voor ons, bedenk wel dat ik nog heel jong was, en neem van mij aan dat ik onzeker was. Ik vroeg me echt serieus af of ik Raquel niet achterna moest en het verkennen van de fabriek maar niet aan Theo moest overlaten. Dat zou de voor de hand liggende keus zijn geweest: bij Raquel blijven. Maar dat leek ze niet te hebben gewild. Sterker nog, het leek alsof ze Theo welbewust met mij alleen had willen laten. Misschien wilde ze dat we elkaar beter leerden kennen, of, waarschijnlijker, ons de kans geven over haar te praten. Of misschien moest je haar op haar woord geloven en wilde ze gewoon niet in die fabriek zijn. En ik wel, ik wilde daar wél zijn, ook al kwam wat ik daar zag neer op het zoveelste einde van mijn jeugd. De lege fabriek, geen kasteel; de fabriek zelf merkwaardig neutraal, sfeerloos. Want in tegenstelling tot Raquel vond ik de lucht in de fabriek volkomen stil, roerloos, vrij van puin, psychisch of anderszins. Ik merkte dat ik me daar in die lege hal erg op mijn gemak voelde, alsof hij na mijn jarenlange fantasieën op me had liggen wachten, me verwelkomde net zoals hij Theo had verwelkomd.

'Kom hier zitten,' zei Theo. Hij had zijn jasje uitgetrokken en het op de tafel naast ons gelegd, in het paarse licht dat door het raam viel. Mijn ogen waren niet gewend zo lang naar hem te kijken; ik richtte ze meestal op Raquel om zelf geen aandacht te trekken. Zijn aandacht. Wat moest ik met die aandacht nu ik hem had? Zijn silhouet leek nu op een lichtvlek in het schemerdonker, een zilverachtige, onbestemde vorm die ik niet volledig kon thuisbrengen. Ik hees me op de tafel. Nu zouden we praten; ik kon hem van het kasteel vertellen, wat ik nog aan niemand anders had uitgelegd, zelfs niet aan mezelf, en hij zou begrijpen wat het recente, nog verse verlies van Cherry voor me betekende: twee was één geworden, een onherroepelijke ineenstorting. En dan zou hij me misschien vertellen wat Raquel voor hem betekende, waardoor ik beter zou weten hoe ik mezelf ten opzichte van hen moest opstellen. Moest ik dichterbij komen? Meer afstand nemen? Moest ik hen meer alleen laten of waren ze juist gepikeerd als ik bij anderen was? Moest ik mijn baantje opzeggen en gewoon altijd bij hen zijn? We zouden met z'n drieën uit het dorp kunnen weggaan en een ander dorp vinden om te wonen, en daar zou ik hun dochter kunnen zijn. Op de een of andere manier wist ik zeker dat ik, als we nu praatten, hier in de beslotenheid van het kasteel en zonder Raquel erbij, met hem zou kunnen praten zoals ik nog nooit met een man had gepraat. Zeker niet met mijn vader, in wiens bijzijn ik alleen zorgvuldig ingestudeerde zinnetjes uitsprak. En ook niet met Jack, die was vertrokken voordat ik had kunnen leren praten.

Maar Theo praatte niet met me en kwam evenmin naast me zitten. Hij legde zijn handen op mijn lichaam, aan weerszijden. Zolang hij me aanraakte was ik niet in staat mijn gedachten te horen, mezelf op tijd te voelen. Wat er gebeurde leek op dat moment al aan de gang te zijn, en ik moest me haasten om mijn eigen bange voorgevoel in te halen. Zodoende was ik niet blij of bang toen hij me naar zich toe trok tot we elkaar recht aankeken en hij mijn knieën uit elkaar duwde. Ik had eerder het gevoel dat ik goed moest opletten, me zorgvuldig moest vergewissen, om te zorgen dat alles in de juiste tijdsvolgorde gebeurde. Hij schoof tussen mijn knieën, steunde met zijn heupen tegen de rand van de tafel, en ik was gedwongen hem in de ogen te kijken, die meedogenloos terugkeken, al zag ik ze maar heel even. Daarna toonde hij me de bovenkant van zijn hoofd, lichtbruine, warrige golven. Hij richtte zijn blik op mijn hals, mijn sleutelbeen, en ik voelde zijn vingers aan de onderkant van mijn trui en toen hoger, onder de stof, ze streelden mijn schouders en borsten en trokken aan mijn tepels.

Het is verwarrend om het koud te hebben terwijl iemand met je vrijt. Hij trok mijn gymschoenen uit en daarna mijn spijkerbroek en onderbroekje, en ik voelde de intense, bijtende kou van de tafel onder mijn billen, zelfs door de dikke voering van zijn warme jasje heen. Hij ging met zijn vingers langs het kippenvel aan de binnenkant van mijn dijen. Het was alsof ik in het water was gevallen, donker water, en ik alles scherper waarnam door het medium waarin ik zweefde. Hij knielde tussen mijn benen en ik voelde zijn tong, warm op de zachte delen. Hij maakte hem stijf en bewoog hem heen en weer als een vinger. Ik weet niet of ik geluid maakte. Als dat zo was, bracht hij me tot zwijgen door met zijn lange arm omhoog te reiken en zijn hand over mijn mond te leggen. Daarna legde hij zijn handen om mijn borsten, en vervolgens zoog hij er met zijn glibberige mond aan. Ik rook mijn eigen geur in zijn adem, op mijn huid. Hij duwde zich uit zijn gehurkte houding overeind, knoopte zijn spijkerbroek los en duwde hem naar beneden. Zijn pik stond van zijn lijf af door een klep in zijn onderbroek heen, als de fiere mast van een zeilboot in het water. Ik meende het bloed erin te zien kloppen.

Ik dacht te weten wat ik moest doen. Ik liet me van de tafel glijden en zakte op mijn knieën, voelde het vlijmscherpe gruis van honderd jaar. Ik greep hem met mijn vuist vast, warm in de kou, legde mijn andere hand op zijn bil, die koud en glad was, raakte het puntje van zijn pik met mijn tong aan zoals ik het zo duidelijk op al die foto's had gezien – en wist toen niet wat ik verder moest doen. In de beschrijvingen die ik had gelezen stond op dit punt alleen maar 'zuigen', maar ik kon het ding niet helemaal in mijn mond krijgen zonder in ademnood te raken. Daarom begon ik er maar aan te likken, als aan een ijshoorntje dat smolt in mijn warme vuist. Het verbaasde me hoe glad het was – egaal en smaakloos.

'Je bent lief,' fluisterde hij, en hij legde zijn ene hand op mijn kin en de andere op mijn schouder en trok zich terug uit mijn mond. Lief, dacht ik, en ik voelde me een kind. En meende dat het nu wel afgelopen zou zijn, nu hij had begrepen hoe onervaren ik was. Niets wat ik had gelezen of gefantaseerd had me kunnen voorbereiden op de overweldigende emotionaliteit, de tactiele heftigheid van het intieme contact met zijn naakte huid. Ik moet toegeven dat de gedachte door mijn hoofd ging dat ik liever zou slapen. Ik overwoog mijn ogen een poosje dicht te doen en uit te rusten, onzichtbaar.

Maar toen werd ik opgetild, mijn ogen vlogen open als die van een pop en hij legde me haastig op mijn rug op de harde tafel, met zijn handen onder mijn armen, alsof ik geen kind was maar een baby, boog zich toen over me heen, drukte zijn romp tegen de mijne en hield mijn handen boven mijn hoofd stevig vast. Hij was ontzettend zwaar en ik meende hem door zijn dikke trui heen te voelen huiveren of beven, er ging een rilling door hem heen die zich in mij voortzette, en ik probeerde zijn blik te vangen, opnieuw een contactpunt met zijn lichaam te maken, maar hij boog zijn hoofd om door mijn shirt heen in mijn schouder te bijten en ik deed mijn knieën van elkaar. Toen ik hem voelde duwen om bij me binnen te dringen spreidde ik mijn benen nog verder, met gebogen knieën, zoals ik het anderen had zien doen, en hij liet mijn handen los en legde zijn handen op mijn kuiten, om zich af te kunnen zetten. Ik legde mijn handen op mijn knieën en trok ze naar mijn gezicht toe. Daarop legde hij zijn hand weer over mijn mond en begon te stoten, met korte, felle bewegingen. Ik was me bewust van zijn berekenendheid. Vervolgens stak hij zijn vingers in mijn mond en ik hield ze daar vast, ook weer zoals ik het anderen had zien doen, totdat hij me van de tafel af trok, me omdraaide en voorover duwde, met mijn wang tegen zijn jasje, achterom opnieuw in me kwam, met zijn ene arm om me heen reikte en me met één vinger aanraakte op de plek waar het tintelende voorgevoel zich als pijn concentreerde. Ik herinnerde me van mijn eerste bezoek aan de Motherwells met Cherry dat dat dezelfde truc was die hij bij Raquel gebruikte, en tot mijn verbazing had dat kortstondige beeld van hen tweeën in deze zelfde houding dat ineens uit het niets opdook het effect dat mijn binnenste plotseling openging, dichttrok en toen nog wijder openging, als het verborgen oog van een camera. 'O,' riep ik, mijn uitroep galmde door de hal, en meteen daarna begon Theo sneller en heftiger te bewegen, totdat ik zijn lichaam voelde straktrekken, hij achterover schokte en nasidderde als een boog. Hij maakte geen geluid, maar ik voelde zijn hart bijna bonzen; toen voelde ik duidelijk dat hij weer naar voren veerde, zich op me liet vallen, zijn hoofd in mijn nek legde en zijn borst op mijn rug. Zo bleven we even staan, terwijl ik me acuut bewust werd van de kou waarin het glibberige vocht aan de binnenkant van mijn dijen snel afkoelde. Even later voelde ik hem verslapt uit me zakken, en er vloeide nog meer van zijn zaad uit me weg en in een stroompje verder omlaag.

Er was iets in het geconcentreerde licht van de avond buiten waardoor het me, terwijl ik me bukte om mijn spijkerbroek op te rapen, ineens te binnen schoot dat het vandaag de eerste dag van het nieuwe schooljaar was geweest en dat ik die gemist had. Wat had ik met alle uren van die dag gedaan terwijl de leergierigen van Wick elkaar begroetten en zich opmaakten voor weer een nieuw jaargetijde van hun jeugd? Ik ging rechtop staan en schudde een kleine schok van me af, een lichte verlamming die zich in mijn schouders had genesteld, alsof ik met vergif was geïnjecteerd, en voelde dat de spieren aan de binnenkant van mijn dijen een beetje pijn deden. Dieper in mijn binnenste was een nieuwe holte uitgegraven, uitgeboord – die nog gevuld zou moeten worden met een materie, substantie of gevoel. Het was het binnenste waarin ik wachtte tot ik mezelf kon vertellen hoe ik me voelde. Bij ontstentenis van iemand anders die me dat vroeg.

Ik wist dat we nu naar huis zouden gaan, waar Raquel wachtte, maar ik wist niet wat ik zou doen als ik haar zag. Ik repeteerde snel een wenselijk verloop: Theo en ik zouden het huis naderen, hand in hand, of hij met zijn arm om mijn middel en mij dicht tegen zich aan, en we zouden elkaar pas zwijgend en met tegenzin loslaten als we bij de deur waren en Theo zijn hand uitstak om de knop om te draaien, waaraan net op dat moment al vanbinnen werd gedraaid. De deur ging open, een verlichte rechthoek met Raquel erin, net als die eerste dag, toen ze in de deuropening was verschenen als in beelden van een instortend gebouw, een huis dat in brand stond, op een tv-scherm. Alleen was Theo toen naast haar opgedoken, terwijl hij nu naast mij zou blijken te staan.

Maar ik merkte dat ik geen exact beeld van Raquel kon oproepen waarop ik mijn gevoelens kon uitproberen. Als ik aan haar probeerde te denken, zag ik alleen een langwerpig, rechtopstaand, dof stenen gezicht, als een afbeelding op een grafsteen, zonder inscriptie. En als ik aan mijn eigen zelf dacht, een zelf dat ik probeerde terug te vinden door mijn ogen even dicht te doen terwijl ik mijn schoenen aantrok – ik tastte achter mijn geloken oogleden, in de spelonk van mijn eigen duisternis, naar een eerder nog onbestemd, absoluut gezicht –, manifesteerde zich een overeenkomstige neutraliteit, alsof het zelf dat net had gehandeld het nieuwe zelf was dat nog alles kon doen, praktisch een zuigeling. Het enige zelf dat ik kon vinden was er een dat ik niet herkende.

Iedere volwassene begrijpt dat een kind schuldeloos is totdat ze meerderjarig is. Het kind mag uiteindelijk niet verantwoordelijk worden gehouden voor haar eigen daden, hoe herkenbaar, hoe opzettelijk, hoe pijnlijk de gevolgen ook zijn. Het is de volwassene, als die er is, die de schuld draagt, en die volwassene moet rekening houden met die tegenstrijdigheid terwijl het kind vrij is, vrij om aan haar versie van het verhaal vast te houden, en die vrijstelling van medeplichtigheid is de bron van de legendarische onschuld van de jeugd.

Als we thuiskwamen zouden we aan tafel gaan zitten, Raquel en ik zouden wijn drinken terwijl Theo 'snel een maaltijd in elkaar flanste' en dan zouden we gulzig eten, en Raquel zou met een tastende duisterheid opmerken dat je altijd zo'n honger kreeg als je je had misdragen. Ik had nooit iets voor haar verborgen willen houden, maar nu was er iets: de geslachtsdaad was, nu die eenmaal had plaatsgevonden, eenmalig, ongelooflijk en, anders dan de voorbeelden in de blaadjes van Penrose, ongeschikt voor vermenigvuldiging of afbeelding. Als ze het niet wist, zou ze het nooit weten. Die daad was de zoveelste blanco mijlpaal in het schemerige landschap, en tot mijn ontzetting merkte ik dat ik medelijden met haar had in haar oneindige onwetendheid, net zoals ik soms medelijden had met mijn moeder, met haar scherpe, hoopvolle, eindige gezicht.

Maar ik had het idee dat zij ook medelijden met mij had – waarom, dat wist ik niet precies. Wat wist ze?

'Meisje.' Ze legde haar hand op mijn voorhoofd. 'Je voelt klam aan. Ik denk dat een warm bad je goed zal doen.'

We gingen naar boven, naar de badkamer, en zij trok tuttend mijn kleren uit en legde ze op de grond terwijl de badkuip volliep. Ik zette mijn platte borst op als een vogeltje in de winter.

26

Ik had vannacht een hele enge nachtmerrie en ik wilde jullie erover vertellen, maar jullie waren er niet. In die droom had ik een baby, maar dat was niet het enge. Ik wílde die baby. Ik sliep in een groot bed met de baby dicht tegen me aan, in het holletje van mijn arm, met zijn warme, pluizige kopje tegen mijn blote huid. We lagen heerlijk bij elkaar, en we hadden al een heleboel nachten zo samen gelegen, in diepe rust. Het was een groot bed met een lichte sprei, zodat de baby niet kon stikken.

We werden midden in de nacht wakker. Een donkere, maanloze nacht, zo donker dat ik een hele tijd niets kon zien. Maar de baby – de baby werd wakker en gedroeg zich alsof hij bezeten was, als in een speelfilmversie van een duivelse bezetenheid. Hij siste, kronkelde, schokte... en ik kon hem niet tot bedaren brengen. Ik was minder sterk dan hij. Ik deed luid van sjjjjjjjjj in het gezicht van de baby, in een poging hem met een schok uit zijn schemertoestand te wekken, maar ik kon zijn gezicht niet zien, ik hoorde alleen de haperende keelklanken die aan zijn mondje ontsnapten. De baby zwiepte als een staalkabel.

Ik moest de baby zien om beter te begrijpen hoe ik hem kon kalmeren, maar toen ik het licht aandeed kon ik zijn gezichtje nog steeds niet zien. Een zwarte vlek, precies even groot als een babygezichtje, blokkeerde mijn gezichtsveld op de plek waar het gezichtje zou moeten zijn. Als de baby bewoog, bewoog de *vlek mee. Ik was wakker in de zwarte uren van de nacht in de lage, felverlichte kamer, met alleen het bed en de baby.*

Die blindheid volgde de baby waar ik ook maar keek.

27

Een wirwar van spookdorpen. Spookgehuchten eigenlijk: de overblijfselen van het Shift-dal. En daarboven Wick, hoog en droog, uitkijkend over het enorme, door mensenhand ontstane Ramapack-stuwmeer en de eindeloze akkers en bossen eromheen. In het water de vage stippellijnen die het natte graf onderverdelen in de voormalige gemeenten of dorpen. Ze lijken erg groot in vergelijking met Wick. Hoe konden al die levens destijds met wortel en al worden uitgerukt? Waarheen verspreidden ze zich, als even zovele berichten? Of als een troep kippen wier stoffige conversatie wordt verstoord door een emmer water?

Ik stond naar een kaart te staren die met punaises aan een prikbord was bevestigd dat aan de muur naast de ingang van het kantoortje van meneer Czabaj, de studiebegeleider, hing. Ik wachtte tot zijn onderhoud met een andere knorrige – of bedeesde, of radeloze – leerling afgelopen zou zijn. Ik was uit de gymles, het laatste lesuur van de dag, weggeroepen. We hadden trefbal gespeeld op het sportveld, en ik was allang blij dat ik nu buiten het bereik van de beukende eisen was die uit naam van de sport aan me zouden worden gesteld.

Ik bestudeerde de kaart en merkte dat ik merkwaardig onaangedaan bleef onder mijn aanstaande bezoek aan het geweten van de school. De middelbare school in Wick had regelmatig te kampen met gekwelde pubers. Of het nu om genieën ging of om onderpresteerders, er werd keer op keer op gehamerd, op ouderavonden zowel als motivatiebijeenkomsten, dat wij allemaal het risico liepen drugsverslaafd, tienerouder of suïcidaal te worden. Waarschijnlijk in die volgorde. Czabaj maakte overuren als eenpersoonspreventiemacht. In de lessen gezondheidsleer waren we gewezen op de diverse manieren om zonder gebruik van verboden middelen 'stoom af te blazen', en het bespreken van je problemen met een betrokken gezagsdrager stond boven aan de lijst.

De zware houten deur zwaaide naar binnen open en de matglazen ruit met de afgeschuinde randen vervormde en vergrootte het felle tl-licht in de gang. Cherry stapte naar buiten, zo te zien geagiteerd. Haar wangen hadden de hoogroze kleur die alleen mogelijk is bij mensen met een heel bleke huid. Het viel me op dat ze mijn zwarte gymschoenen droeg. Ze zag me, bleef even staan alsof ze iets wilde zeggen, maar knipperde toen met haar ogen en liep met opgeheven hoofd verder de gang door en de trap af, terwijl Czabaj naar buiten kwam, met zijn hand op de koperen deurknop, en haar nariep: 'Oké, Cherry! We blijven in gesprek. Tot ziens!' Ik was in geen maand zo dicht bij haar geweest.

Ik liep achter hem aan naar binnen en ging in de stoel zitten die hij aanwees: een oude houten kantoorstoel met armleuningen. De zitting was helemaal glad gesleten door het vele heen en weer schuiven van onrustige lijven. Ik richtte mijn blik eerst op het vertrouwde dofgroene linoleum en daarna op het al even vertrouwde sneeuwwitte borstelhaar en de stierennek van Czabaj.

'Ginger. Hoe is het?'

Ik glimlachte en keek hem over het bureau heen aan, en hij verplaatste zijn aanzienlijke gewicht in zijn grote houten stoel, die identiek was aan de mijne, behalve dat de zijne een kussen had en kon draaien. Hij leek te besluiten om opnieuw te beginnen. Ik kreeg het vreemde gevoel dat hij zich in mijn bijzijn opgelaten voelde. Door iets in mijn blik?

'Ginger,' zei hij op besliste toon. 'Jij bent een van de beste leerlingen van deze school. We hebben nooit eerder problemen met je gehad – en nu dit.' Achter zijn schouder dreven door het open raam flarden van 'Destroy the Handicapped' uit een autoradio naar binnen, een nummer dat de laatste tijd populair was onder de jongeren van Wick. Het bestond voornamelijk uit dat refrein, of commando, gezongen op een rauwe, syllabische beat. Ik keek op en ving de blik van Czabaj, die iets aan het betogen was wat eindigde met: '... onruststokers en dergelijke?' In de lange stilte die daarna viel, herformuleerde hij zijn vraag.

'Het zou me erg verbazen als jij daar ook aan had meegedaan. Er waren een heleboel criminele elementen rond op deze school. Jongens en meisjes die de verkeerde keuzes maken. Ze kiezen ervoor zich te vergiftigen met bepaalde stoffen en raken in allerlei nare toestanden verzeild. Ik weet wat er bij de begraafplaats allemaal gebeurt. Ik herinner me je broer nog, God hebbe zijn ziel.' Hij liet een korte stilte vallen, waarin ik Jack op gepaste wijze herdacht. Zijn gevaarlijke roekeloosheid. Zijn zinloos, welbewust, egocentrisch najagen van plezier ten koste van alles. En dat hij nu misschien spijt van zijn keuzes zou hebben en zou willen dat ik verstandiger was. 'Jij gaat toch niet met dat soort mensen om, hè? Ik associeer dat soort gedrag zeer zeker niet met jou. Maar ik snap ook dat er een bepaalde verleiding van uitgaat. Ik train die jongens op het sportveld, en ik weet dat ze er behoorlijk "cool" uit kunnen zien als ze zich de longkanker roken en hun gehoor onherstelbare schade toebrengen door naar dat lawaai te luisteren. Maar het enige verstandige wat een slimme meid zoals jij kan doen, is zulke jongens de bons geven!' Hij liet zijn vlakke hand met een klap op het bureau neerkomen. Ik moest weer glimlachen.

Hij leek zijn strategie opnieuw te heroverwegen; na een stilte waarin de bel die het eind van de les aankondigde als een gloedvol betoog door het gebouw galmde, waarna er deuren opengingen en ik voeten, tassen en ellebogen elkaar op de gang hoorde verdringen, begon hij weer, ernstiger ditmaal.

'Ja, het lesuur is voorbij. Je mag zo weg. Maar Ginger, je hebt de eerste schooldag verzuimd, zónder briefje van de dokter. Je bent herhaaldelijk het eerste uur te laat verschenen. Van een aantal van je leraren heb ik gehoord dat je regelmatig zit te dromen als je er wél bent. Je doet niet meer mee aan groepsgesprekken zoals vroeger. Als je niet aan het experimenteren bent met drugs of alcohol, dan vermoed ik dat je sinds kort een vriendje hebt. Maar als jij zegt dat dat niet waar is, zal ik op zoek moeten gaan naar andere verklaringen. En dan zal ik zeker ook je ouders moeten inlichten.' Czabaj kwam met een grommend geluid overeind uit zijn stoel, stond op, liep om het bureau heen en ging zitten op de hoek die het dichtst bij mijn stoel was. Ik keek over zijn forse schouder om de indringende blik te vermijden waarmee hij me probeerde te fixeren en zag een vel papier op zijn bureau liggen, zo te zien een werkstuk van een leerling, met paarse inkt geschreven, met bovenaan een titel. Ik manoeuvreerde mijn blik binnen het bereik van de gerimpelde blauwe oogjes van Czabaj, bleef mijn gezicht daarna in dezelfde stand houden maar liet mijn ogen een klein eindje afdwalen en leunde een beetje naar rechts, net genoeg om de volgende cruciale zin in het duidelijke, ronde handschrift van Cherry te kunnen ontcijferen: *Het kwaad is iets wat je niet kunt verklaren, of iets machtigs waar je geen invloed op hebt.* Daarboven stond met blauwe inkt: *Cherry, kun je vandaag even naar mijn kamer komen?* Dhr. C.

'Dus, Ginger, we vragen ons natuurlijk af of je absenties en je algehele gedrag misschien symptomen zijn van iets waar je heel erg mee zit, een crisis of zoiets. Nou?'

Ik was geneigd tegen Czabaj te zeggen wat hij graag wilde horen: dat mijn gedrag een 'kreet om hulp' was. Maar in plaats daarvan zat ik me alleen maar te verbazen over zijn gebruik van dat dwingende, universeel inzetbare 'Nou?' Wat bedoelde hij daarmee? Wilde hij met dat 'nou' zijn eigen aandacht weer helemaal op het gespreksonderwerp richten? Misschien had hij moeite om verleden en toekomst uit elkaar te houden en moest hij zichzelf er voortdurend aan herinneren dat, wat er vroeger ook was gebeurd of wat er misschien binnenkort zou gebeuren, het probleem waar we het over hadden, het probleem dat nu op zijn bureau lag, altijd 'nou', in het hier-en-nu, was.

'Wil je daar misschien iets over zeggen? Ik ben er om je te helpen, Ginger, en het feit dat je nooit eerder hulp nodig hebt gehad, betekent niet dat je er nou geen recht op hebt, mijn lieve kind.' Daar had je het weer, dat woord, en tot mijn schrik kneep mijn keel plotseling dicht en voelde ik een kriebel in mijn neus, het onmiskenbare teken dat er tranen opwelden uit mijn traanbuizen, gezichtsholtes of -kanalen of waar ze ook maar vandaan komen, ongevraagd, en dat die tranen mijzelf en mijn toeschouwer een diepe treurnis, teleurstelling, triomf of blijdschap dreigden te onthullen terwijl het absoluut niet mijn bedoeling was geweest die aan iemand te tonen. Sterker nog, je wordt door tranen die uit je lichaam opwellen gedwongen te erkennen dat je überhaupt een lichaam hébt, een lichaam in het hier-en-nu dat onophoudelijk vrijwillig en onvrijwillig daden verricht, waarvan sommige resoluut ergens halverwege die twee. Ik spande me met al mijn lichaams- en geesteskracht in om die tranen terug te dwingen in hun grot, maar hoewel het me lukte de tranen in bedwang te houden, kwam er geheel buiten mijn wil om iets anders los en merkte ik tot mijn afgrijzen dat ik begon te hakkelen, een stroom van ongevormde gedachten en lettergrepen welde op uit mijn keel en steeg bijna tot de poort van mijn lippen, maar juist op dat moment tikte er iemand op het ruitje van de deur om Czabaj aan de football-training te herinneren waar hij eigenlijk al had moeten zijn. Zijn mond vertrok tot een grimas en hij spreidde verontschuldigend zijn handen, en ik kneedde de vormeloze lekkage snel tot een geloofwaardig passend leugentje, iets van dat ik te laat was voor een afspraak met mijn moeder bij de drukkerij, en holde de deur uit. De bezorgdheid van Czabaj achtervolgde me galmend de hele gang door.

Het kwaad, door Cherry Endicott, 11de leerjaar

Wat is het kwaad? Aan het woordenboek heb je niets, want dat geeft je alleen maar woorden, geen gevoelens of dingen die je helpen de woorden tot je te laten doordringen. Als je aan het kwaad denkt, denk je aan de duivel, heksen, dictators enzovoort. Als je aan het kwaad denkt, denk je aan slechtheid, woede, mensen kwetsen enzovoort. Het kwaad is iets wat je niet kunt verklaren, of iets machtigs waar je geen invloed op hebt. Sommige woorden in het woordenboek zijn ethisch verkeerd, verdorven, schadelijk, krenkend, gekenmerkt of begeleid door tegenspoed of lijden, betreurenswaardig rampzalig, zonde, onrecht, ellende, slechtheid die iemand worden toegewenst, immoreel, verachtelijk, ellende, verdriet. Zonde en ethische misstanden zijn twee fenomenen die het kwaad goed illustreren, maar beperkt. Het kwaad is de zonde tot de dertiende macht.

Het kwaad is voor het grootste deel een menselijke eigenschap, maar het wordt ook gevonden bij dieren, dingen en bepaalde activiteiten. Volgens mij is het kwaad gemakkelijker te herkennen in de fantasiewereld van mythen, sprookjes, legenden en dromen. Een paar voorbeelden zijn de boze stiefmoeder uit Assepoester, de Hades uit de Griekse mythologie, en nog veel meer. Die zijn makkelijker te herkennen omdat ze zuiver verdorven zijn in tegenstelling tot mensen in de werkelijkheid die een verdorven kánt kunnen hebben. Er is een lange lijst van zaken die te maken hebben met het kwaad: zwarte magie, georganiseerde moord, zwarte magie, de duivel enzovoort. De vraag is: waarom worden die in verband gebracht met het kwaad? Mijn mening daarover is dat ze te maken hebben met het opzettelijk veroorzaken van menselijk lijden. De duivel komt moordenaars halen als ze sterven, zegt men, of hij ontvoert onschuldige mensen om ze tot zijn dienaars te maken. Natuurlijk is het kwaad een van de dingen die het leven interessant maken. Zelf ben ik vooral bang voor de kwade dingen in de wereld. Georganiseerde moord is verdorven omdat hij geheim is en helemaal beraamd wordt met geheime opdrachten en boodschappen. Sektes en seances zijn in onze ogen verdorven omdat ze mensen dingen laten doen tegen hun wil of knoeien met het noodlot. En dan, niet te vergeten, de zwarte magie; alleen de kleuren zwart en rood worden in verband gebracht met het kwaad. Alle vormen van bijgeloof die te maken hebben met tegenspoed of het kwijtraken van je ziel zijn verdorven. Alles wat onbekend is zoals ufo's, spoken of het leven na de dood, wordt als verdorven beschouwd. Om maar te zwijgen van mummies, heksen of een ouijabord, of het opwekken van mensen uit de dood wat neerkomt op het verstoren van hun lange slaap. Er zijn eindeloos veel meer voorbeelden te noemen, maar er zijn dingen die ze allemaal gemeen hebben. Dood, het onbekende en angst.

Sommige mensen associëren macht met het kwaad; vanwege alle machtige dingen die ontwrichtend werken of machtige dingen die ze niet begrijpen en 'het kwaad' noemen. Je kunt het kwaad niet begrijpen totdat je het in je nabijheid voelt: dan ben je bang. Volgens mij is hypnose een machtige en nog onverklaarde kracht die al of niet verdorven kan zijn, en die zeker gebruikt kan worden om eropuit te gaan en verdorven dingen te doen. Hoe kunnen we ons dagelijks leven blijven leiden met al dat kwaad en al die verdorvenheid die op ons loert? Het antwoord is dat het kwaad in onszelf zit en eruit komt als wij dat willen, en dat je als je goed genoeg zocht de verdorven krachten overal om je heen zou vinden, maar dat doe je liever niet.

28

Oktober

Ik vond Cherry bij de fabriek.

Ik had me heel lang volkomen op haar voortdurende gezelschap verlaten, op haar bescherming feitelijk, haar onwrikbare aanwezigheid in klaslokalen, op schoolpleinen, bij schoolbijeenkomsten, op gangen. Zonder haar merkte ik dat ik opvallend moeilijk te zien was. Zo goed als onzichtbaar voor mijn klasgenoten, had ik de indruk. Als ik nu door de gangen liep, begreep ik dat ik slechts door haar fysieke, tastbare, door en door aardse aanwezigheid naast me stoffelijk was gebleven en mijn medescholieren af en toe een zwaaiend gebaar, een glimlach of een korte conversatie had ontlokt, dat alles gericht op een plek iets links of rechts van me, afhankelijk van waar Cherry stond. Zij was een soort magneet geweest die mijn uitgewaaierde elektronen in een enigermate menselijke vorm dwong.

Maar nu praatte Cherry ook niet meer met me op school. Ze keek altijd de andere kant op als ik haar in het oog kreeg, liep arm in arm met nieuwe vriendinnen, meisjes aan wie we vroeger nooit meer dan één gedachte hadden gewijd. Het leek wel alsof ik ook voor haar onzichtbaar was geworden. Ik kon de pijn van die afwijzing alleen verdragen door mezelf voor te houden dat ik er zowel de oorzaak als het doelwit van was: zij hield evenmin van mijn nieuwe vrienden als ik van de hare.

En toen, een paar weken na het begin van het nieuwe schooljaar en een paar dagen na ons beider onderhoud met Czabaj, was Cherry er opeens niet meer. Er verstreek één week, twee, drie, en nog steeds verscheen ze nooit meer om een hoek, ze dook niet op achter de dichtslaande deur van haar kastje in de gang en, het opvallendste, ze trok niet meer aan mijn elleboog als ik in de rij voor de lunch op een slappe pizzapunt en een pakje melk stond te wachten, om me op matte toon te vertellen waar ze zat. Ze zat nergens meer, voor zover ik zag.

Ik meende dat ik misschien iets te weten zou kunnen komen als ik de groep vrolijke meiden uit het elfde leerjaar observeerde met wie Cherry sinds kort optrok. Ik had van een afstand gezien dat ze dat najaar steeds meer in de groep werd opgenomen, een steeds volwaardiger lid werd; tegen de tijd dat Cherry ineens niet meer op school verscheen, was ze al zo ongeveer in de groep opgegaan. Hun collectieve uitstraling was overweldigend, zo stijf en zoet als koolmonoxide. Als een van die meiden stralend door de gang liep, werd je als toeschouwer opgeslokt door een vacuüm van volstrekte machteloosheid. Ik had gezien hoe hard Corless, de leraar Spaans, zijn best moest doen om zijn kalmte te bewaren in de nabijheid van Mandy Dennison, een van de draagsters van dat onoverwinnelijke licht, die onhandelbare warmte, die kelk vol verspilling. En ik had Tom, de vader van Mandy Dennison, zien worstelen om zijn blik niet van zijn clubsandwich af te wenden in het Top Hat Café toen daar op een keer een stel kakelende meiden binnenkwamen, net van volleybaltraining en nog helemaal verhit en vochtig in hun polyester trainingspakken. De ware dochters van Wick.

Ik dacht dat ik onzichtbaar was, maar een van de meiden kreeg me in de gaten onder een boom voor de school, in de buurt van het bankje waaromheen ze zich altijd na de laatste bel verzamelden om sigaretten te roken. Teresa Gagnon duwde haar gezicht in het oor van haar vriendin; Christine Farnsworth keek naar mij en daarna weer naar Teresa, die voor de hele groep herhaalde wat ze zojuist had gezegd. Ze draaiden hun glanzende hoofden allemaal in mijn richting en Christine maakte zich uit de groep los en kwam voor me staan, met de zon pal achter haar blonde haardos, een verblindende halo. Ik moest mijn hand boven mijn ogen houden om haar aan te kijken. Ik tuurde een poosje met half dichtgeknepen ogen naar haar voordat ik begreep dat ze niet van plan was bij me op de grond te komen zitten, en dus kwam ik overeind. Ik was een kop groter dan zij.

'Hé, Ginger,' zei ze opgewekt. 'We vroegen ons af of jij weet wat er met Cherry is. Jullie gingen altijd zoveel met elkaar om, dus we dachten, misschien heeft ze jou gebeld?' Ik had iets anders verwacht: een pesterij, een pak rammel, een afstraffing. Moet je nou eens zien wat je hebt gedaan. Je bent geen goede vriendin voor haar geweest. Slet. Freak. Idioot. Het laatste wat ik had verwacht was dat ze me iets zouden vragen. 'Ik ben bij haar langs geweest en we hebben allemaal berichten achtergelaten, maar het lijkt of ze van de aardbodem is verdwenen. Heel raar. Als je haar spreekt, wil je dan zeggen dat we aan haar denken en haar missen?' Christine draaide zich om en voegde zich weer bij haar vriendinnen.

Het was niet zo dat ik die dag echt op zoek ging naar Cherry, maar ik dacht dat ik haar wel zou kunnen vinden. Er was maar een beperkt aantal plekken waar alleen wij de weg naartoe kenden. Ik fietste door het dorp, het bruggetje over en naar de fabriek. De eiken op de oever van de rivier waren fel geel-oranje verkleurd en het rode bakstenen gebouw leek nog roder tegen het diepe blauw van de lucht, zo'n intens korenblauw dat je meestal alleen bij glazen voorwerpen ziet. Ik zette mijn fiets tegen de vangrail, klom eroverheen en liet me het talud afglijden naar de oever, naar ons vaste plekje onder de bomen, vanwaar ik het geforceerde slot van de ijzeren deuren bijna kon onderscheiden.

Ik zag haar liggen, onder de bomen, met haar gezicht naar beneden. Eerst zag ik haar rode gymschoenen en toen haar blote benen, die nog bruin waren van de zomer. Haar witte korte broek en haar lichtgele trui, haar zwarte haar ordeloos rond haar schouders. Haar hoofd steunde op haar gevouwen armen, alsof ze sliep, of alsof ze voorover was gezakt en het geluk had gehad dat ze zacht was neergekomen.

Ik ging op een meter afstand op mijn hurken zitten en dacht aan de droom die ik had gehad toen ik met mijn gezicht in Raquels dagboek sliep: de droom over het stuwmeer, over verdronken dorpen, verdronken huizen, families en meisjes. Ik herinnerde me dat het laatste wat ik onder water had gezien voor ik wakker werd Cherry's bleke, drijvende lichaam was, haar zwarte haar dat haar blauwe gezicht omkranste, haar zwarte lippen, haar lege oogkassen.

Ik weet niet wat voor geluid ik maakte, maar het was genoeg om te maken dat Cherry zich omdraaide en met een ruk overeind schoot. Ik sprong op en danste van pure schrik een paar passen achteruit. Maar Cherry's gezicht was niet dat van een dood meisje, een meisje dat voortijdig aan het leven was ontrukt, zoals ik me zo'n gezicht had voorgesteld: eenzaam, troosteloos, heel ver weg, maar toch doordrongen van een zweempje wraak, een behoefte de levenden te laten delen in haar wanhoop. De blik in haar ogen zou snel kunnen omslaan van smekend naar een ontwijding. Een ontwijding van de levenden. Nee, Cherry's gezicht was bedekt met tranen, bleek en glimmend, en haar wang was rood waar die tegen haar arm had gerust. Er liep snot uit haar neus. 'Ginger,' zei ze beschuldigend, en duidelijk springlevend. 'Je hebt me aan het schrikken gemaakt. Ik ben hier elke dag na school, maar je komt me nooit zoeken.' Een dubbele beschuldiging: ik had haar aan het schrikken gemaakt en ik had haar niet gezocht. Ik probeerde me te herinneren waar ik gisteren na schooltijd was geweest. O ja, bij de Motherwells. En de dag daarvoor? Mijn geheugen leek niet meer zover terug te kunnen gaan.

'Ik moet met je praten... ik moet je iets vertellen. Ik wist niet zeker of ik er wel over zou kunnen praten, maar... ik besef nu dat het mijn verantwoordelijkheid is om...' Cherry keek me doordringend aan en veegde haar gezicht toen af met haar trui, eerst met de ene mouw en daarna met de andere.

Maar ik wilde niet horen wat ze te zeggen had. Het volstond te weten dat ze nog leefde, en huilde. Ik maakte aanstalten om weg te gaan, haar daar achter te laten. Ik begon me weer zichtbaar te voelen, zoals vroeger, en dat beviel me niet. Ik wilde niet dat die zichtbaarheid weer bezit van me nam. Misschien had ik wel liever gehad dat ze dood was.

'Wacht!' Ze greep me bij de arm en trok me ruw op de grond. 'Blijf hier zitten. Ik verstop je fiets even.' Ik keek naar haar terwijl ze de helling beklom, mijn fiets naar de bosjes aan de andere kant van de brug duwde en zich weer omlaag liet glijden. Ze leek dikker dan ik me herinnerde, opgezwollen, alsof ze als een klont deeg een nacht in een kom was gezet om te rijzen. Ze liet zich recht tegenover me op de grond vallen en kruiste haar benen. De kont van haar witte broek zou ongetwijfeld met vuil besmeurd zijn, bedacht ik. Ze was flink buiten adem, maar ze leek ongewoon vastberaden. Ze moest zeggen wat ze te zeggen had.

'Hé, het spijt me dat ik je op school heb genegeerd. Mijn ouders hadden me verboden met je om te gaan, maar daar had ik het heel moeilijk mee!' Ze keek me aan en zweeg even, alsof ze een daarbij passende reactie van mij verwachtte. Maar ik wachtte af wat er nog meer kwam. 'Na die avond... schaamde ik me. Ik probeerde jou er die dag over te vertellen, en toen Randy kwam heb ik het tegen hém gezegd, maar nu is-ie erg kwaad op me en ben ik bang voor wat-ie misschien gaat doen. Uiteindelijk heb ik het er ook met Downey over gehad' – dat was onze lerares gezondheidsleer – 'en zij heeft me een beetje getroost. Ze zei dat wat er was gebeurd niet mijn schuld was...' En plotseling barstte Cherry weer in tranen uit. En niet alleen in tranen, maar ook in gesnik, een heftig, folterend gesnik waardoor ze dubbelsloeg en weer voorover lag. Ik bleef stil zitten en wachtte af. Ik wist uit een lange ervaring dat het uiten van medeleven in de vorm van een klopje op de rug of een troostend gemompel alleen maar een nieuwe storm zou ontketenen. Ik hield me koest, en uiteindelijk werd mijn geduld beloond. Cherry rechtte haar rug en veegde haar rode ogen opnieuw af aan de vochtige mouw van haar trui.

'Ginger, je bent mijn beste vriendin... nog stééds. Dus je moet me vertrouwen. Downey zegt dat ik erop moet vertrouwen dat mijn vriendinnen me steunen en dat zij erop moeten kunnen vertrouwen dat ik hun de waarheid vertel.' Ze zweeg weer, ditmaal kennelijk om te kalmeren of haar vastberadenheid terug te vinden. Toen stortte ze zich in het diepe.

'Je moet niet meer naar die mensen toe gaan.' Ze hees zich iets rechter op en legde haar handen op haar buik alsof het een kristallen bol was. 'Die avond, toen ik ziek werd bij hen thuis... In het begin kon ik gewoon niet geloven dat het echt gebeurde.

Ik dacht de hele tijd: misschien is hij gewoon lief en probeert hij me op m'n gemak te stellen. Maar toen wilde hij mijn rug masseren, en ik had zoiets van: eh, meneer Motherwell, dit vind ik niet prettig. Want ik wist nog dat we dat bij Downey hadden gehad, dat je dat tegen mensen moet zeggen die je aanraken op een manier die je niet wilt. En dat ze dan ophouden. Maar hij hield niet op...' Haar stem trilde, ze kreeg tranen in haar ogen en ze had even nodig om zich weer te vermannen.

'Hij bracht zijn gezicht heel dicht bij het mijne en keek me heel lang recht in de ogen, alsof hij dacht dat ik dan alles zou doen wat hij wou, dat hij me dan zou kunnen kussen zonder dat ik protesteerde of zo. En al die tijd was Raquel boven, en ik weet echt zeker dat ze wakker was, en toen trok hij me... maar ik duwde hem weg en graaide mijn schoenen mee en holde op blote voeten de deur uit. Ik durfde pas te blijven staan om ze aan te trekken toen ik al halverwege het dorp was.'

Terwijl Cherry het eind van haar verhaal naderde, vergeleek ik het onwillekeurig met de manier waarop Theo mij had benaderd, die totaal anders was, zoals ook mijn respons totaal anders was geweest. Ik besefte dat hij me die keer in de fabriek niet één keer had gekust. Ik voelde me versmaad, alsof er een gat ontstond in het weefsel van mijn herinneringen aan die avond. Ik keek naar Cherry's volle onderlip: roze, trillend, argeloos. Ik stond mezelf toe me de scène in de fabriek een kort ogenblik opnieuw voor de geest te halen. Daar zat ik in al mijn meelijwekkendheid op de tafel, met Theo's dunne jasje onder mijn blote kont. Wat zou er zijn gebeurd als ik blijk had gegeven van een gepaste gereserveerdheid? 'Meneer Motherwell... Theo... ik ben te jong. Ik heb dit nog nooit gedaan. Wat zou Raquel hiervan vinden?' Had ik niet moeten proberen hem op een afstand te houden, bezwaar te maken, tijd te rekken? Ik riep de scène nog eens op, maar nu liet ik mezelf fluisterend op hem in praten, blijk geven van mijn opgelatenheid. Ik achtte het heel goed mogelijk dat ik Theo's toch al zelfverzekerde avances door het naar voren brengen van een paar bescheiden protesten nog zelfverzekerder had kunnen maken. Ik had hem tot veel meer kunnen verleiden. Misschien had hij dan tegen me gepraat, gelispeld, me ingepalmd, gekust; dan had ik zijn mond kunnen proeven. Ik herinnerde me met verrassende olfactorische precisie de volle, bijna verbrande geur van zijn huid, zijn haar, zijn adem op het moment dat hij zijn gezicht op weg naar beneden, naar de plek tussen mijn benen, vlak bij het mijne had gebracht. Wijn, houtvuur, opgedroogd zweet, onvermurwbaarheid.

'En toen wist ik niet waar ik naartoe moest,' vervolgde Cherry, 'want ik wilde niet naar huis en ik wilde jouw ouders ook niet achterdochtig maken, en daarom ging ik naar Randy's huis. Ik bleef een poosje op het trapje van de veranda achter het huis zitten, maar hij kwam niet thuis. Uiteindelijk ging ik naar mijn eigen huis. Ik was helemaal hysterisch. Ik dacht dat ik Theo kennelijk de indruk had gegeven dat ik wilde... of misschien kwam het door de kleren die ik aanhad. Weet je nog? Ik droeg dat witte T-shirt met JUICY erop en die zwarte korte broek die nogal... sexy is... maar volgens Downey is het nooit de schuld van het slachtoffer. "Dat is typisch slachtofferdenken," zegt ze, maar hoe dan ook, het is dus niet mijn schuld...' Door de acute opluchting dat ze door een autoriteit op het gebied van de gezondheidsleer was vrijgepleit van schuld brak haar stem opnieuw en kreeg ze weer tranen in haar ogen.

'En dan wou ik je nog iets vertellen... Die dag dat Randy naar de fabriek kwam, toen jij eigenlijk had moeten komen... toen... toen heb ik het met hem gedaan.' Ze bloosde en wendde haar blik even af, waarna ze me weer aankeek en op enigszins verontschuldigende toon verder praatte. 'Ik was gewoon erg overstuur, denk ik, en hij was heel lief voor me. Hij is écht heel lief... Ik wou het je zo graag vertellen. Ik dacht altijd dat we het elkaar meteen zouden vertellen als we onze maagdelijkheid kwijt waren' – alsof we samen één maagdenvlies hadden – 'maar toen was het juist helemaal niet zo, alsof ik tegelijk met mijn maagdelijkheid ook mijn beste vriendin was kwijtgeraakt... Ik had het gevoel dat ik het tegen niemand kon zeggen, zelfs niet tegen jou... of misschien wel júíst niet tegen jou. Jij bent zo braaf, je doet nooit iets met jongens, en ik voelde me zo'n slet!' Cherry barstte opnieuw in tranen uit, maar ditmaal bleef ze me met haar donkere ogen smekend aankijken, met haar roze neusje in de lucht. 'Ik ging naar huis en kroop meteen in bed. Ik voelde me de hele volgende dag niet erg lekker en... eigenlijk nog steeds niet... ik...'

Dit was voor mij het aangewezen moment geweest om een paar troostende woorden te spreken, te zeggen dat ze zo te horen een ellendige tijd achter de rug had en een verzoening tot stand te brengen. Ik had moeten vragen waarom ze al een tijdje niet meer op school kwam – wat was er aan de hand? Ik had haar in ieder geval de hartelijke groeten van Teresa, Christine en de anderen moeten doen. Maar ik deed niets. Ik bedacht dat het heel raar was dat ik zelfs niet had overwogen om Cherry op te zoeken om haar over mijn 'heel speciale prille begin' te vertellen – maar dat soort handelingen leken zich, net als de blaadjes van Penrose, in een andere wereld af te spelen dan onze vriendschap, die tenslotte een kindervriendschap was geweest, met de bijbehorende kinderlijke onschuld. En waren we daar niet juist heel hard van weggeroeid, allebei in ons eigen bootje?

Nadat ik een volle minuut had gezwegen, moet ze hebben begrepen dat de verwachte blijken van medeleven niet meer zouden komen. Cherry verwrong haar gezicht tot een afzichtelijke kreukelbal en snikte. 'Kan het je dan allemaal niks meer schelen?'

Ik zou niet willen stellen dat het me allemaal niks meer kon schelen. Ik wilde zuinig zijn op mijn nieuwe leven met Raquel en Theo, op de uitzonderlijkheid ervan. Ik wilde de hoop die het me bood niet kwijtraken, de hoop op een toekomst waarin niets wat ik al kende nog een plaats zou hebben. Waarin ik nu al anders was.

Het is dus niet waar dat het me allemaal niks meer kon schelen. Het is correcter te stellen dat zulke schijnbaar dringende vragen als die Cherry stelde, zij het indirect – wie ze kon vertrouwen, voor wie ze bang moest zijn –, voor mij meer dilemma's waren waarmee ik in een droom werd geconfronteerd, een lucide droom waaruit ik kon ontwaken wanneer ik maar wilde, dat ik de beslissingen waar ik voor stond daarom eindeloos kon uitstellen, en dat de implicaties alleen maar rijker en fascinerender werden naarmate ik die beslissingen en dat ontwaken langer uitstelde.

Ik keek net op tijd op van mijn schoot om één grote, kristalheldere traan in Cherry's schoot te zien vallen, op de hand in haar eigen schoot, die daar stil en roerloos lag. Ik hief mijn hoofd nog verder op, naar haar gezicht waar zich geluidloos nog meer tranen in haar ogen verzamelden, klaar om hun aanvoerder te volgen. Mijn blik ging nog verder omhoog, tot boven haar donkere haar, naar het stenen gezicht van de fabriek waarvan de duistere ramen onze gedeelde koninklijke waardigheid, onze geheime adellijke voorzaten, onze onbeperkte macht en vrijheid ooit hadden omsloten en weerspiegeld. En ik keek naar de diepblauwe oktoberlucht boven het langwerpige puntdak van de fabriek en zag daar mijn echte vrijheid vliegen, als een parallelle hemel of een sluier die over de hemel was geworpen, hoger en verder weg dan alle koninkrijken die ik vroeger had gekend. Mijn echte, enig ware vrijheid was een raadsel – was zélf mysterie: ik hoefde voorlopig niets meer over Cherry, over mezelf of over de Motherwells te weten. Als alles me werd onthuld, als de sluier van mijn enige, ware gezicht werd opgelicht, dan zou ik waarlijk een gevangene zijn.

Cherry liet me bij de fabriek zitten. Ze nam geen afscheid, staarde me alleen een poosje aan zoals ik daar zwijgend zat, krabbelde toen onhandig en stijfjes overeind, als een pop zonder scharnier in de taille, en liep weg. Ik keek haar na terwijl ze de weg af liep en toen de heuvel beklom naar het grote witte huis aan het dorpsplein.

29

Half oktober

'Jij zult nooit het intense gevoel van vervreemding begrijpen dat ik in de natuur heb, hè?' vroeg Raquel nogal retorisch aan Theo. Ik luisterde, beteuterd maar tegelijk ook opgelucht dat ik mijn gebruikelijke rol van gelukkige toeschouwer bij hun nooit eindigende twistgesprek terug had. Mijn eigen aanvaring met Theo had hun relatie blijkbaar niet veranderd, en ik weet niet wat ik zou hebben gedaan als Theo met zijn volle gewicht op mij was gaan leunen – een poging om een dergelijke ontwikkeling te visualiseren veroorzaakte een nieuwe zwarte plek in mijn cortex, een vlek van niet-denken – al stond ik mezelf wel regelmatig toe tersluiks naar hem te kijken met de simpele, ongefundeerde hoop dat hij op datzelfde moment even tersluiks naar mij keek.

Het was een zonnige namiddag en we liepen door het bos achter de school, langs een van de vele paden die kinderen hadden gebaand in hun wanhopige zoektocht naar rustige plekjes om in de pauze hasj te roken. Als je dat pad ongeveer een kilometer volgde, bereikte je de modderige, overwoekerde oever van het stuwmeer. De op de grond gevallen bladeren leken te sissen.

'Jawel, ik geloof dat ik het wel begrijp.' Hij bleef midden op het pad staan. 'Alleen waarschijnlijk niet op de manier die jij wilt. Praten en denken, daar ben jij goed in. Maar o wee als je iets moet dóén.' Hij uitte deze zoals altijd zeer kort durende uitbarsting met zijn rug naar ons toe, zijn handen om zijn billen en zijn blik gericht op de grond, of op een misvormde boomstam die diagonaal uit de grond groeide. Hij draaide zich zwijgend om en we liepen verder.

'Ik vind het vreselijk als je dat soort dingen zegt. Dingen die klinken alsof ze heel erg waar zijn. Jij kunt volgens mij met evenveel gemak zeggen dat je dol bent op sinaasappelpartjes als dat je zegt dat zwartjes stinken of dat mijn moeder in de hel mannen pijpt. Jij bent net zo'n monster als ik, Theo.'

Ze hield zijn gezicht scherp in de gaten terwijl ze het zei. Daarna draaide ze zich abrupt om en holde weg over het pad, het bos in. Ze holde een beetje onbeholpen maar met grote kracht, als een beer of een vleesgeworden steen. Ze was al snel uit het zicht.

We liepen een poosje in de richting waarin ze was gevlucht, maar toen zei Theo – en mijn hart begon sneller te kloppen toen hij het voorstelde – dat we beter thuis op haar konden wachten. 'Dan weet ze waar ze ons kan vinden,' zei hij. We keerden om en liepen zwijgend terug.

Thuisgekomen ging Theo warme chocola maken in de keuken, en ik liep naar boven, naar zijn werkkamer. Het bed was in een hoek tegen de muur geschoven en al het beddengoed lag netjes opgevouwen als een veldbed midden op de vloer. Hij had gemediteerd. Ik wilde zijn boeken bekijken.

En ik wilde hem vragen wat er met Raquel was gebeurd dat ze zo was geworden, dat ze als een calqueerplaatje van het oppervlak van de wereld was gescheurd. Er moest iets traumatisch, iets ingrijpends gebeurd zijn, daar was ik van overtuigd: een soort schisma. Iemand moest haar iets hebben aangedaan. Het feit dat ze het nooit over zo'n gebeurtenis had, leek me daar welhaast het bewijs voor. Er was destijds veel wat ik als vanzelfsprekend aannam. Bijvoorbeeld dat dreigende rampen nooit echt zouden gebeuren. Zo leef je tenslotte altijd: je hoopt misschien niet op het allerbeste, maar wel dat het allerergste uitblijft.

De boeken op zijn plank zagen eruit alsof hij ze veel had gebruikt, ermee had gereisd, ermee onder zijn kussen had geslapen en ze in rug- en achterzakken had gestopt. Ik koos er een en sloeg het bevlekte omslag met ezelsoren open. Theo's stappen naderden op de trap en hij kwam binnen met twee dampende koppen. Ik draaide me om, met het boek als een enorme oester die ik open had gewrikt in mijn handen.

'Wat bekijk je?' Hij liep naar me toe, zette de koppen op de boekenkast en pakte het boek uit mijn handen, en alles voelde weer alsof het al gebeurd was. 'Ah. De neergang van de westerse beschaving. *Cogito ergo lul.* Die man heeft meer jonge levens verwoest dan crack, geknapte condooms en plastische chirurgie gecombineerd tot één enkel geheim wapen.

Dit is ook een favoriet van me. De tragisch ontoereikende markies de Sade.' Hij trok een dikke pocket van de plank en liet hem openvallen op de plek waar de rug was gebroken door het vele gebruik.

'Die man had een idee, een voorloper van het moderne regulerende dogma dat jouw recht om een sigaar te roken niet verder reikt dan het puntje van mijn neus. De Sade geloofde dat zijn recht om een sigaar te roken zover reikte dat hij de dichtstbijzijnde oogbol als asbak mocht gebruiken. Hij heeft een keer de vagina van een vrouw dichtgenaaid. Of ik bedoel, hij heeft een filosofisch traktaat geschreven waarin die handeling zijn overtuigingen illustreerde. Hij had fantastische seks, met maagden, oude vrouwen en oude mannen, het maakte niet uit. Elke opening stond hem ten dienste.' Theo's koele grijze ogen observeerden mijn verhitte gezicht voortdurend, alsof hij telkens voordat hij verderging wachtte op een teken dat ik hem begrepen had. Ik probeerde te glimlachen, maar het voelde alsof ik zou gaan huilen. Ik wachtte weer, op die plek binnen in me die hij voor me had gemaakt – daar wachtte ik tot hij zou komen. Daar wachtte ik angstig af of hij me weer zou neuken. Daar popelde ik om me weer door hem te laten neuken.

'Zijn opvatting was, kort samengevat, dat hij alles mocht doen wat hij wilde, wanneer hij het wilde en met wie hij het wilde. Niet omdat dat op dat moment goed voelde of omdat hij zichzelf wijsmaakte dat het wederzijds was. Maar omdat hij zich vrij voelde te delen in de onbegrensdheid van zijn handelingen. Hij was dol op konten. De kont van zijn zus bijvoorbeeld. Ik weet niet of hij überhaupt een zus had. Hij was gewoon gek op een lekkere geile kont.' Theo zweeg even, alsof hij ergens over nadacht. Er bouwde zich een zekere spanning op in de kamer.

'Maar wat hem uiteindelijk zo sympathiek maakt, is zijn feilbaarheid. Wat maakt het immers uit wie je bent als iemand op een dag besluit je schedel in te slaan met een koekenpan? Of je nou De Sade heet of Motherwell of Kissinger, je schedel barst. Jouw hoofd, mijn koekenpan; mijn koekenpan, jouw hoofd.' Zijn rusteloze blik ging vorsend door mijn haar en hechtte zich aan mijn oorlelletje. Zijn laatste woorden galmden door de kamer als een soort negatieve klaroenstoot. De stilte erna leek afgedwongen als door een avondklok.

Hij reikte langs me heen en zette het boek terug op de plank. We gingen met onze koppen op de grond zitten, aangezien er geen stoelen waren. Een saai moment. Er zou toch niets tussen ons gebeuren, nooit meer, en ik bemerkte mijn eigen kolossale opluchting en een even ontzaglijke teleurstelling. Ik had net mijn kop naar mijn lippen gebracht om een slok te nemen toen hij zijn hand naar me uitstrekte en door mijn T-shirt heen een van mijn borsten aanraakte, het bovenste gedeelte dat naar voren glooit naar de tepel. Ik hield mijn kop in de lucht: het was het enige in de kamer waar ik naar kon kijken. Ik vroeg me heel even af of we de deur wel zouden kunnen horen als die open- en dichtging, boven de geluiden uit die we zelf misschien zouden maken.

'Heb je het op?' vroeg hij. Dat was niet zo, maar hij pakte de kop uit mijn hand, zette hem neer en trok het shirt over mijn hoofd, allemaal in één beweging, als een roofvogel die een veldmuis van de grond grist. Hij legde zijn handen op mijn blote schouders en duwde met een gelijkmatige druk; ik zakte achteruit omlaag, steunde op mijn handen en ellebogen totdat ik plat op mijn rug op de opgevouwen deken lag. Ik meende dat hij me nu zou gaan kussen – mijn mond was open – maar dat deed hij niet. Ik spreidde mijn benen. Hij haalde zijn hand van mijn borst, wreef stevig over het kruis van mijn spijkerbroek en begon die toen los te knopen. Ik tilde mijn heupen op en hij trok de spijkerbroek ruw omlaag over mijn enkels, samen met mijn onderbroekje. Ik was aan de lucht blootgesteld.

Deze keer was heel anders dan de eerste. Er werd op geen enkele manier zorgzaam met me omgegaan. Dat was ook gepast, neem ik aan: ik was nu geen beginner meer. Nu ging het helemaal om hem. Toen hij zich had verlicht, binnen vijf minuten, was het haar achter op mijn hoofd vastgeplakt door zijn stoten en ik voelde me een stuk oud hout dat door de golven op de oever is gesmakt. Koud en poreus.

We gingen snel overeind zitten en kleedden ons aan. Ik besefte dat ik mijn ogen dicht had gedaan zodra ik plat op de grond was gelegd en ze pas weer had geopend toen hij niet meer bewoog en zijn wang tegen mijn borst legde. Ik wilde dat ik eraan had gedacht naar zijn gezicht te kijken terwijl hij bezig was.

We zaten naast elkaar op de grond, zoals we ook waren begonnen, en dronken onze chocola op, die nog warm was. Mijn keel deed zeer van het ademhalen met open mond. Ik kamde mijn haar met mijn vingers.

'Ik weet niet wat Raquel je allemaal heeft verteld, Ginger.' Zo begon hij, en het timbre van zijn meestal ijle, schrille stem was rijker dan zo-even, alsof door het orgasme het bloed uit zijn aderen was afgetapt, verhit en er weer in teruggepompt. Ik wachtte af.

'Ze kan erg overtuigend zijn, en ik ook. Maar je moet voorzichtig zijn. Wij allemaal.' Weer een cryptische waarschuwing, die op dit moment haast komisch misplaatst leek. 'Het is gevaarlijk om alleen de versie van een verhaal te geloven die één iemand vertelt; er is altijd een andere kant. En uiteindelijk is het misschien allemáál niet waar.

Ik wil je graag iets vertellen, want ik merk dat je veel voor Raquel betekent...' Dat kwetste me: voor Raquel? Was ik hem niet telkens halverwege tegemoetgekomen? Betekende het dan niets voor hem dat ik altijd voor hem beschikbaar was? 'En als iets belangrijk voor haar is, doet ze alles wat ze kan om het vast te houden.' Ik vroeg me af waarom ze dacht dat ze iets bijzonders zou moeten doen om mij vast te houden terwijl ik al een opgeprikte vlinder was die geen kant meer op kon.

Maar hij leek vastbesloten me iets te vertellen. 'Raquel en ik kennen elkaar nog niet zo lang,' begon hij. Dat wist ik al, al viel moeilijk te begrijpen dat twee mensen zo snel zo afhankelijk van elkaar waren geworden, of althans zo in elkaar verstrikt waren geraakt, of elkaar zo door en door konden kennen. Terwijl ik al die configuraties in gedachten doornam, verwierp ik ze een voor een. Ik wist niets van de band tussen twee willekeurige mensen, besloot ik, en al helemaal niet van deze twee.

Theo vervolgde zijn verhaal, en ik merkte dat ik zelfs nog minder wist dan ik had gedacht. 'Ik heb Raquel ongeveer een jaar geleden leren kennen in een psychiatrische kliniek in de stad waar ik werd behandeld. Ik was net uit de gevangenis ontslagen, twee jaar vervroegd wegens goed gedrag, maar op voorwaarde dat ik aan een langdurige groepstherapie meedeed. Zij was een van de acht anderen in de groep. Zij had ook een paar jaar gevangengezeten en werd net als ik voorbereid op een terugkeer in de maatschappij. In de loop van een jaar vielen de andere zeven allemaal af, zodat alleen Raquel en ik en twee therapeuten overbleven. Het werd een soort nep-huwelijkstherapie, met Raquel en mij als echtpaar, bij gebrek aan beter.

In het begin kon ze me niet eens aankijken als ze wat zei. Ze was niet in staat mijn blik langer dan een paar seconden te verdragen. Daar werkten de therapeuten met haar aan, ze hielden precies bij waar ze naar keek en hoe lang. In die therapieruimte leek het alsof ik voor haar alle andere mensen op de wereld symboliseerde. Als ze me kon blijven aankijken terwijl ze iets tegen me zei – als ze in mijn bestaan kon geloven, feitelijk – dan was ze op de goede weg, zeiden de therapeuten. En ik denk dat ik door haar geloof in mij ook beter werd.

Ik zal nooit weten of het kwam door die relatie die voor ons in scène werd gezet of doordat ik gewoon de kans schoon zag om eindelijk eens iets goeds te doen in mijn leven' – hij schudde even met zijn hoofd als om zijn gedachten weer op hun plaats te doen vallen – 'maar na een tijdje merkte ik dat ik voor haar wilde zorgen. Ik wilde haar beschermen, eerst in die therapeutische omgeving en later ook toen we elkaar buiten de kliniek begonnen te ontmoeten, wat uiteraard tegen de regels was. We ontmoetten elkaar twee of drie keer voor en na de groepssessies, en toen besloten we dat we de therapeuten niet meer nodig hadden.'

Ze reden door het hek van de kerk, onder de verbaasde blikken van de huizen rond het dorpsplein, en over de uitgesleten wielsporen die om de kerk heen lopen en naar de begraafplaats leiden. Theo stopte en trok de handrem aan, want de auto stond op een heuvel, en ze liepen naar het oudste gedeelte van de begraafplaats, waar de bomen het hoogst waren en de graven het verweerdst. Alleen de leistenen grafstenen waren leesbaar. Leisteen is merkwaardig: zo glad als een vel papier, altijd koel als je het aanraakt, hoe warm het ook is, en sober maar toch heel eigentijds in duifgrijs of mauve.

Ze slenterden in een lichte motregen rond tussen de stenen, elk naar een ander deel van de begraafplaats, en riepen elkaar grappige oude namen toe, zoals Thankful en Hepzibah. Ze liepen rond en bekeken graven. Dat is Theo's versie. Ze zochten niet naar een bepaald graf. Ze schepten allebei genoegen in begraafplaatsen, plekken van een onbetwistbaar gewicht. Er valt op geen enkele manier aan de voor de hand liggende kwesties te ontkomen. Als je op een mooie, zonnige dag over een begraafplaats loopt, voel je je misschien verlicht in je sterfelijke gedaante. De aarde, de grond, het gras dat groeit, je voeten, je benen, je romp, je hals en je hersens. Dat alles leeft, en wat er onder je is is morsdood, op cellulair niveau. Of misschien voel je, historisch gezien, de druk van al dat niet-leven. Al die levens, die ooit net zo waren als het mijne, gewichtig en gevoelvol. Die doden moeten allemaal ooit de droom hebben gehad dat ze beroemd zouden worden.

Of het is een grijze en kille voorjaarsdag, zoals de dag dat zij voor het eerst in Wick waren, en je voelt het volle gewicht van al die doden. Sommige mensen voelen de doden op sommige dagen binnen in zich, waar ze alle hoeken en gaten vullen die zijn ontstaan door al het leven dat ze hebben geleefd. Het begint met een verhoogd bewustzijn van de potentiële ernst van je situatie. Jij loopt daar maar te lachen en te praten over al die plekken waar de lichamen van overledenen in de grond zijn gestopt. Maar het is toch mogelijk dat ze daar echt aanstoot aan nemen, dat ze je dit gebrek aan respect kwalijk nemen: jouw voeten op hun laatste rustplaats. En dan betrap je jezelf op die gedachtegang en je denkt: wie zijn die 'zij' in vredesnaam? Geloof ik werkelijk dat bij elk lijk een bepaalde geest hoort, die wat in de buurt van het graf rondhangt, 'rondspookt' om zo te zeggen, en wacht tot er een onfortuinlijke levende komt die de grafrust schendt?

En door die woorden – 'lijk', 'wacht' en 'levende' – telkens voor jezelf te herhalen terwijl je tussen de grafstenen rondloopt, en goed oplet dat je niet te goed oplet waar je loopt, ga je dingen zien. Een witte flits in je linkerooghoek: een konijn op het pad? Een andere op dat heuveltje daar: gewoon een opvallend hoge grafsteen die boven de horizon uitsteekt. Je kunt proberen het van je af te schudden, maar je hebt een drempel overschreden. De woorden die worden gebruikt om de doden en hun omgeving te beschrijven zijn oneindig gevarieerd, het zijn een soort schaduwen van woorden. Geestverschijning, ontbinding, materialisatie, rondspoken, herrijzen, stilte, vrede, rust, eeuwig. En zo is het ook. Want of de doden nu rusten of herrijzen, vreedzaam blijven liggen of rondspoken, die toestand is eeuwig. Het lichaam is dood, de geest is er nog. Of de geest is voor eeuwig dood en het lichaam is altijd wel ergens.

En nu ben je helemaal doordrenkt van de taal van de doden, van de dood. De tong van de dood zit in je mond, en als je ook maar enigszins zo bent als andere mensen besterf je het van angst. Het is tijd om weg te gaan, weg uit het domein van al die gewichtige namen, weg van de plek waar lijken worden bewaard. Tijd om terug te keren naar een plek die niet zo'n specifiek doel heeft: een huis.

Raquel en Theo liepen tussen de grafstenen en Theo las de teksten voor die hij kon ontcijferen: 'Charity Putnam, beminde echtgenote van Samuel, 1740-1762. Niet erg oud. De mensen stierven destijds jonger. Vrouwen vaak in het kraambed. En daar heb je Samuel. 1720-1784. Veel ouder dan zij. Ook dat kwam vaak voor. Moet je deze zien: Maribelle Lawson. Een chique naam voor die eenvoudige tijd. Ze was nog maar drie. Zie je haar voor je? Krullenkop en gesteven jurkje.

Wauw, Lavonia Threadgill. En haar man Deodat. Dat zijn van die namen die je persoonlijkheid volledig vastleggen. Dit kunnen nooit ofte nimmer de slet en de dronkenlap van het dorp zijn geweest. Het waren brave mensen. Boven elke verdenking verheven.'

'Net als wij,' zei Raquel luchtig terwijl ze doorliep naar een hoge leisteen met een lang grafschrift. 'Godsamme, Theo. Moet je horen. *Gij die hier loopt, zie neer naar mij: / Ooit ben ik zo geweest als gij / En wat ik ben zult gij ooit zijn. / Gij volgt mij in het doodsravijn.* Keziah Snow. Zeventien en een paar maanden. Dat noem ik nog eens vooruitdenken. Hij verkoos tot in alle eeuwigheid direct tot de levenden te spreken. Hij had het allemaal in de smiezen en wist dat wij niet ongevoelig zouden zijn voor een paar wijze woorden van gene zijde.'

Theo kwam naast haar staan, voor de steen. Het was een zeer schaduwrijke plek, onder een enorme, oeroude olm die net nieuwe bladeren had gekregen. 'Of misschien was hij gewoon verbitterd, had hij geen flauw idee wat het hiernamaals voor hem in petto had, en trouwens evenmin wat zijn voorbije leven had voorgesteld. Zo te horen dacht hij in zijn laatste dagen aan weinig anders dan zijn eigen overlijden. En zo schreef hij deze laatste boodschap aan de wereld in zijn kriebelige, dunne handschrift.'

'Ja, hij heeft zijn exacte positie in de kist, onder de grond, onder de steen, onder de boom, onder de hemel, vast heel precies berekend. Ik zou hier best een tijdje willen blijven.'

'Onder deze boom?'

'Nee.'

'Op deze begraafplaats?'

'Nee.'

'In dit dorp?'

'Ja.'

'We zouden wat kunnen gaan eten. Volgens mij was hier ergens een eettentje...'

'Zullen we kijken of we een huis kunnen huren?'

'Voor de zomer?'

'Voor weet-ik-veel. Voor altijd. Waarom niet? Deze plek lijkt me even goed als alle andere, zo niet beter. Het is hier vast goedkoop. En,' vervolgde Raquel, 'ik heb me altijd afgevraagd hoe het leven zou zijn in een dorp zoals dit. Ik rij erdoorheen op weg naar iets anders, ik zie een bordje TE HUUR voor een raam boven een donutzaak of een bloemenwinkel, en ik krijg de neiging te stoppen en mijn leven een volkomen nieuwe, onherstelbare, nooit meer terug te draaien wending te geven. Het hele leven is willekeurig, dus waarom zou je dat niet erkennen door volkomen willekeurige keuzes te maken? Als ik in een dorp zoals dit boven een donutzaak woonde, zou het hele identiteitsprobleem ter plekke zijn opgelost. Wie zou me in deze context een naam kunnen geven? Ik zou per definitie leeg zijn, als een maan, en mijn rondjes om mijn nieuwe planeet draaien.

En alle mensen die me zagen zouden daardoor anders worden. Ze zouden een nieuw ik naar me terugkaatsen en daardoor zou ik zelf ook nieuw zijn.'

'Je vergeet alleen één kleinigheidje, lieverd. Een heel klein dingetje maar.'

'Wat dan, lieverd?' De lieve woordjes werden zonder ironie, maar welbewust uitgesproken.

'Dat je niet alleen bent.'

'Wij tweeën op een etage boven een winkel in een onbekend dorp. Snap je dan niet dat ik dan wel degelijk alleen ben?'

'Of nog beter,' zei Theo met zijn typerende plotselinge, onversneden enthousiasme, 'een echt huis, wat vind je daarvan? We kunnen vast wel zo'n groot oud huis krijgen. Ik heb me altijd voorgesteld dat ik me in zo'n groot oud huis helemaal zou kunnen nestelen, het tot in de verste uithoeken zou bewonen.' Zijn ogen die al niet meer twijfelden.

'Er als het ware mee versmelten,' zei zij.

Theo wierp haar van opzij een scherpe blik toe om te zien of ze de spot met hem dreef. Haar intonatie was vaak moeilijk te doorgronden. Ze had haar ene wenkbrauw een eindje opgetrokken. Als ze iets volledig serieus meende, wat vaak het geval was, schoten haar wenkbrauwen allebei de lucht in.

'Ja, precies. Zou je dat erg vinden?'

'Nee,' zei ze. 'Mijn schat.' De woorden klonken als een test voor een andere, heftigere liefdesbetuiging.

Een maand later keerden ze met hun weinige bezittingen terug naar het dorp en trokken in het huis dat ze van Grose, gemeenteraadslid en eigenaar van Grose Vastgoed, hadden gekocht.

Raquel verscheen met een brandende sigaret in de deuropening. Ik had haar de deur beneden niet horen dichtdoen, haar de trap niet op horen komen en de sigaret niet geroken. Ik was gefascineerd. Ik dacht terug aan de zeepbel van licht die ze zo oprecht had opgeroepen toen Cherry en ik op die regenachtige dag urenlang op haar kamer boven hadden gezeten. En aan de zeepbel van wederzijdsheid die Theo en haar in haar verhaal buiten de kamer van de wetenschapper bijeen had gehouden en waarin het op het moment dat ze contact maakten moeilijk was geweest hem te blijven aankijken, maar niet uit angst, onvermogen of ongeloof, maar vanwege de overmaat aan licht, alsof het moment waarop je gezien werd, een gedeelde ervaring, of een gedeeld gevoel binnen die ervaring een soort pijn veroorzaakte die zich uitte als blindheid. In Theo's verhaal had hij haar pijn verkeerd voorgesteld, net zoals zij in haar verhaal zijn verlangen om naar haar te kijken verkeerd had voorgesteld. Iedereen wil iemand aankijken als hij praat. Wat teleurstellend.

'Ik heb vreselijke zin in een postcoïtale sigaret,' zei Raquel bestudeerd achteloos. 'Roken is een van de vele dingen waaraan ik maar niet verslaafd lijk te kunnen raken.' Ze kwam de kamer in en ging op de kale matras zitten. Theo hield me zijn kop voor. Ik pakte hem aan en gaf hem door. Zij stak haar hand uit en gooide haar half opgerookte sigaret erin, maar liet mij hem vasthouden. Ze liet zich van het bed op de grond glijden, zodat ze op gelijke hoogte met ons kwam. Ik liet de met as vermengde chocolaresten op de bodem rondklotsen en de sigaret verdronk erin.

'Als je dan toch aan het vertellen bent, Theo, vertel Ginger dan ook eens waarom je eigenlijk in de gevangenis was beland.' Haar blik gleed naar mij. 'Dat is als puntje bij paaltje komt waarschijnlijk het allerinteressantste aan hem – al ben je er inmiddels ook wel achter dat hij heel onderhoudend kan zijn als hij de kans krijgt. Ik hoop dat je je goed voelt, lieverd. Hij kan onderhoudend zijn, maar ook ontzettend egocentrisch.' Ik vond de ondertoon van moederlijke bezorgdheid in haar stem even vernederend als het besef dat ze op de hoogte was. Ze wist wat Theo en ik met elkaar hadden: niets. We hadden niets met elkaar waar zij niet bij betrokken was.

'Raquel,' zei Theo, zijn stilzwijgen abrupt verbrekend als een zanger die heeft gewacht tot het stil genoeg is om los te barsten, 'je hebt ons opnieuw voorzien van iets wat ik alleen maar als "sfeer" kan omschrijven.' Hij stond op, liep naar het raam en wapperde met zijn hand door de lucht voor zich, waarin banen laag zonlicht die door de ruiten vielen zich hadden gematerialiseerd, substantie en volume – om zo te zeggen een medium – hadden gekregen van de opkringelende rook die zij tijdens het praten door haar neus en mond had uitgeblazen.

Ze keek in de richting waarin hij wees, bloosde en lachte een beetje snuivend. Nog steeds lachend zei ze: 'Hij heeft geprobeerd zijn eigen moeder van kant te maken.'

Ik keek naar Theo; die keek met een bijna onzichtbaar lachje om zijn lippen naar Raquel. Hij zag dat ik naar hem keek en grijnsde, maar niet tegen mij. Plotseling begreep ik precies hoe hij als kleine jongen moest zijn geweest: zelfverzekerd, aantrekkelijk, amoreel. Ik begreep dat zijn moeder het waarschijnlijk moeilijk had gevonden hem wat dan ook kwalijk te nemen. Hij had een kussen op haar gezicht gedrukt. Hij had het zachtjes omlaag geduwd of het met geweld neer laten komen, of hij had met één hand haar zilverwitte haar gestreeld terwijl hij met zijn volle gewicht op het kussen hing. Of hij had een stomp voorwerp gebruikt en haar dunne haar was kleverig geweest van het bloed.

'Het is waar, maar het is niet zo erg als het klinkt.'

'Toe nou maar, Theo, vertel haar het hele verhaal.'

'Zoveel valt er niet te vertellen.' Hij wendde zich tot mij, maakte een kleine buiging, verstrengelde zijn handen achter zijn rug en zette zijn borstkas op in een parodie op een voordrachtskunstenaar. 'Mijn moeder was ziek; de kwaliteit van haar leven was tot een onacceptabel laag niveau gezakt. Mij was gevraagd voor haar te zorgen en ik héb voor haar gezorgd, op de manier die mij gepast leek. Met een flesje pijnstillers, een stamper en vijzel en een glas cassis. Mijn vader kwam de keuken binnen op het moment dat ik het genadige drankje stond te bereiden, en hij werd razend. Belde de politie. Diende een aanklacht in... Mijn moeder was de enige die waardeerde dat ik het had geprobeerd. Hoewel ze de chemotherapie uiteindelijk heel goed heeft doorstaan en daarna helemaal hersteld is.'

'Soms weet ze het zo te spelen dat ze Theo tegen het lijf loopt als hij naar de stad gaat,' vulde Raquel aan, 'en dan stopt ze hem een paar honderd dollar toe. Genoeg om een paar weken boodschappen van te doen.'

De rollen waren omgedraaid, ik was een soort begripvolle ouder, tot de rand gevuld met onvoorwaardelijke liefde. Niets wat ze zeiden of deden en niets wat ik van anderen over hen hoorde zou ooit kunnen maken dat ik hen in de steek liet. Geen inconsistentie in hun verhalen, geen omkering van feit of fictie. Ik was de veroordeling en de acceptatie ver voorbij – het was liefde. De betovering van de liefde. De oudste metafoor ter wereld. Mijn liefde gold hen tweeën samen, dezelfde ondeelbare eenheid die Theo ooit bij Cherry en mij had gemeend te zien en die we ook geweest waren – daar was die vlijmende pijn weer. Los van elkaar waren ze niet lief, maar in liefde samengesmeed eisten, vorderden en bezaten ze mijn liefde. Ik kon niet terug. Maar mijn blaas was onaangenaam, postcoïtaal vol. Ik krabbelde overeind en liep langs Raquel, waarbij mijn been lichtjes langs haar schouder streek, de kamer uit en naar de badkamer.

Ik piste en ging daarna naar de keuken voor een glas water.

Terwijl ik de trap af liep, hoorde ik hen zachtjes verder praten. Ik voelde me een spook en bewoog alsof ik droomde dat ik bewoog. Mijn voeten raakten de grond niet en ik hoefde maar te bedenken waar ik heen wilde of ik was er al. In de keuken vond ik een grote kan kwast op tafel en een glas met smeltende ijsblokjes. Toen ik de trap weer op zweefde, mijn dorst gelest, luisterde ik of ik nog steeds gekwebbel hoorde, maar het enige geluid dat ik hoorde klonk alsof er iemand huilde.

Ik bleef in de deuropening staan. Raquel en Theo zaten met gekruiste benen tegenover elkaar op de grond. Theo hield Raquels hand vast en bestudeerde haar handpalm, als een waarzegster.

Ze speelden zo te zien een soort spelletje – woordspelletje, raadspelletje? Maar ik zag dat dit een ander soort spelletje was. Raquel had haar ogen dicht en haar gezicht was nat. Haar neusvleugels en haar mond zagen er kletsnat en ontstoken uit, als die van een kind dat niet meer kan ophouden met huilen en zichzelf ten slotte in slaap huilt.

Maar Raquel sliep niet; ze praatte, en Theo draaide zich langzaam met zijn vinger op zijn lippen naar mij toe.

'Ik liep helemaal door tot aan het meer,' zei ze. 'Het was daar stiller dan ik kon verdragen. Ik ben teruggekomen om het geluid van jouw stem te horen.

Maar ik zal nooit weten...' zei ze, en haar eigen stem klonk alsof hij ergens uit haar maag kwam. Dieper en op de een of andere manier ook vlakker. 'Ik weet alleen dat het me pijn doet om in jouw buurt te zijn. Alsof ik vanbinnen kook.

Want ik zeg dingen en die glijden gewoon langs je af. Alsof ik met sneeuw naar ijs gooi.'

Theo's hand rustte zachtjes op haar schouder. 'Maar je wilt

toch bij mij zijn? Je hoeft het alleen maar te willen. Je hebt altijd bij mij willen zijn.' Het was een soort voorzeggen wat hij deed, alsof hij haar een bepaald antwoord had aangeleerd. Er klonk ook een lichte ongerustheid in door. Hij was bang voor het echte antwoord.

Maar Raquel bleek toch te slapen, want haar stem begon plotseling te trillen, te glijden, lettergrepen te zingzeggen die ik niet herkende, een soort vloeiende stroom van geluidsproeven. Vervolgens begonnen de lettergrepen samen te klonteren, aan elkaar te plakken, haar mond ging verder open en ze sprak luider en sneller, zodat er woorden uit de losse delen ontstonden. Maar net toen ik meende een reeks woorden te verstaan, een litanie van verklaringen, een salvo van uitingen (was het mogelijk dat ze echt zei wat ik dacht?), schoot Raquel plotseling rechtovereind, alsof iemand aan een draad aan de bovenkant van haar hoofd had getrokken, en zakte daarna voorover op Theo's schoot, waar ze stil bleef liggen. Ik bleef verstard zitten toekijken terwijl Theo haar haar streelde; na een poosje keek hij weer naar mij om, met een ernst in zijn blik die ik nog niet eerder had gezien – ineens als een ouder die zijn enige ware prioriteit beschermt –, en beduidde me dat ik weg moest gaan.

Thuis trof ik mijn vader die me ongebruikelijk genoeg in de keuken zat op te wachten, al even ernstig en beschermend. Czabaj had mijn ouders blijkbaar gebeld, zoals hij had toegezegd, en hen op de hoogte gesteld van mijn veelvuldige absenties op school. 'Waar ben je in vredesnaam mee bezig, Ginger?' vroeg mijn vader. 'Wat ben je van plan? Cherry en jij zijn de laatste tijd een beetje uit de bocht gevlogen. Jullie moeten eens goed over de toekomst nadenken – het is heerlijk om lol te trappen, maar je moet ook de toekomst in gedachten houden. Zie de komende tijd maar als je proeftijd: ik wil dat je elke dag na school op je kamer huiswerk gaat maken, en anders is het uit met de pret. Geen loltrapperij meer voorlopig. Ga nu maar naar boven, dan kun je meteen beginnen.'

Ik ging boven op mijn bed liggen en dacht aan Raquel, die het bos in was gehold en uit ons zicht was verdwenen. Ze had me een keer verteld over haar vermoeden dat ze, als ze zich buiten gezichts- en gehoorsafstand van anderen begaf, ophield te bestaan. Of dat omgekeerd – in het andere geval, maar niet uitsluitend – alles wat zich buiten haar gezicht en gehoor afspeelde ophield te bestaan. Ze wist hoe dat heette. Men noemt het solipsisme, of soms simpelweg zelfbescherming, en probeert het te genezen met psychologie, medicijnen en politiek, en als al het andere faalt met filosofie. Ik begon me af te vragen of mijn maagdelijkheid niet toch intact was gebleven. Misschien had datgene wat Theo en ik hadden gedaan, niet één maar twee keer, helemaal niet plaatsgevonden, aangezien Raquel het niet met eigen ogen had gezien.

30

31 oktober, Halloween

Vorig jaar oktober hadden Cherry en ik ons uitgedost als punkrockers, in T-shirts waarin onze moeders met geoefende hand gaatjes hadden gemaakt, T-shirts met veiligheidsspelden door de stof gestoken en spijkerbroeken die we in het tweedehandswinkeltje van de kerk hadden gevonden en verlucht met kreten die we van de tv en uit de gedrukte media hadden gejat: de A van anarchie, HERE COME THE WARM JETS, GOD SAVE THE QUEEN. Van wie of wat moest die koningin eigenlijk worden gered? Dat wist ik niet precies, maar ik had een antiek lichtgeel telefoonsnoer in onze garage gevonden, het spiraaltype, en dat als een ceintuur om mijn middel gedragen.

Ik was niet van plan me dit jaar te verkleden. Cherry was altijd degene geweest die me meesleepte in spelletjes. Zonder haar had ik zelfs niet meer de neiging een bezoek aan het kasteel te brengen, niet meer sinds mijn aanvaring met de motor van Kip Brossard.

Maar het verraste me hoe blij ik was toen ik een uitnodiging kreeg voor een besloten samenkomst ter ere van allerheiligenavond. Op een kaartje dat tussen de remkabels van mijn fiets was gestoken stond in Raquels handschrift dat er een vrolijk feestmaal zou worden aangericht. Verkleden verplicht. Ik had dus nog één dag om de volmaakte vermomming te vinden: wie was ik eigenlijk? En, belangrijker: wie wilde ik die ene avond zijn? Ik overwoog me als een man te verkleden. Dat zou makkelijk zijn – bijna té. Ik kon Jacks enige das en zijn blauwe blazer uit zijn kast pakken – mijn moeder had al zijn kleren keurig in kartonnen dozen verpakt –, mijn haar onder een honkbalpet stoppen en met het oogpotlood van mijn moeder een dun lijntje op mijn bovenlip tekenen om mijn latente mannelijke kant zichtbaar te maken. Ik zag mezelf al in de woonkamer van de Motherwells staan, kaarsrecht tussen de talloze andere gasten, met een wijnglas in mijn hand, en mijn tijdelijke gezag, mijn vrolijke onbekommerdheid, drillen als een rapier. Raquels lachende, indirect geuite waardering. Theo's snelle, taxerende blik. En wie zou mij nog meer zien in mijn onschuldige rolwisseling? Wie zouden de andere gasten zijn? Was dit een hartelijk gebaar naar het dorp, een housewarmingparty die ze al veel eerder hadden moeten geven? Misschien zou Cherry er ook zijn met Randy, verkleed als heks en spook, of spin en vlieg, of bruid en bruidegom. Haar mogelijke aanwezigheid leverde me een perfecte smoes en ik zei tegen mijn ouders dat ik met haar mee naar huis zou gaan en daar zou blijven slapen.

Maar toen de dag aanbrak, kon ik niet voorkomen dat mijn moeder me hielp met mijn vermomming. Dat was een van haar taken op deze aarde en die zou ze volbrengen; ze stapte kwiek mijn kamer binnen met haar armen vol lappen stof en een handvol glinsterende dingen. 'Lieverd,' riep ze uit toen ik haar mijn sobere uitdossing liet zien, de sportbroek en het overhemd dat ik uit mijn eigen kleerkast had gekozen, het jasje, de das en de pet. Ik wist nog niet precies wat voor schoenen ik aan zou doen... 'Weet je het dan niet meer? Vorig jaar zei je dat je

Ginger uit *Gilligan's Island* wilde zijn! Je naamgenote. Fantastisch idee.' Het was Cherry's idee geweest; zij wilde Mary Ann zijn. 'Ik heb het hele jaar gespeurd naar een jurk, handschoenen en bijpassende sieraden. Kijk!' Ze gooide de lappen op mijn bed en begon ze soort bij soort te leggen. Een lange, strakke, zilverkleurige jurk zonder mouwen, witte handschoenen tot aan de elleboog, een paar puntige glitterpumps van wit satijn. Lange oorbellen met kristallen, een stel glimmende, rinkelende armbanden. 'Ik zal je haar touperen en een moesje op je wang tekenen, dan zie je er prachtig uit.' Zij had al het werk al voor me gedaan, en ik moest het haar nageven: alles zat als gegoten.

Ik zat, gehuld in mijn moeders pluchen pelerine, op de passagiersstoel van de auto van mijn ouders en overzag het onnatuurlijke decor. Als die twee auto's niet op de oprit hadden gestaan, hun eigen twee auto's, zou je hebben gedacht dat het huis onbewoond was. De struiken en bloembedden in de tuin hadden de hele zomer onbelemmerd gebloeid en hun bloesems weer afgeworpen, ze waren volkomen verwilderd en inmiddels weggezonken in een ongeschoolde winterslaap; op de veranda stond nog hetzelfde aftandse tuinmeubilair. Er was geen enkel teken dat de bewoners het huis onderhielden, laat staan daar een eer in stelden. 'Zo te zien ben je de eerste gast,' zei mijn moeder van achter het stuur. Dat idee had ik ook al. 'Weet je zeker dat ze thuis zijn, lieverd? Ik zie nergens licht branden.' Ik zag het zwakke schijnsel van een kaars in de voorkamer, door de vergeelde jaloezie heen, maar voor het overige had ze gelijk. Het huis was donker. Het was tenslotte Halloween... 'Wil je dat ik even mee naar binnen ga? Ik wil je natuurlijk niet op je nek zitten...' Mijn moeder zei het luchtig om niet te laten merken hoe graag ze mee wilde, terwijl dat zonneklaar was. We hadden onderweg naar de Motherwells talloze feestvierders gezien: groepjes wankelende hommels en bloempotten die stevig bij de hand werden gehouden, zwermen basisschoolkinderen die rondzwierven in superhelden- en -heldinnenpakken uit winkels, hooghartige pubers in zo minimaal mogelijke vermommingen die deden alsof het ze niks kon schelen of ze snoep kregen of niet. En de hele tijd zag ik haar vechten tegen haar jaloezie, haar verlangen. Ze was tenslotte actrice geweest, en voor acteurs en actrices is het elke dag Halloween. Ze miste dat en ze had de laatste restjes van haar verlangen in mijn vermomming van dit jaar geïnvesteerd, een echte filmster van me gemaakt, met zwaar aangezette wimpers, een kleverige, glanzende mond en een moesje hoog op mijn linkerwang, tussen de met poeder gecamoufleerde sproeten.

Maar er kon geen sprake van zijn dat ze meeging, en ik hees me in mijn onhandige jurk uit de lage kuipstoel en wankelde op mijn naaldhakken naar het huis, met de onaangename tinteling van haar bedroefde blik die strak op mijn achterhoofd gericht bleef. Dat soort dingen moet je zo snel mogelijk van je afschudden.

Dat deed ik dan ook toen ik de deur opende en naar binnen stapte, met mijn ogen knipperend in het halfdonker. Twee gedaanten zaten stijfjes, haast verstard naast elkaar op de bank in de woonkamer, met als enige lichtbron een dikke ronde kaars op de salontafel voor hen. Ik zag dat het mijn vrienden waren, maar hun vermomming was zo volledig dat ik toch begon te twijfelen. Het leek alsof ze hun eigen huid hadden afgestroopt en in die van een ander jong stel waren gekropen, een stel met een nog hechtere band dan zij, te oordelen naar de manier waarop ze zaten – rechtop, hun schouders, heupen en dijen stijf tegen elkaar als de kantelen van een kasteel.

Raquels volle haar was precies in het midden gescheiden en aan de achterkant in een strak knotje getrokken. Haar gezicht was bleek en onopgemaakt, maar haar donkere jurk had allerlei tierelantijntjes: kant op het lijfje, taps toelopende pofmouwen en een rok met talloze laagjes en zijden linten eraan. Het effect van al die versieringen was dat de overdonderende somberheid van haar lange viltwollen jurk des te meer werd benadrukt. Theo's pak had een aantal bijpassende versierselen die tegelijkertijd rijkdom en verdriet uitdrukten: uit de borstzak van zijn chique jasje stak de punt van een zwartzijden zakdoek, en zijn hoed was rond en simpel, als die van een quaker.

We bleven een hele tijd naar elkaar kijken voordat Raquel het woord nam. 'Je krijgt niet vaak de kans jezelf zo onverbloemd te tonen,' zei ze, en ik bloosde onder mijn poederlaag omdat ik het geraamte van mijn innerlijke zelf voelde, mijn botten die onblusbaar gloeiden onder het dunne zilverkleurige omhulsel. Alles deed pijn; ik wilde dat ik niet alleen de dikke laag make-up kon verwijderen die mijn moeder had aangebracht, niet alleen de jurk die zij van achteren had dichtgeritst, maar ook de huid die me omhulde, dat ik mezelf kon villen om me te bevrijden van de definitiefheid van de indruk die ik maakte. En bij gebrek daaraan wilde ik dat ik de vlek die ik op de wereld had gemaakt kon wegwissen, als een vette vinger van een sneeuwbol.

'Had je niet gezegd dat je als je arme broer zou komen?' Raquels vraag leek oprecht gemeend, maar ik wist zeker dat ik zoiets nooit gezegd had. Dat zou te afschuwelijk zijn geweest voor mijn arme moeder, die toch al zo van afschuw vervuld was op deze dag, dezelfde waarop hij was gestorven. Toen kwam het bij me op dat mijn eerste zwakke benadering van een vermomming, die door mijn moeder was overvleugeld, door een toevallige maar gewiekste toeschouwer zou kunnen zijn opgevat als een onbewuste poging tot een wederopstanding.

'Ik weet dat je hem vreselijk mist,' zei Raquel, en ik voelde weer tranen in mijn ogen prikken, als spelden die uit een speldenkussen ontsnapten. Ik miste hem inderdaad, maar dat zei ik nooit. Na zijn dood hadden mijn ouders het niet vaak meer over hem gehad, maar ze hadden me wel gevraagd of ik een hondje, een kat of een konijn wilde, alsof de Jack-vormige scheur in de wereld kon worden hersteld door iets willekeurig warms en zachts. Ook ik had me aangewend niet over Jack te praten, en hoe meer ik daarover nadacht, hoe zekerder ik wist dat ik het met Theo en Raquel nooit over Jack had gehad. Ik had zijn dood, en feitelijk ook zijn leven, het feit dat hij überhaupt had bestaan, 'voor mezelf gehouden', zoals dat heet, 'in mijn hart bewaard', zoals men zegt. Het was een geheim dat me macht gaf omdat het me onkenbaar maakte. Het was mijn licht dat ik onder een korenmaat had gezet. Hoe kon iemand beweren dat hij me kende als hij het allerbelangrijkste niet wist, iets wat zo groot was dat het me soms dreigde te eclipseren?

'Ik had me er zo op verheugd hem te leren kennen! Een echte vriend, zoals die Cherry van jou, zal altijd bezwijken voor de verleiding van het medeleven. Wat was hij lief, wat hield je veel van hem, en wat erg dat je de last van zijn dood in je eentje hebt gedragen. Niets kan zijn plaats innemen,' vervolgde Raquel, en het duizelde me van de plotselinge pijn van mijn verlangen – mijn broer, Cherry, mijn verloren vrienden –, 'dat is waar, maar dat betekent niet dat hij moet worden vergeten. Vanavond is het de ideale avond voor dit soort herdenkingen. En als we geluk hebben, krijgen we misschien wel bezoek, gezien de datum. Ga zitten, Ginger. Er is werk aan de winkel.' Ze stak me haar hand toe, en de man naast haar stak me eveneens zijn hand toe om de cirkel te sluiten. Een seance. Mijn verdwenen broer, een eenzaam spook. Hij zou het leuk hebben gevonden deze twee te ontmoeten, bedacht ik, zoals hij alles leuk had gevonden wat hem eraan herinnerde dat er een wereld buiten Wick was, de buitenwereld waaruit immers ook mijn moeder tevoorschijn was gekomen, waar mensen namen hadden die we nog nooit hadden gehoord en spanning in de vorm van geluk en problemen, speed en spiritualiën, en waarvan hij de belofte zag in de films waar hij naar keek en hoorde in de muziek waar hij door zijn koptelefoon naar luisterde, dezelfde koptelefoon die hij nog ophad toen hij achter in die auto werd gevonden, een in het niets stampende beat.

En ik bedacht dat hij wel gecharmeerd zou zijn geweest van Theo, die tenslotte nog meer bravoure had dan Randy; en daarna bedacht ik dat het misschien wel heel anders met Theo zou zijn afgelopen als Jack er was geweest, die tenslotte mijn grote broer was. Jack had moeten kiezen tussen de sensatie van het roekeloze gevaar en de onschuld van zijn kleine zusje. Misschien had Jack Raquel wel kunnen krijgen, dacht ik, dat zou zonder meer een goed begin zijn geweest.

Een dreun van dode nieuwsgierigheid, onderdrukt verlangen en loepzuivere ontzetting deed mijn maag kolken en ik draaide me om naar de deur, waarbij mijn schoenen een zwak geluidje maakten; wat waren ze ongemakkelijk en wat wilde ik dolgraag mijn sportschoenen uit de auto pakken. Ik zag het schijnsel van de koplampen nog op de muur van de woonkamer en hoorde de motor stationair draaien. Mijn moeder wachtte.

'Ginger, niet weggaan. Deze nachtmerrie heeft lang genoeg geduurd. Het is tijd dat je wakker wordt.' Raquel stond op van de bank en ik zag dat ik met mijn hakken nu even lang was als zij.

'Niet vluchten, Ginger. Mijn zus en ik zijn erg blij, zeer vereerd, je hier bij ons te hebben.' Theo sprak koel, vlak, en hij pakte Raquels hand, trok haar weer naast zich op de bank en legde hun verstrengelde handen op zijn dij. Zijn blik hield me tegen en ik liet me in een stoel zakken. 'Jack zal blij zijn dat we hem oproepen, net zoals wij blij zijn dat we ons vrijelijk door de wereld kunnen bewegen, dat we boven zijn gekomen. Wij leven ondergedompeld in het slijk van ons beschamende verleden.'

Ik bedacht dat ze gelijk hadden: Jack was een sociaal iemand geweest, met een heleboel vrienden. Hij zou wel eenzaam zijn. Het was ondraaglijk om aan zijn koude graf te denken, op de saaie nieuwe begraafplaats aan de andere kant van het dorp, waar we nooit kwamen. In het begin hadden een paar jongens uit de club waar hij altijd mee optrok het graf regelmatig bezocht en er zelfs een soort altaartje ingericht – zo populair, zo geliefd was hij – maar zelfs liefde kon hem niet van de echte dood redden. Misschien hadden ze hem vanavond wel opgezocht; zouden ze het merken als zijn geest er niet was omdat die bij ons was?

Toen hoorde ik mijn moeders auto achteruitrijden, keren en met een kort bandengepiep optrekken, weg van mij. Ze had gewacht totdat ze zeker wist dat er iemand thuis was.

'Weet je wie wij zijn?' vroeg Raquel, en ik knikte: ik herkende hen van de foto. Of ik herkende hun houding, hun omhulsel, hun verpopping. Ze keken elkaar verheugd aan. 'Wat heerlijk,' zong Raquel, een diep gezoem, en ze bracht haar hand naar Theo's wang. Ze drukte haar lippen, bleek en droog, even op de zijne. 'Bij leven samen, maar te veel. Het stoorde de mensen om ons heen. In de dood verenigd, totdat we werden gestoord. En nu zijn we weer samen in een nieuw leven – met verse lichamen, gescherpte zintuigen en een liefde die sterker is dan ooit – en we blijven hier zolang het mag. Mag het van jou, Ginger?' Raquel strekte haar lange vingers over de tafel om de zijkant van mijn hoofd te strelen. Ik deinsde terug; ik kon het niet helpen. Hun band was in alle opzichten zo onnatuurlijk – hun band met mij. Ik wist niet zeker of ik hen kon helpen, laat staan mezelf. En toen hielp ik mezelf toch. Ik stond op alsof ik wilde weggaan, maar in plaats daarvan deed ik wat elk aankomend filmsterretje onder de gegeven omstandigheden zou doen. Ik viel op de grond en sloeg met mijn hoofd tegen de hoek van de tafel.

Ik dreef de bewusteloosheid in, uit en weer in, als een mus die duizelig is van een ontmoeting met een raam, in een welbewuste poging de toestand van niet-weten te laten voortduren. Mijn hoofd stootte tegen Theo's stevige schouder in de jas terwijl hij me naar boven droeg en ik dook erin, drukte mijn gezicht in de flodderige stof; Raquels adem was warm op mijn wang toen ze een kussen onder mijn hoofd schoof en ik daarmee versmolt; ik stortte me in mijn leven onder een ruwwollen deken, en daarna als een munt in een put weer de duisternis in. Ten slotte sliep ik alleen nog maar, lang genoeg om te dromen van mijn vader en moeder, die doorschijnende maskers droegen waarin de zwartheid van hun hart afstak tegen de witheid van hun schedel, en van mijn broer met een gezicht als een glanzende gouden munt voor mijn raam: *klop-klop-klop*, laat me binnen. Toen ik wakker werd, was dat van de kou. Het was ochtend. Het raam stond open. Het was 1 november en ik lag op het veldbed in Theo's werkkamer met zijn korte broek aan, de derdewereldbroek die hij had gedragen toen ik hem voor het eerst zag, en een T-shirt met de tekst OREGON – DOL OP DROMERS. Mijn hoofd bonsde hevig, vanuit een pijnpunt op de plek waar het was geraakt, en ik trok de deken eroverheen en probeerde te vergeten dat ik wakker was, maar tevergeefs. De recente, weldadige bewusteloosheid was verdwenen om nooit meer terug te keren, en toen ik beneden de geluiden van borden, vorken en lepels hoorde, en iets wat op het fornuis stond te koken en gespreksflarden, besefte ik dat ik rammelde van de honger, en toen ik dat eenmaal besefte, werd ik vervuld van een nieuwsgierigheid naar veel meer dan alleen eten, kennis of welke antwoordende instantie dan ook. Ze beloofde me niets dan de aanvoer van meer, meer. Meer. Ik stond op en ging naar hen toe, wie ze op klaarlichte dag ook zouden zijn.

31
Eind november

Raquel zei dat ze de precieze afmetingen van Wick wilde weten. Aan de keukentafel, bij de koffie. Het was een dag diep in de late herfst, en ik had voor de zoveelste keer besloten niet naar mijn werk in het Top Hat Café te gaan. Ik zou blijven waar ik was. Theo was weer naar de stad om te kijken wat daar te vinden was.

Het was zaterdag en ik wist dat het druk zou zijn in het café, dat veel mensen er even langs zouden gaan voor een milkshake of een tosti, of gewoon voor een kopje koffie en een praatje met een paar dorpsgenoten. Ik had medelijden met Danielle, en met Billy, het bordenwassertje, maar op verzoek van Raquel had ik opgebeld om te zeggen dat ik een zware verkoudheid had. Een najaarsgriep.

Ook op straat zou het druk zijn: bij de gereedschapswinkel liepen mannen in en uit, kinderen groepten samen bij de tijdschriftenwinkel, kauwden kauwgum en dronken uit blikjes fris. Pubers slenterden in groepjes van twee en drie, in telkens andere samenstellingen, doelloos heen en weer. Vrouwen met kleine kinderen op sleeptouw laveerden hun logge lijven de supermarkt in. Dat alles in het winkelgebied van Wick, in het schuin invallende, bedrieglijk milde zonlicht van een middag aan het eind van november.

Raquel was ongedurig rond die tijd. 'Ik wil tussen de mensen zijn,' zei ze nadat ze een lang moment had nagedacht, 'maar ik wil niet een van hen zijn.'

We haastten ons het huis uit en de buitenlucht in, die veel kouder was dan hij van binnenuit had geleken, en stapten in Raquels kobaltblauwe Honda. Er was in weken, misschien wel maanden niet in gereden, en de motor sloeg aan met een geluid als van dobbelstenen die in een beker worden geschud. 'Hij moet eerst een poosje opwarmen,' zei ze, dus we wachtten; Raquel zette de radio aan en stelde hem in op een countrystation. 'Ik had heel goed countryzangeres kunnen worden,' zei ze. 'Ik vind het heerlijk, de woordspelingen, de dubbelzinnigheden, de semantische omkeringen. Een van de vele microkosmische reducties van onze ervaringen tot een dialect en een stijl die pruimbaar zijn.' Ik knikte glimlachend, hoewel ik geen idee had waar ze het over had. Countrymuziek was voor mij gewoon een uitlaatklep voor sentimentele stadslui.

We reden de oprit af en namen Route 7 in zuidelijke richting, naar het dorp toe. Ik zette mijn raampje op een kier open om de muffe lucht uit de auto te verdrijven. Raquel begon opgewekt te converseren. Ik had geen zin om te praten. Op zo'n mooie dag was het voor mij genoeg – meer dan genoeg zelfs – te rijden en te weten dat ik op een veilig, warm plekje zat en dat er niets anders van me zou worden gevraagd dan er zijn, kijken en ademhalen. Door de veiligheidsgordel die over mijn borst liep moest ik daaraan denken, en ook aan zomerse ritjes naast mijn moeder, met Cherry achterin, waarop ik met de afstemknop van de radio zat te spelen totdat mijn moeder zei: 'Ophouden! Genoeg zo!' – en dan giechelden we.

Ik wilde Raquel over dat dromerige, behaaglijke gevoel vertellen. Alle vertrouwde plekjes in het dorp verschenen, en verdwenen weer even snel. Het woord 'vertrouwd' is eigenlijk niet eens van toepassing als je het over dingen hebt waar je altijd bij in de buurt bent geweest. Dan zou je net zo goed kunnen zeggen dat de baarmoeder de foetus vertrouwd is.

Raquel reed heel langzaam langs de huisjes op de heuvel langs Route 7. Links de stomerij van de Perchiks, rechts de fabriek, daarachter de rivierbedding die van noord naar zuid loopt, haaks op de weg. We reden over de betonnen tweebaansbrug die de grens van de dorpskern markeerde.

'Weet je dat ik me precies kan voorstellen hoe jij je voelt?' zei Raquel. 'Echt waar.'

Ik knikte alleen maar. Ze had geen bevestiging nodig. We reden het dorp in en stopten voor het enige verkeerslicht. Bank, schoenenwinkel, apotheek, supermarkt. Vier hoeken. Ze sloeg rechtsaf, Main Street in. We reden langzaam langs de geparkeerde auto's en de winkelende mensen, langs het Top Hat Café en het verzekeringskantoor met de drukkerij van mijn vader erboven. Ik tuurde omhoog en meende even dat ik mijn moeders gezicht voor het raam zag, en dat ze mij ook zag en haar wenkbrauwen optrok. Toen weerkaatste de zon in het raam en waren we er voorbij.

Op het punt waar de winkels ophouden en de huisjes beginnen, sjofele huisjes, keerde Raquel, en we reden weer langs het verkeerslicht en sloegen af richting dorpsplein. Aan de ene kant daarvan hingen wat mensen van school rond die een frisbee naar elkaar overgooiden. Ik meende in het voorbijgaan Cherry's zwarte haar en haar rode corduroy jasje te zien, maar Raquel gaf gas en we hadden het plein, de kerk, de begraafplaats en het gemeentehuis al snel achter ons gelaten en reden op de Old Road, de heuvels in.

'Je hebt geen idee wat er allemaal in mijn hoofd omgaat,' zei ze, en ik raakte ondanks mezelf een beetje geïrriteerd. Dacht ze werkelijk dat zij wel wist wat er in het mijne omging? Ja, dat weet ze, dacht ik toen. Dat weet ze.

'Ieder moment van de dag, of ik nou wakker ben of niet, word ik opgevreten door mijn hersens. En ik vreet hen ook op. Ze vreten zichzélf op, snap je? Ben ik hier echt bij jou zoals jij bij mij bent en geboeid naar me luistert? Het maakt niet uit wat ik tegen je zeg. Begrijp je wat ik zeg?'

Haar betoog ontvouwde zich soepel en gelijkmatig – alsof ze voor de radio sprak, besefte ik – maar ze was bleek en ze leek gespannen. Ze was beslist niet bijna in tranen, maar toch wist ik op de een of andere manier zeker dat ze weldra zou gaan huilen of pasgeleden gehuild had. Spooktranen.

'Als je begrijpt wat ik zeg,' vervolgde ze, 'is dat gewoon de zoveelste waardeloze grap ten koste van mij. O, ik ben een monster, Ginger.' Spottend, haast zachtmoedig. 'Begrijp je het nu? Het zou een wonder zijn als je het begreep.' We stegen steeds meer in ons blauwe autootje op de kronkelende weg, door het heuvelachtige, met pijnbomen begroeide land, totdat we het weidse akkerland bereikten. Oude huisjes, schuren in diverse stadia van verval aan weerszijden van de weg, op onregelmatige afstanden van elkaar tussen de uitgestrekte velden.

We reden maar door. 'Mensenlevens zijn kunstwerken. Compleet met thema, leidmotief en onbeholpen symbolisme. Maar wij worden niet geacht dat aspect waar te nemen terwijl we ze leven. Dat noem ik een vloek. De seconden een voor een laten wegtikken. Vanuit de zetel van de hersenen aan touwtjes ergens achter de oogbollen trekken. Een kwelling.'

De gemeentegrens van Wick kwam meedogenloos op ons af. Het viel me op dat ze nooit twee handen aan het stuur had. Ze liet er altijd één in haar schoot liggen. We hadden inmiddels de top van Wicker Hill bereikt. Raquel keerde de auto, waarbij de achterkant even griezelig boven een greppel hing, en we aanvaardden de terugweg naar het dorp.

Raquel sloeg bij het stoplicht links af, Route 7 op, en we reden weer naar het noorden. We reden langs Mr. Motor, de garage, en moesten om een enorme witte vrachtwagen heen zwenken waar ALLIED TECHNOLOGIES, SPECIALISTEN IN AUTOMOBIELTECHNIEK SINDS 1949 op stond. Ik wees Raquel erop, en er verscheen even een ongeïnteresseerd glimlachje op haar gezicht dat meteen weer verdween.

Langs de Social Club, de oude schuur aan onze rechterhand, de haarspeldbocht en tegen de heuvel op. Weer door het dorpscentrum. Raquel keerde de auto in de richting van de Old Road, naar ik aannam op weg naar de ringweg.

'Ik geloof nog steeds dat de essentie van het mens-zijn ongrijpbaar is, omdat het een kwestie van het bewustzijn van jezelf is. Dat zelfbewustzijn varieert alleen gradueel, al is de variatie enorm. Als ik ooit een eekhoorn zie die me aankijkt en zegt – of zelfs maar de indruk maakt te *willen* zeggen – dat hij maar niet kan beslissen wat hij vandaag zal eten, geef ik het menszijn op en sluit ik me aan bij degenen die hun plaats in de voedselketen kennen... Trouwens, dat doet me denken aan een van mijn favoriete verhalen, de allegorie die alle andere allegorieën overbodig maakt.

Ik weet niet eens meer waar ik het voor het eerst heb gehoord. Ik kan geen verhalen vertellen. Wat ik me er nog van herinner is een lakei, ergens in de bosjes onder het raam van een koning, met een afgedekte schotel. Onder de stolp bevindt zich een zuiver witte slang, gekookt en toebereid om door de koning te worden opgegeten. De koning had een keer gehoord dat je om de taal van de dieren te begrijpen, de bewoners moest eten van dat andere koninkrijk vlak buiten zijn raam, dat van de zeldzame witte slang. Op dit punt word jij, die dit verhaal hoort, geacht je af te vragen van wie hij dat dan had gehoord. Van een tovenaar? Een grappenmaker? Van een haas die de mensentaal sprak soms?

En dus wordt hij door een gloeiende begeerte bevangen. Nu hij over die kennis beschikt, moet hij die ook toepassen: hij beveelt zijn lakei het bos in te gaan, terug te komen met die prachtige, exotische witte slang en hem die als avondmaal op te dienen. Daarmee begint in mijn herinnering het verhaal, met dat schitterende beeld van de vermoeide, triomfantelijke lakei van de koning, die de hele dag in het bos is geweest om die verblindend witte, zeldzame slang te vangen. Wie weet wat voor beproevingen hij heeft doorstaan om hem te pakken te krijgen? Dat kunnen we alleen maar vermoeden. Zie je, dat heb ik nou altijd met verhalen. Het lukt me niet de details in te vullen.

Maar verder met deze spannende geschiedenis! De koning gaat, alleen in zijn prachtig ingerichte slaapvertrek, zitten en verorbert de witte slang. Waarschijnlijk smaakt hij ongeveer zoals kikkerbilletjes, waarvan wordt beweerd dat ze naar kip smaken. Maar wat vettiger en zeniger, vermoed ik. Hij snijdt hem in kleine stukjes, kleine slangringetjes, een soort calamaris, en eet alles op. Daarna klimt hij onmiddellijk het raam uit en loopt het bos in, waar hij, precies zoals hij had gehoopt, vrijuit kan praten met dassen, kraaien, wilde zwijnen en een enkele gazelle.

Hij blijft een paar maanden weg. De uitwerking van het slangenvlees op de taalcentra houdt langdurig aan. En uiteraard verkeert hij in een soort extatische toestand van eenwording met de natuur. De wereld heeft geen geheimen meer voor hem! Hij holt rond door het bos en luistert naar de onverwacht boeiende gesprekken van eekhoorns, die met elkaar kletsen met hun bekken propvol vezels. Hij begrijpt de boskatten als die zich tot hun god richten. Hij heeft communicatieve vaardigheden die over soortgrenzen heen reiken! Hij fungeert als tolk in het bos, legt geschillen tussen haviken en woelmuizen en tussen vossen en jachthonden bij. Hij voelt zich voor het eerst in zijn onwetende, overdadig rijke, hiërarchische leven één met wat hij ziet als de natuurlijke orde der dingen. Maar gedurende al die heerlijke dagen in het bos ziet hij nooit meer een andere witte slang.

Hij heeft namelijk de allerlaatste opgegeten. Dat verneemt hij van een otter. En als de werking van de slang die hij tot zich heeft genomen begint weg te ebben, kan de verslagen koning niets anders doen dan naar huis terugkeren, naar het kasteel, waar hij de rest van zijn leven apathisch en doodongelukkig slijt. Het is immers een veel grotere beproeving om een onuitwisbare herinnering aan een taal te hebben zonder haar te kunnen spreken, dan om die taal nooit te hebben beheerst. Die machtige koning! Die arme koning. Hij herinnerde zich de smaak maar niet de structuur, wist dat hij vroeger iets spontaans, wilds, noodzakelijks kon zeggen, iets wat overal om hem heen werd gezegd, maar herinnerde zich niets van de inhoud, de substantie. Zoals een droom. Niet zoals fietsen – dat vergeet je nooit meer, zegt men. Maar zoals sommige mensen het ervaren van een emotie beschrijven. Liefde bijvoorbeeld. Of is liefde een metafysische toestand? Hoe dan ook, naar men zegt is het beter de liefde te hebben gekend en verloren dan helemaal nooit te hebben liefgehad. Maar zo was het niet voor die koning. Zijn ongeluk was dat hij ooit zoveel had begrepen! En toen was teruggevallen in onbegrip. Het was de zuivere hel. Een telkens ververste hel.' Raquel zuchtte en leunde op het stuur.

We stonden stil aan het einde van de lange toegangsweg, de weg die letterlijk nergens naartoe leidde, of althans niet naar een plaats waar we naartoe konden zonder het leven te laten. Vóór ons was een voetpad dat rechtstreeks naar de oever leidde, naar het verdronken dal van verdwenen voorzaten, verdwenen verhalen, verdwenen namen, waarheden en drijfveren.

Terwijl Raquel de auto keerde, we op weg gingen naar huis en haar veelheid van verhalen in de lucht om ons heen verdampte, vroeg ik me af of zij en ik nu elkaars beste vriendin waren, zoals Cherry en ik vroeger. Maar terwijl de vraag nog bij me opkwam, wist ik het antwoord al: als het zo was, zou ik het me niet hoeven af te vragen. Het is een soort magie – je mag de vraag niet stellen. Ongeveer één keer per jaar onderbraken Cherry en ik midden op een dag die we samen doorbrachten de vormeloze, eindeloze bezigheden waarin we verdiept waren, gedachteloos als twee broodmagere apinnen, om onze lange voorgeschiedenis te overzien en dan steevast tot de conclusie te komen dat het goed was zo. Als dat was afgehandeld, lachten we soms even en gingen weer door met waar we mee bezig waren. Zelfs de beknoptheid van die gedachtewisseling was een teken van ons beider perfectie in verhouding tot elkaar. Wij konden samen kort van stof zijn.

En nu beleefde ik een schitterende herfstdag, een dag om op verkenningstocht te gaan, verhalen te vertellen, te dromen, helemaal in mijn eentje, met alleen dat ene deerniswekkende, praatgrage schepsel als referentiepunt naast me.

Volgens mij was het uitgesloten dat Raquel ooit een beste vriend of vriendin had gehad, tenzij je Theo meerekende, en ik weet niet zeker of iemand die je zou vermoorden als hij de kans kreeg, of die je zou neuken zonder je te kussen, wel je beste vriend kan zijn. Iemand die je op zou eten, of zou toestaan dat je jezelf opat. En naar je zou kijken terwijl je het deed. Maar nu haal ik alles door elkaar: ik was degene die hij neukte zonder één kus. Zij was degene naar wie hij keek terwijl ze at.

Terwijl we langs de oprit van de Motherwells, de school, de Quik Mart en de Lamplighter reden en keerden bij de gemeentegrens van Wick, drong het tot me door dat alles wat Raquel zei feitelijk een uitweiding over één enkel thema was. Ze praatte eigenlijk alleen om de stilte te verdrijven, die voor haar nooit anders dan onbehaaglijk kon zijn. Meneer Endicott had het daar weleens over, over praten alleen maar om je eigen stem te horen, een onderwerp dat hij vaak aansneed als Cherry en ik te lang aan de telefoon hadden gehangen. Uiteraard had hij het mis: we praatten om elkáárs stem te horen. Maar bij Raquel was het meer dan dat. Voor haar was elke stilte, elke onderbreking van het gesprek, méér dan een onderbreking – het was een contractbreuk. In haar bijzijn voelde je je voortdurend geroepen geluid te produceren, woorden uit de lucht te plukken, welbewust gaten op te vullen die bij ieder ander vanzelf gevuld zouden zijn met het aanslibsel van een gemeenschappelijk verleden, gedeelde waarnemingen, een stilzwijgend begrip. Dát was het, besefte ik plotseling, en ik moest me inhouden om niet 'Aha' te zeggen, zachtjes maar toch hardop, als een wetenschapper die te bedeesd is om 'Eureka' te roepen. Bij Raquel was het onmogelijk om van begrip te spreken – ze kon niet tot begrip komen, en al helemaal niet daadwerkelijk begrip hébben. Het was alsof in haar bijzijn de tijd niet verstreek, alsof elke ontmoeting met haar weer helemaal nieuw was, alsof er niet zoiets als een verleden, als continuïteit bestond. Bij haar begon je telkens met een schone lei.

We reden de oprit op, maar we stapten geen van beiden uit. Ik kreeg opeens het gevoel dat dit zo'n moment was als wanneer een stel in een film terugkomt van een afspraakje en het enige wat ze nog moeten doen is afscheid nemen en elk hun eigen weg gaan, maar er moet eerst nog worden vastgesteld wat de aard van dat afscheid is. Raquel maakte geen aanstalten om het portier open te doen en uit te stappen. We draaiden een eindje naar elkaar toe, verplaatsten onze knieën en ellebogen een beetje.

'Je begrijpt inmiddels toch wel waar het allemaal om draait, hè?' vroeg ze terwijl ze niet naar mij, maar in de achteruitkijkspiegel keek. Ik keek achterom, maar daar was niets te zien behalve de overkant van de weg. Toen reed er een auto voorbij, waarschijnlijk het dorp uit, of even naar de Lamplighter om nog gauw naar een paar borsten te kijken voor het avondeten. Ik keek weer naar haar en zag dat ze me vragend aankeek. Ik knikte, schudde mijn hoofd en knikte toen snel weer. Ik bedacht dat ik mijn eigen hoofd er zo letterlijk af zou kunnen schudden.

Ik draaide me nu helemaal naar haar toe. 'Liefde?' vroeg ik schor, waarna ik een hevige hoestbui kreeg. Ze was geschrokken – van de klank van mijn stem, neem ik aan – en toen ze me even schichtig recht aankeek, zag ik in haar ogen iets wat maakte dat ik mijn blik afwendde, maar zij had al eerder weggekeken. Wat het ook was, het was ongelooflijk moeilijk om aan te zien, iets als een kruising tussen een hond die net door een vrachtwagen is aangereden maar niet dood is, alleen zijn ribbenkast is verbrijzeld en zijn hart bloedt in zijn bek, en een steen die net door een spiegelruit is gegooid. Of misschien die ruit zelf.

Er waren tien minuten verstreken. Of eigenlijk weet ik niet precies hoe lang we daar hebben gezeten, alleen dat de zon bezig was onder te gaan en dat het kil was geworden in de auto. We tastten tegelijk naar de portierkrukken en stonden een ogenblik naar de lucht te kijken, die omkranst werd door langwerpige, fijn gegroefde, frisblauwe en roze, bleekoranje en paarse wolken. Hier en daar kwamen er al zwakjes sterren doorheen.

'Dat is nou een echt "uitspansel". Wat een gevoel van saamhorigheid geeft zo'n zonsondergang, hè? Iemand heeft eens geschreven over de enorme kracht van de ondergaande zon en haar positie binnen het pantheon van natuurverschijnselen. De zonsondergang is dan ook werkelijk hét voorbeeld van een gemeenschappelijke ervaring van esthetisch genot, en minus kritische afstand komt dat neer op "schoonheid": de schijngestalten van de objectieve realiteit.

Ik krijg een kind,' vervolgde ze in één adem. 'Over een maand of zes. Hoe lang het ook maar duurt. Wil jij een beetje in huis komen helpen tegen die tijd, als ik zo kolossaal ben geworden dat ik mijn vork niet meer kan oprapen als ik 'm heb laten vallen?'

Ik knikte langzaam, overdacht het scenario. Raquel aan tafel, zo rond als een ton, bleek van de bloedarmoede omdat al het bloed naar het kindje ging. De vork net buiten haar handbereik op de grond. Ik onder de tafel om hem op te rapen. Ik zag de foetus diep in haar binnenste drijven, in het donker, onvoorstelbaar klein voor iets zo ingrijpends. Het kindje zou zwak zijn, speciale zorg nodig hebben. Of misschien was Raquel, zoals ze zelf zo vaak had geopperd, gewoon niet in staat om een leven in haar lichaam in stand te houden. Een inwendig leven.

Maar in werkelijkheid kon ik me alleen maar voorstellen dat Raquels zwangerschap van het blakend gezonde, koninklijke soort zou zijn.

'Ik hoop maar dat we zo lang kunnen blijven,' vervolgde Raquel na een lange stilte. 'Het kan zijn dat we zomaar ineens vertrokken zijn. Je moet nooit blijven als je niet meer welkom bent, Ginger – onthoud dat.'

32

Vakantie. Het was Thanksgiving. Overal in het dorp papieren kalkoenen en glimmende maiskolven; mijn ouders, op krukken aan het formica aanrecht, bezig met het maken van sandwiches met kalkoen en scherp smakende cranberryjam uit een blikje, maakten zich zorgen over mij. Ik vroeg me af hoe de dag zou verlopen. In mijn dorp werd er veel werk gemaakt van Thanksgiving. Er was een optocht door Main Street, met alle kleine kinderen verkleed als Pilgrim Fathers. Veel mensen uit het dorp verkleedden zich ook, hoewel ze alleen maar kwamen kijken, en later zaten ze in vol ornaat op de tribune bij de football-wedstrijd van de middelbare school. Mijn ouders behoorden tot de weinigen die niet hun hele huis insnoerden als een kalkoen. Opeens miste ik mijn ouders verschrikkelijk. Raquel zou me hebben benijd als ze mijn gevoelens had kunnen doorgronden. Een schroomvallige mengelmoes van medelijden, bloed en een visioen: ik zag hen opnieuw voor me op hun treurige, vastberaden tocht door de dag, mijn moeder die borden spoelde voor ze ze in de vaatwasser zette, mijn vader die even achter haar bleef staan om de gespannen spieren in haar schouders in het voorbijgaan te kneden. Ze praatten niet over mij. Ze praatten over Jack, altijd in dezelfde bewoordingen: de belofte die hij was geweest, zijn dwaasheid, zijn eeuwige glorie. Ze huilden. En ik werd almaar ouder. Ik had beloofd om drie uur thuis te zijn; we zouden om vier uur eten.

We gingen op diverse plekken languit liggen, als katten, op banken en voor het vuur dat Theo had aangemaakt. De dag was fris en blauw, heel erg blauw, met enorme novemberwolken die traag door de lucht schoven. Ik voelde een sterk verlangen om te gaan wandelen, in de buitenlucht te zijn, bekende plekken te bezoeken, winkels, de mensen te groeten die ik kende. Of een hoek om te slaan en Cherry te zien. Of misschien moest ik juist de andere kant op gaan, weg van het dorp, over de Old Road naar het meer. Om deze tijd van het jaar waren alle muggen dood en er zou vandaag niemand jagen, want de spanning in de football-competitie op tv was tot waanzinnige hoogte gestegen.

De impuls was voor mij zo ongebruikelijk dat ik me geroepen voelde een toelichting te geven. Ik stond te stotteren met mijn wollen jasje in mijn hand. Theo en Raquel wisselden een veelbetekenende blik en Raquel klopte naast zich op de bank.

'Kom hier eens even zitten,' zei ze. Ik wilde haar onder geen beding van streek maken en daarom ging ik naast haar zitten, maar ik voelde een ongekende drang om uit hun buurt te blijven, zo ver mogelijk weg te gaan, te vluchten.

'Nog niet weggaan,' zei ze half smekend. 'Als je nog eventjes wacht, gaan we met je mee. Ik ben sinds die eerste keer nooit meer bij het meer geweest. Niet te geloven, hè?'

Ik keek haar doordringend aan terwijl ze loog, of maar wat verzon, of het zelf geloofde, maar op haar gezicht zag ik niets anders dan de gebruikelijke inspanning van het praten. Ik wierp een blik op Theo, maar die zat roerloos naar mij te kijken. O, wat verlangde ik ernaar om buiten te zijn, de weg, de straten, het dorp, de wereld te zien – het maakte niet uit, als het maar iets anders was dan het huis en de gezichten van de Motherwells. Ik smachtte ernaar mijn ouders te zien, en ik bedacht dat Theo en Raquel me zouden hebben uitgelachen als ze dat hadden geweten.

Maar ik had het gevoel dat ik hen nu niet alleen kon laten, ook al had Raquel nog maar een dag geleden gesuggereerd dat ze mij misschien wel zouden verlaten. Op dit moment hadden ze mij allebei nodig. Theo beloofde dat hij ontbijt zou gaan maken; zodra hij dat woord had uitgesproken, voelde ik mijn maag rammelen. Hij ging naar de keuken en kwam tien minuten later terug met omeletten, met Zwitserse kaas erdoor gebakken en rijkelijk bestrooid met bieslook.

Onder het eten broedde Raquel een alternatief plan voor de dag uit. 'Het is bijna twaalf uur; laten we een middagdutje doen en dan gaan wandelen, met z'n drieën, over de Old Road naar het stuwmeer. Ik zal mijn camera meenemen. En dan laat ik je later nog wat familiesouvenirs zien – de oude foto's. Of we zouden alsnog naar die begraafplaats kunnen gaan waar je het over had.'

Bij het idee dat Raquel, met haar onhandelbare buitenkant en haar lege binnenste – dat zich nu vulde –, daar tussen de grafstenen zou rondslenteren, voelde ik een golf van walging. Een stomp in mijn maag vol gele eieren: ik kokhalsde. Het was me opgevallen dat ik de laatste tijd vaak misselijk was en dat ik niet veel trek had in iets anders dan popcorn en grote glazen melk.

Het vuur werd snel opgepord, ik ging languit op de bank liggen en Raquel vlijde een roze deken over mijn benen, hoewel ik dat nors weigerde. 'Straks ben je er blij mee,' fluisterde ze, en ze trok de jaloezieën in de toch al schemerige woonkamer omlaag en liep achter Theo aan naar boven.

Ik weet niet hoe laat het was toen ik wakker werd, maar mijn hevige verlangen naar buiten was in mijn slaap niet minder geworden. Ik zag nog daglicht door de omlaag getrokken papieren jaloezieën, die vergeeld waren en vol vliegenpoep zaten, en nam aan dat het nog wel minstens een paar uur licht zou zijn. Ik stond op, schoof mijn voeten in mijn sportschoenen, waarvan ik de veters niet meer had losgemaakt sinds de dag dat Breslak ze aan mijn moeder had verkocht, en trippelde op de platte zolen plichtsgetrouw naar boven om Theo en Raquel te wekken en hen uit te nodigen met me mee te gaan.

Het duurde vreselijk lang voordat ik bij de deur van hun kamer was. Ik weet nog dat ik dacht dat de tijd langzamer ging als je bang was, duidelijk meetbaar langzamer. Maar waarom was ik bang? Ik weet het niet. Misschien kwam het door de schemerige gang, met aan het eind de gesloten deur waaromheen ik geen sprankje daglicht zag. Ze hadden de kamer kennelijk verduisterd. Zouden ze wakker zijn? Misschien waren ze al wakker en lagen ze zachtjes met elkaar te praten. Misschien had Raquel dit slaperige moment midden op de dag uitgekozen om hem van haar zwangerschap te vertellen. Misschien was hij niet helemaal wakker toen ze het vertelde, het in zijn oor fluisterde, zijn oor met de geheime kamers, de duistere windingen en ruimtes vol lucht en wind, en de scherpe geur waarvan ik met het puntje van mijn tong had geproefd, mijn enige liefkozing, die niet werd beantwoord, en misschien schrok hij op uit een droom zonder gedachten, bewúste gedachten, maar alleen met een onderaards verlangen haar te laten ophouden met praten, te zorgen dat ze haar snavel hield, en pakte hij het kussen waar zijn hoofd op lag, rolde zich boven op haar, hield het kussen tegen haar gezicht en drukte het leven uit haar weg. Zou ze tegenstribbelen? Waarom? En zo ja, zou hij dan helemaal wakker worden en beseffen wat hij aan het doen was of, om precies te zijn, wat de gevolgen daarvan zouden zijn?

Maar nu was ik bij de deur, zo doodsbang dat ik zonder kloppen naar binnen stormde; mijn ademhaling ging in harde vlagen, als wind in een zeil. In de donkere kamer lagen Theo en Raquel in één onontwarbare kluwen. Ik knipte het lampje naast het bed aan, trok de dekens weg en onthulde daarmee een elegante, lepelende naaktheid: Raquel leek heel bleek in de omlijsting van zijn schemerige, stofkleurige lijf; haar haast gebeeldhouwd witte lichaam lag loom in slaap, met het donkere haar over haar gezicht en in haar mond. Haar buik vertoonde niet de geringste zwelling.

Lezer, vraag niet hoe ik hen wekte. De lacunes in mijn verhaal zijn in ieders belang. We verlieten het huis in ganzenmars en waren enkele ogenblikken later al bij de Old Road – wederom, vraag me niet hoe we daar kwamen, het enige wat ik me nu nog herinner is de wandeling langs die weg die letterlijk nergens naartoe leidde. Er hing een soort effen afwachtendheid in de lucht. We waren op weg naar een ruïne, een ontwijding, een graftombe, maar dan een die eruitzag als een massa water.

'Dit is de spookachtigste weg die ik ooit heb gezien,' fluisterde Raquel op het ritme van onze voetstappen. We liepen al twintig minuten over het versleten asfalt, door een stervend bos. Kale bomen hingen wezenloos boven ons hoofd. Van de zomer zouden ze weer een gewelf vormen. Nergens een bord of plaquette waarop de voorbijganger erop werd gewezen dat deze weg vroeger ergens heen leidde. Ik herinnerde me dat iemand – mijn vader? meneer Endicott? – me had verteld dat je de overblijfselen van het dorpsplein van een van de verdronken dorpen nog kon zien, een open ruimte tussen bomen op een plateau boven de rest van het dorp. We zochten ernaar, maar vonden een verwarrende veelheid aan open plekken. Na een tijdje gaven we het op. De zon begon onder te gaan en in het gras om ons heen ontwaakten krekels.

'Misschien bereiken we het einde van deze doodlopende weg nooit,' zei Raquel terwijl we voornamelijk zwijgend verder door het bos liepen en de zon steeds lager aan de hemel kwam te staan. 'Misschien komen we wel nooit meer thuis. We keren om en lopen terug, maar we ontdekken dat we, hoe lang we ook blijven doorlopen, nooit meer terugkomen bij het begin van de weg. Het wordt steeds maar donkerder om ons heen en we voelen dat er iets achter ons is, maar als we ons omdraaien zien we niets.'

'Of nog erger...' zei Theo ergens achter mij, maar dichterbij dan hij logischerwijs kon zijn, zodat ik opschrok van het gevoel van zijn warme adem in mijn nek en de woeste geur uit zijn mond, 'nog erger...'

Ik keek achterom – hij was veel te dichtbij, hij was binnen in me – en ik zag een uitdrukking op zijn gezicht die ik niet kan beschrijven omdat het een droom was, het was een droom en ik zat erin, en ik holde weg en omklemde Raquels hand, tenminste, ik dacht dat het haar hand was maar toen ik ernaar keek, toen ik het aandurfde te kijken wat ik vasthield, was het een soort vormeloze ouwe lap van een hand, alsof ik het vlees zomaar van haar botten had getrokken toen ik al mijn kracht mobiliseerde om zo hard mogelijk weg te hollen, om weer terug te komen op het punt waar de weg begon en eindigde, het punt waar Wick begon en eindigde. Ik werd wakker, de lage namiddagzon scheen in mijn gezicht en ik had een droge mond en was nog duizelig van de wegebbende angst. Ik smachtte wanhopig naar water, iets om mijn kurkdroge tong in zijn normale toestand terug te brengen. Ik moest naar huis om te eten. Ik kwam met een ruk overeind vanuit mijn verkrampte zijligging op de bank, zwaaide mijn benen op de grond en ging zitten, maar toen voelde ik een hand op mijn schouder en hoorde ik iemand met een warme adem in mijn oor fluisteren: 'Kijk eens naar buiten, Ginger.'

Ik draaide me om en volgde Raquels vergenoegde blik naar de ramen aan de voorkant, waarachter bij nader inzien toch geen daglicht scheen, maar het flakkerende schijnsel van fakkels. Het was donker buiten – ik moest minstens vijf uur hebben geslapen – en uit de voortuin klonken geluiden van knapperend hout en de stemmen van een groep mensen. Ik wilde naar het raam lopen, maar Raquel versperde me de weg; haar gezicht werd afwisselend verlicht en verduisterd door de flakkerende vuren buiten. 'Niet dichterbij komen,' waarschuwde ze. 'Wie weet wat ze doen als ze je zien. Als we ergens niet op zitten te wachten, is het een woedende menigte. Of misschien zitten we daar juist wél op te wachten.'

'Wie zijn er buiten?' vroeg Theo kalm terwijl hij de kamer in kwam met een arm vol houtblokken voor de haard. Maar ik was al langs hem heen de gang in geglipt en de achterdeur uit gehold. Ik snelde de koude avond in, om het huis heen naar de voorkant, naar het geluid van het vuur, naar de hitte, en verstopte me in gehurkte houding achter een hoek van de veranda. Ik kon alles zien door de spijlen.

Hoewel het tafereel me merkwaardig bekend voorkwam, herkende ik niemand van de samengestroomde dorpelingen met fakkels. Ik nam aan dat ze van de Thanksgiving-optocht kwamen. Mijn ouders zouden daar wel niet heen zijn geweest. De vrouwen droegen lange jurken en sjaals en hun haar was opgestoken. De mannen hadden donkere pakken aan en stijve hoeden op. Ze waren ernstig, maar zichtbaar geagiteerd. Ik zag dat een paar vrouwen vooraan snikten en elkaar vasthielden en dat verscheidene mannen geweren hadden. Een van die laatsten maakte zich uit de groep los en beklom de treden van de veranda. Hij bonsde hard op de deur en riep: 'Stuur haar naar buiten! Lever haar aan ons uit.' Vanuit mijn gehurkte houding zag ik alles in kinderperspectief: de man torende boven me uit, zijn donkere kleding vervloeide met de duisternis om hem heen en zijn woede maakte dat hij een beetje trilde terwijl hij stond te wachten, met zijn armen recht langs zijn zij en het geweer omlaag gericht. Ik vroeg me af of hij op mij wachtte, of er eindelijk iemand was gekomen om mij op te eisen, of het complexe raderwerk van het dorp spontaan tot leven was gekomen als een stuk speelgoed in een kinderfilm. Maar ik bleef niet lang in onzekerheid.

De deur ging open, en ik rekte mijn hals en zag dat Raquel de veranda op werd geduwd en door de man werd vastgegrepen. Hij zette zijn geweer tegen de muur en tastte in zijn zak, waar hij een touw uit haalde. Hij draaide haar om en bond haar handen achter haar rug vast, en nu zag ik dat haar buik opgezwollen was en strakgespannen naar voren stak – niet zoals de deegachtige verdikking van Cherry. Ze hield haar hoofd opgeheven, haar lange haar hing los om haar schouders en haar rode wollen trui en haar blauwe spijkerbroek, die laag om haar heupen hing, detoneerden. Toen haar handen gebonden waren, draaide de man haar opnieuw om, zodat ze met haar gezicht naar de verzamelde mensen toe stond, die hun fakkels hieven en in koor hatelijke beloften begonnen te roepen: 'Ze zal morgenochtend dood zijn, en het leven binnen in haar ook. Ze zal hangen. Ze ís al dood.'

Ik kon Raquels gezicht niet zien terwijl ze met de man de

verandatreden afdaalde en zich tussen de mensen begaf, maar ik zag wel dat ze niet protesteerde, zich niet verzette en kaarsrecht overeind bleef lopen toen een groepje mannen een falanx om haar heen vormde en de hele mensenmassa zich omdraaide en als één man in de richting van het dorp begon te lopen, naar het dorpsplein, waar een galg was opgericht.

Volgens de logica van dromen had ik, voor zover ik wist, op dat moment wakker moeten worden, op het toppunt van angst, ontzetting en machteloosheid, met hevig bonzend hart en badend in het zweet.

Maar ik droomde gewoon door, áls ik droomde, voorbij het punt van maximaal effectbejag, en al dromend kwamen er gedachten bij me op, lucide gedachten, zij het dat ze alle kanten op stuiterden. Wat zal ik doen als ik wakker word? vroeg ik me af. Als het vandaag Thanksgiving is, ben ik al over een paar dagen zestien. Betekent dat dat ik dan meerderjarig ben? Wanneer mag ik stemmen? Ik weet dat ik op mijn zestiende mag autorijden. Maar ik mag voor de wet pas drank kopen als ik eenentwintig ben. Ik geloof dat ik voor de wet wel vanaf mijn zestiende geslachtsgemeenschap mag hebben. En toen overwoog ik in mijn droom om weer naar binnen te gaan en Theo op te zoeken. Er zou niemand in huis zijn behalve wij tweeën en we konden hun grote bed gebruiken. Ik zou tegen het hoofdeinde kunnen steunen als Theo me van achteren wilde nemen. Mijn handen grepen het esdoornhouten hoofdeinde vast en ik voelde zijn lange, keiharde pik tegen mijn kont duwen, tussen de billen – kon hij erin komen? Ik wist niet zeker of het fysiek mogelijk was, maar toen voelde ik zijn vinger daar, helemaal glibberig van een of andere gel – ik zag de tube vanuit mijn ooghoek op het nachtkastje liggen – en hij liet zijn vinger in mijn anus glijden en smeerde de gel uit; toen voelde ik het duwen, het drukken, en toen nog meer, ik werd gevuld en kreeg een gevoel alsof ik onder mijn middel verlamd zou raken, of alsof ik een extra ruggengraat had die me voorgoed kaarsrecht overeind zou houden. Hij stak één hand naar voren om het hoofdeinde vast te houden om zich af te zetten en kneep met de andere in mijn borsten, drukte ze fijn tegen mijn ribbenkast, liet ze weer los, kneep in mijn tepels en liet weer los. En al die tijd ging hij langzaam in en uit mijn kont. Maar toen wilde ik hem in me voelen, op die andere plaats, ik wilde dat hij me neukte en dat zei ik tegen hem.

En weer werd ik wakker, met de stervende woorden nog op mijn lippen, op de bank in de woonkamer van de Motherwells, en keek recht in Raquels gezicht.

Wat ik daar zag was verbijstering. Had ik hardop gepraat? Of had ze mijn droom gewoon gezien terwijl ik hem droomde, eerst haar veroordeling, de opmaat tot haar terechtstelling, en daarna mijn verrukking, een scenario dat ik van A tot Z had overgenomen van de nuttige pagina's van *De Beginner*? Zou ik altijd een beginner blijven? Verbeeldde elke ontmoeting opnieuw, telkens opnieuw het verlies van die onschuld?

Het was opnieuw schemerig buiten, al bijna donker. Ditmaal had ik werkelijk uren geslapen. Ik voelde het aan de stijfheid in mijn schouder op de plek waar die klem had gezeten tussen het kussen en de rugleuning van de bank. Er zat opgedroogd speeksel op mijn wang; mijn ooghoeken zaten vol met korreltjes. Ik ging rechtop zitten, wreef over mijn gezicht en knipperde met mijn ogen terwijl langzaam het verontrustende beeld voor me opdoemde van mijn ouders die aan de feestelijk volgeladen tafel in de eetkamer op me zaten te wachten. Ze deden hun best niet in paniek te raken, niet te beschermend te zijn, zich niet zo krampachtig aan mijn leven vast te klampen als ze eigenlijk zouden willen. Theo kwam opnieuw binnen met een arm vol houtblokken voor de haard. Toen werd er aangebeld – weer dat eigenaardige, knarsende geluid in het stille huis. Dat waren ze misschien wel. We draaiden ons alle drie om naar het geluid en zagen voor het raam, op de veranda, een flakkerend licht, een vlam.

Theo liet de blokken vallen, beende naar de gang en rukte de deur open. 'Dit is toch niet te geloven!' hoorde ik hem roepen, en hij riep tegen Raquel dat ze een emmer water uit de keuken moest halen. Ik kwam achter hem staan en zag voor de voordeur een van de favoriete practical jokes van de pubers van Wick: een in brand gestoken papieren zak met menselijke uitwerpselen – soms ook hondenpoep, als de grappenmaker lui was. De grap is uiteraard dat het slachtoffer in een reflex de vlammen gaat uittrappen, waarbij de stront in de zak alle kanten op spat en schoenen, benen, veranda en muren besmeurt.

Maar Theo was niet paniekerig aangelegd, en evenmin reactionair. Hij wachtte kalm als een donderwolk af terwijl Raquel de emmer vulde en ermee aan kwam lopen, en vervolgens goot hij het water gewoon over de zak, zodat de vlammen doofden. De doorweekte zak met stront lag op de veranda, tot zwijgen gebracht. Theo schoof hem met één voet aan de kant en deed de deur dicht.

33

Het was een avond voor practical jokes, voor vandalisme, en ik deed mee. Ik ging niet op een holletje naar huis; die aandrang sluimerde in me als een gedrogeerde gijzelaar. Ik had gedurende het hele Thanksgiving-diner gedroomd en meende dat ik nu misschien eindelijk het een of andere beschermings-, troost- of terugkeermechanisme had doorbroken. Mijn ouders zouden nooit raden waar ik vanavond was.

'Dit is echt het soort tent waarin zich een groepsverkrachting zou kunnen afspelen.' Raquel stond bij de eenzame flipperkast. Terwijl ze praatte, draaide ze het apparaat met zijn knipogende lichtjes de rug toe en deed alsof ze ruggelings op de glasplaat wilde gaan liggen. Ik was stokstijf bij de deur blijven staan. 'Ik zie het voor me: de heren Grose, Warren en Endicott die in de rij staan om zich te vergrijpen aan een arm, stomdronken Pools meisje.'

Ik moet bekennen dat ik een beetje geschokt was, niet zozeer vanwege de gewelddaad die ze zich voorstelde als wel omdat ze zich vrolijk maakte over de onuitgesproken standsverschillen in het dorp. Ze had het haarscherp gezien; natuurlijk zou het een rossig meisje met dikke benen uit de onderklasse zijn dat door onze vroede vaderen zo ruw te pakken werd genomen. Net zoals diezelfde meisjes van de stam waaraan ook ik was ontsproten steevast al voor hun eindexamenjaar zwanger werden en op hun achttiende de hele dag achter de toonbank van de donutzaak of de apotheek stonden of een uitkering trokken om hun steeds talrijker kroost te voeden. Dat stond allemaal heel ver van mij af.

De Social Club glansde betoverend in het donker. Spiegelende bierreclames weerkaatsten de knipperende lichtjes van de flipperkast en het snoer met kerstlichtjes dat helemaal om de rechthoekige ruimte heen liep. De krukken stonden omgekeerd op de bar. Theo pakte er een, draaide hem om en ging er schrijlings op zitten.

'Iemand een biertje?' vroeg hij, zo nonchalant alsof hij de barkeeper was, of de gastheer op een pokeravondje.

'Ja, graag.' Raquel sloeg dezelfde ontspannen toon aan. 'Zolang het maar geen "light" is. Alles liever dan dat. En geef Ginger ook iets lekkers om door haar keel te klokken.' Ze sprak de k's overdreven energiek uit, alsof ze al aangeschoten was.

'Jij was hier nog nooit binnen geweest, hè lieverd?' Ik schudde mijn hoofd terwijl ik dwars door de ruimte liep om mijn drankje in ontvangst te nemen van Theo, die inmiddels achter de bar stond. Hij leek blindelings de weg te weten in de drankkast, net zoals hij tien minuten geleden precies had geweten hoe hij het raam aan de achterkant zo stil mogelijk kon forceren, waarna hij zich er lenig door had gewurmd en aan de binnenkant de grendel van de inbraakbestendige deur had weggeschoven en ons met een beleefde buiging had binnengelaten, als een uitsmijter of een trotse eigenaar.

Maar ik had, zonder doel of opzet, tegen Raquel gelogen, en ik genoot van die kleine tinteling. Ik was namelijk wel degelijk al een keer in de Social Club geweest, want Cherry en ik waren hier ooit eens op een donderdagavond door mevrouw Endicott heen gestuurd om haar man naar huis te sleuren voor het avondeten. Ik zal een jaar of negen zijn geweest, en ik was verrukt dat ik de kans kreeg in dat geheimzinnige domein door te dringen waar alleen volwassen mannen mochten komen. Ik weet nog dat Cherry voorlijk flirtte met de vrienden van haar vader, die haar tikjes tegen haar kin gaven en haar knuffelden terwijl zij lachend probeerde zich uit hun omhelzing los te maken.

Ik nam aan dat de mannen van Wick genoeg gespreksstof hadden sinds de komst van de Motherwells. Zoiets zei ik blijkbaar ook tegen hen terwijl ik van mijn drankje nipte (dat zoet was, maar een siddering door mijn keel omlaag zond die langs mijn ruggengraat weer omhoog kwam en culmineerde in het gevoel dat er meer lucht tussen mijn oren zat dan eerst), want Raquel en Theo keken elkaar aan en lachten.

'Dat denk ik ook. Wat zullen ze veel te bepraten hebben!' zei Theo gedragen, en Raquel lachte nog harder, kwam haast niet meer bij.

'Wat zijn wij toch mysterieus!' riep ze tussen twee lachsalvo's door. 'Wat zouden ze allemaal over ons zeggen?'

'Ze projecteren al hun fantasieën op ons, denk ik.' Theo had zijn kruk naar de bar toe getrokken en was gaan zitten, met zijn gezicht naar de ruimte toe, zijn ellebogen achter zich leunend op de bar en zijn biertje in één hand. Hij zag er vanavond opvallend lang en mager uit in de zwarte kleding waarin hij zich voor onze escapade had gehuld. Raquel was ook in het zwart, van top tot teen, en ik had wat donkere kleren uit hun laden en kasten aangetrokken die ik voor de gelegenheid had geleend. Ik voelde me lichtzinnig. Het ijs in mijn glas tikte tegen mijn tanden terwijl ik de laatste slok nam. Raquel pakte het glas uit mijn hand, begaf zich achter de bar, begon flessen op te tillen en te kantelen en spoot toen uit iets wat eruitzag als een tandartsinstrument, een fietspomp of een toverstaf iets koolzuurhoudends in het glas.

'Weet je, ons leven hier heeft veel weg van een oude griezelfilm. Alsof het geraamte uit de griezelroman in de kast hangt bij alle pakken en jurken die we nooit dragen. Jong echtpaar verhuist naar dorpje in New England. Het huis is tochtig, de autochtonen zijn argwanend. Vreemde rituelen, onheilspellende voortekenen. Een onbetrouwbare verteller. Loeiende koeien in de weilanden, mysterieuze heidens-religieuze feesten. De jonge vrouw is zwanger! Wat zal zij baren? Is haar ongeboren kind verwekt door een boerse, armlastige plattelandsduivel met een puntmuts? Of zal het licht over de duisternis zegevieren en zal het jonge paar het dorp zo goed als ongedeerd weten te ontvluchten, de snelweg op, met achterlating van donkere wolken en meer van dat soort symbolen? Nou ja, jullie weten hoe dat soort films altijd eindigen.' Raquel zwaaide haar haar naar achteren in het schemerige licht en pakte haar biertje. Haar ellebogen op de bar glansden wit.

'Net als je denkt dat het allemaal voorbij is, dat de strijd is gewonnen en het gewone leven zijn loop herneemt, komt er een aanwijzing, een teken van de duivel, felrode ogen voor het raam of in het wiegje van de baby, of misschien een nieuw jong echtpaar dat de plaats van het oude inneemt, zodat je als lezer weet dat "het goede" eeuwig gevaar loopt, dat de listen van Satan nooit uitgeput raken en dat zijn handlangers onvermoeibaar in mensengedaante op aarde rondlopen en zijn werken doen. Ze sporen je zwakte op en dringen door in je bloedbaan, je collega's, je werk, je persoonlijke relaties, je slaapkamer, je heiligdom, je ogen, je slaap, je rust, je dromen – je dood.' Haar lage stem klonk sonoor door de stoffige ruimte, maar ik had toch mijn twijfels. Ook in het steeds betoverender waas van mijn eerste echte dronkenschap leek het me volstrekt uitgesloten dat er ooit een nieuw jong echtpaar zou kunnen komen dat de plaats innam van dit paar dat ik al gevonden had. En dat mij had gevonden.

'Je hebt hier blijkbaar heel goed over nagedacht.' In Theo's stem klonk maar een heel licht zweem van sarcasme door.

'Bestaat er iets waar ik niet goed over nadenk, schat? Wil je er nog eentje?' Ze maakte twee biertjes open en gaf er een aan hem. Ze namen allebei een grote slok.

'Ik verschil in één enkel opzicht niet van de brave fictieve burgers van Wick: ik maak alles precies zoals ik het hebben wil. Ik maak van dit dorp een schoorvoetend toevluchtsoord, van jou een onwillige zielsverwant, van deze helse plek' – ze duidde met een armgebaar de Social Club aan – 'een decor voor onze asociale neigingen. Snap je 'm?' Ze lachte. 'Asociaal in de Social Club. Als we niet bij ze mogen horen, laten we ze dan in diskrediet brengen en hun spelbrekers zijn... Zullen we? Dan weten we in ieder geval dat we hier echt geweest zijn, en zij zullen het ook niet gauw vergeten. Net als Kilroy, wie dat ook maar was.' Ze pakte een lege fles, hield hem bij de hals vast en gooide hem naar de gedoofde lichtbak boven de bar met op het gekleurde glas de tekst LÖWENBRÄU in grote gotische letters. Bij die eerste klap vloog het glas alle kanten op. Ik beschermde mezelf in een reflex met mijn arm. Ik luisterde een ogenblik naar de relatieve stilte en keek toen weer op, net op tijd om te zien dat Theo een barkruk pakte en hem naar de discobal boven de kleine dansvloer smeet. Minuscule zeshoekige stukjes spiegelglas spatten in het rond. De bal hing er nog, minder spiegelend, en hij voerde een tweede charge uit, waarna hij de smaak te pakken kreeg en rond begon te lopen, de kruk als bot wapen hanteerde en flessen, ramen en glazen stuksloeg. Raquel stond er roerloos naar te kijken als de katalysator die ze was. Toen hij op de flipperkast af liep, zei ze: 'Wacht', en ze pakte een kruk en liep naar mij toe. Ik hield mijn glas met twee handen omvat als een kelk met het bloed van een geofferde maagd. Ze bood me met haar ene hand de kruk aan terwijl ze met de andere het glas van me overnam, een eerlijke ruil.

'Wil je niet?' vroeg ze, alsof ze me probeerde te bewegen een kledingstuk in een winkel te passen of datzelfde kledingstuk, dat als gegoten zat, te kopen. Mijn handen luisterden naar mijn hersenen, gingen omhoog en pakten de metalen kruk vast aan de met vinyl beklede zitting. Ik zwaaide de kruk naar achteren, gromde. Ik had nog nooit zoveel kracht in stelling gebracht tegen wat dan ook, levend of dood. Het voelde alsof ik een ander lichaam had, een lichaam dat beukte, niet meer ophield, weerstand ontmoette maar die met herhaalde inspanning overwon. Het plexiglas was dik, maar ik kwam erdoor. Na een hele poos doofden de lichtjes van het apparaat terwijl de belletjes nog narinkelden.

'Zo voelt het om te doen wat je wilt,' fluisterde Raquel of Theo – ik kon niet uitmaken wie – in mijn oor, en ze namen me de kruk uit handen en leidden me eensgezind door de nu volstrekte duisternis de deur uit en de parkeerplaats op. We stapten zwijgend in Theo's auto en luisterden naar het gebrom en gebonk van de grote generator van de Club in de schuur aan de rand van het parkeerterrein, dat daar abrupt overging in een dicht bos.

Er reed iemand achter ons op de donkere weg. Het viel moeilijk uit te maken hoe ver achter ons, want het betreffende voertuig had zelf geen licht aan en reed door de duisternis voort met onze achterlichten als enige leidraad. Ik draaide me op de achterbank om en zag vaag de weerspiegeling van onze rode en gele lichten in het chroom. Op het punt waar de Old Road een beetje omlaag loopt en wij de ringweg op draaiden, zag ik het silhouet van iets wat op een kameel leek – een motorrijder met een helm? – voorbijschieten tegen de zijkant van de grote oude schuur op de hoek.

We stopten op een van de geïmproviseerde parkeerplekken langs de weg en Theo zette de motor uit. 'Laten we gaan zwemmen,' zei hij. 'Het water is vast warmer dan de lucht. Ideaal voor een nachtelijke duik.'

'Ja, geweldig idee. Daar ben ik nou net aan toe. Wie er het eerst in is!' Raquel gooide haar portier open, sprong uit de auto en verdween als een haas over het pad naar het water. De binnenverlichting bleef branden omdat het portier open was blijven staan, en ik wilde maar dat ze het had dichtgedaan. Alles stond nu in een te scherp reliëf. Degene die ons was gevolgd – en waarlijk, lezer, ik meende het te weten – kon ons nu in de auto observeren als waren we schildpadden in een terrarium. Een motorspook. De geest van een vandaal. De geest van een bezoeker. Mijn ware beschermer, standvastig en tastbaar.

Theo keek Raquel na en draaide zich toen om en keek mij aan. Ik stelde me in het met schaduwen bezaaide interieur van de auto voor dat hij me een innig-geamuseerde blik toewierp. Het restant van zijn laatste blik op haar.

Toen vond zijn warme hand de weg naar de mijne, die op mijn knie lag. 'Jij kunt heel goed voor jezelf zorgen, hè Ginger?' zei hij, en hij hield zijn hoofd schuin zoals je het lemmet van een mes schuin houdt, om het effect van het snijden zo groot mogelijk te maken. 'Jij zult nooit iets doen wat je niet wilt. Dat waardeer ik erg in je. Je ziet het zelden bij mensen. Niet iedereen is zo sterk als jij, en hoe meer je dat in gedachten houdt, hoe beter je voor jezelf kunt zorgen.'

Ik wist helemaal niet zo zeker of het wel klopte wat hij zei, maar hij schoof alle pogingen tot zelfkennis die ik, met mijn botte rapier, ooit had gedaan terzijde. Ik voelde dat ik hem onvoorwaardelijk geloofde, zijn overtuiging in me opzoog, zijn woorden een soort amnestie verleende. Dit was niet de eerste keer dat ik zo ontmaskerd werd, en het zou ook niet de laatste zijn. Als iemand je iets over jezelf vertelt – iets wat hem is opgevallen, wat hij heeft genoteerd, geïnterpreteerd, geconcludeerd –, of het nu waar is of niet, of je het ermee eens bent of niet, of je het begrijpt of niet, is het alsof je geneukt wordt. Iets dringt door in jezelf, neemt de kans waar, soms met geweld, rolt zich boven op je. Het duwt, het eist. In bepaalde extreme omstandigheden verkracht het je. Ik weet nog dat Penrose, toen ik klein was en aan de bar in zijn café een milkshake zat te drinken door een rietje dat heel slim een bocht maakte naar mijn lippen, zei dat ik een pientere meid was en dat een pientere meid niet zo hard hoefde te werken om iets te bereiken in het leven. Dat het goede vanzelf op mijn pad zou komen. 'Wacht maar af, je zult het zien. En als mijn voorspelling uitkomt, moet je hiernaartoe komen en zeggen: "Ha, meneer Penrose, u had gelijk!" En dan sta ik hier nog steeds en geef ik je weer een milkshake.' Ik herinner me nog heel goed het gevoel van naar-binnen-gekeerdheid dat ik had toen ik het café die dag verliet: wat betekende het dat hij alleen maar naar me hoefde te kijken om dat soort dingen te zien? Mijn toekomst te zien? Blijkbaar verstopte ik me niet goed genoeg – ik beschermde mezelf niet tegen de wolken van inzicht, de zwermen indrukken die zich soms om me heen vormden. Ze zouden me kennen! Ik moest ze afleiden, besloot ik, en daarvoor moest ik een soort toverformule hebben. Een onzichtbaarheidsmantel. Ik zou kijken of Cherry en ik er niet eentje konden vinden in het groene boek in de bibliotheek.

Maar onze toverformule had niet gewerkt. Ik weet nog dat meneer Endicott op een zonnige ochtend de badkamer in hun huis binnen kwam benen net op het moment dat ik overeind kwam om mijn onderbroek en broek op te hijsen. Ik was twaalf. Ik was vergeten de deur op slot te doen. 'O, sorry, Ginger,' zei hij, en terwijl hij weer wegging zei hij lachend: 'Jij hebt echt rood haar, hè?' Zijn gelach verwijderde zich door de gang. En hoewel we nog vaak tegenover elkaar zaten aan de eettafel, boven borden met vlees, aardappels en sla, heeft hij daarna nooit meer naar me gekeken.

In de auto klopte Theo op mijn hand, streelde hem toen even en pakte hem daarna vast en bracht hem naar zijn lippen. Ik liet hem begaan, voelde mijn eigen hand nauwelijks. Ik was verstard en dacht aan al die maanden dat ik had gewacht en hem scherp in de gaten had gehouden, verlangend naar een zachte, welbewuste aanraking als deze, een antwoord op de genegenheid die ik voor hem voelde – en nu keek ik toe terwijl hij zijn tong tussen mijn wijs- en middelvinger schoof. Dit kwam al dichter bij een kus, maar het leek er nog niet erg op. Hij liet mijn hand los en keek me aan; ik hoopte dat op mijn gezicht een schroomvallige waardering af te lezen was, al voelde het meer als gêne of bezorgdheid, en ik bleef hem aankijken terwijl hij zijn portier opendeed en zich naar buiten liet glijden. 'Kom je niet?' vroeg hij.

Die ongedwongen uitnodiging – ik moest er wel gehoor aan geven, zoals ik al de hele zomer aan alles gehoor gaf. En over het donkere pad lopen, naar het strand. De halfvolle maan was boven het stuwmeer opgekomen en wierp zijn licht zinloos op de doffe mist die als een lijkwade op het wateroppervlak lag. Op een meter of vijftien van de oever zag ik Raquels hoofd als een bergtop boven lage wolken uitsteken – 'Het is lekker,' riep ze, 'kom er ook in!' – en toen had Theo zijn kleren al uitgetrokken en was hij het water in gehold en ondergedoken. Ik stond kouwelijk in de ijskoude lucht met mijn rug naar de bomen, en de druppels die opspatten en me troffen waren inderdaad warmer dan de lucht.

Theo kwam een hele tijd niet meer boven. Ik zag Raquel in het water om haar as draaien en naar alle kanten kijken waar hij was. Toen gilde ze en verdween ze in de diepte, en het laatste wat ik van haar zag waren haar inderhaast opgeheven handen. In haar plaats verscheen Theo, een zeehondenkop, glanzend en donker. Ik nam aan dat hij in het water op haar schouders stond, haar omlaag duwde, haar verdronk. Ik vroeg me af waar mijn motorspook nu was. Hij had een schim van de motor waarnaar hij had gehunkerd in de bosjes langs de weg gezet en verschool zich nu ergens tussen de donkere bomen, op het pad, misschien wel pal achter me. Lezer, je zult me in de meest letterlijke zin van het woord begrijpen als ik je vertel dat ik een idee kreeg – het verscheen in mijn hoofd als een steen die van grote hoogte valt. Ik liet het toe, hield het vast, bekeek het, werd er bang van, werkte het verder uit. Ik meende, of geloofde – of hoopte en kwam via die hoop tot de overtuiging – dat het mijn broer Jack was die ons was gevolgd en nu naar ons keek. Zijn eenzame geest, die op Halloween was opgeroepen terwijl ik in een schemertoestand verzonken was en zich nu steeds dwingender aan ons opdrong. Hij keurde af wat hij zag, keurde af waar ik me mee had ingelaten of me aan had verbonden. Mijn broer vond iets weerzinwekkend – iets wat ik niet voor mezelf kon benoemen. Er zat iets scheef, en hij zou ingrijpen.

Ik wilde hem zielsgraag welkom heten, ik wilde niet bang voor hem zijn zoals ik logischerwijs voor iedere andere geest zou zijn geweest.

Ik ontspande me en dwong mezelf me om te draaien, zacht kreunend van de inspanning die me dat kostte, maar er was behalve ik niemand op het strand. Althans, niemand die ik kon zien. Mijn ogen waren inmiddels helemaal aan het donker gewend en ik speurde om me heen naar hoog gras, hoopjes dode bladeren, de restanten van een kampvuurtje vlakbij. Als ik heel goed keek, zou ik misschien kunnen voorkomen dat dat alles in lichamen veranderde, wegrottende lijken, groteske residuen, verschijnselen waarop ik altijd bedacht ben aan de oever van het water waar zulke dingen aanspoelen, waar bederf een gegeven is.

Theo gilde en lachte. Ik draaide me weer om naar het water en zag Raquels hoofd naast hem bovenkomen; zij lachte ook en sloeg hem met haar vlakke handen. 'Smeerlap!'

'Hè? Hou je niet van water? Ik dacht dat heksen dol waren op water!' Hij beschreef met zijn ene arm een wijde boog over het oppervlak waardoor er een golf in haar gezicht sloeg en hij naar achteren schoot. Ze proestte.

'Nee, gek, heksen háten water! Weet je dat dan niet meer: "Ik smelt, ik smelt!"' Ze gaf een overtuigende imitatie van een beroemd groen prototype uit een van de oude lievelingsfilms van mijn moeder. 'Ik ga bij je weg,' riep ze pesterig. 'Jij bent duidelijk gestoord...' Ze zette zich loom af en begon met een soepele rugslag verder het meer op te zwemmen. Theo zwom haar achterna, en weldra waren ze allebei uit het zicht verdwenen.

Ik telde de sterren. Ik stelde me voor dat Jack achter me tussen de bomen stond en naar me keek, ademend en verlangend. Voor iets menselijks was ik niet bang. Sterker nog, bedacht ik, als ik me nog een keer omdraaide en mijn broer daar in het donker zag staan, in welke gedaante dan ook, zou ik hem kalm aanspreken en hem vragen me naar huis te brengen.

Ik kon naar huis als ik dat wilde – naar huis, en dan als een klein kind op de grond in mijn kamer in elkaar zakken – dat drong ineens heel dwingend tot me door, als een lucide moment in een droom. Ik kon naar huis. Ik kon wakker worden. Nu meteen.

Theo zwom naar de oever, recht op mij af, alleen.

Hij kwam glinsterend en rillend uit het water en liep naar zijn kleren. Hij veegde zijn gezicht af met zijn T-shirt en trok het aan, en daarna ook zijn trui. Toen kwam hij naar mij toe, naar de plek waar ik op wacht stond aan de oever, ongerept in het donker, en hield me zijn spijkerbroek voor: 'Droog me af,' zei hij. Als een lakei pakte ik de spijkerbroek aan en begon zijn billen en dijen droog te wrijven, ook al was hij ruw en stijf, niet hard genoeg om de huid eraf te schuren maar stevig genoeg om hem een beetje warm te maken. Ik wreef over de binnenkant van zijn dijen. Ik knielde aan zijn voeten en wreef over zijn kuiten. Ik zag dat hij zichzelf, zijn pik, met zijn trui wreef. Ik zat aan zijn voeten en hij stond stijf boven mijn hoofd. Hij hield op met wrijven en nam mijn gezicht tussen zijn handen, bracht het vlak bij zijn kruis en manoeuvreerde zichzelf in mijn mond; zijn hand leidde zijn lid als een microfoon of een metaaldetector. Ik proefde het koude water op zijn huid. Eén kort moment vergat ik de duisternis overal om ons heen en wat daaruit tevoorschijn zou kunnen komen – slechts lang genoeg om eraan te denken dat ik mijn lippen zacht moest houden, mijn tanden er zo goed mogelijk mee moest afdekken en zijn bewegingen moest smeren met mijn spuug. Hij deed de rest, gebruikte mijn mond als een soort holte, een grot, een haard. Het was een armzalige samenwerking. Monotoon en krampachtig. Hij neukte mijn gezicht. Dat ging zo een poosje door, totdat ik het gevoel kreeg dat ik zou gaan huilen. Dat er iets uit mijn gezicht zou komen. Die dreigende eruptie maakte dat ik het geen moment langer uithield. Ik trok me terug, zakte geknield op het zand, deed mijn mond dicht, veegde hem droog en probeerde mijn gezicht, mijn organen, mijn buizen te laten bevriezen zodat de vloed aan tranen niet naar buiten kon. Ik verstarde in geknielde houding en met wijdopen ogen, als een griffioen die eeuwig in de eenzame lucht naast een kathedraal hangt, heel hoog en dicht bij God.

En toen stoof mijn geest tussen de bomen vandaan.

'Wat moet dat, godverdomme?' schreeuwde hij koelbloedig toen hij bij ons was, een soort strijdkreet. Ik voelde de kou die van hem af sloeg, van zijn taaie huid. Het voelde alsof hij een dikkere huid had, als een soort reptiel. Hij was koud en dikhuidig, kleiner en hoekiger dan bij leven. Hij gaf een duw tegen mijn schouders en gooide me achterover in het zand. Daarna draaide hij zich om en werkte Theo tegen de grond, waarbij verscheidene klappen vielen.

Toen kwam er een tweede gedaante tussen de bomen vandaan stuiven, een groot rond hoofd, een motorhelm. Ik rolde me tot een bal in elkaar, bedekte mijn gezicht, een kever met een hard schild.

Ik hoorde iemand naast me huilen voordat ik besefte dat het Cherry was. Of het vertrouwde geluid van haar gesnik maakte me attent op haar aanwezigheid. Ik zal de merkwaardige kakofonie aan de oever die nacht nooit vergeten: het contact tussen huid en vuist was onaangenaam, een dof, niet nagalmend gebeuk zonder ook maar iets van de elegantie of onvermijdelijkheid waarop je door jarenlang tv-geweld bent getraind; haar gesnik was meelijwekkend, wanhopig, gekweld. Ze huilde namens *míj*. Alsof ze me verving.

Ze vochten minutenlang door, en Cherry pakte mijn hand vast terwijl we ernaar keken. Haar gesnik bedaarde en ik hoorde haar geschrokken inademen toen er een bijzonder gemene klap viel. Pas toen Theo erin slaagde lang genoeg aan de greep van zijn belager te ontkomen om snel zijn spijkerbroek en zijn schoenen mee te grissen en als een haas de bosjes in te schieten en weg te rennen over het pad naar de auto – ik hoorde een portier dichtslaan en de motor starten, en daarna het geluid van banden op de zanderige weg –, dacht ik weer aan Raquel, die volgens mij was achtergebleven. De gedaante lag op zijn zij in het zand en wreef over zijn nek. Ik zag zijn langwerpige gezicht in het maanlicht. Een menselijke gedaante, verstoffelijkt in het zand. De simpelste verklaring voor alles. Het was Randy. 'Die vent wilde me wurgen,' zei hij in mijn richting.

Ik vertelde hem van Raquel.

'Godsamme,' zei hij. 'Je bedoelt dat zij nog ergens op het meer is? Shit. Misschien is ze... is ze wel naar de oever teruggezwommen, maar ergens anders dan hier. Of ze is in de war geraakt en kon de weg terug niet vinden. Moeten we haar roepen...?' Ik vertelde hem nogmaals hoe ze heette. Hij liep heen en weer over het strandje en riep de dode naam naar alle kanten.

Er kwam geen antwoord.

'Shit,' zei hij buiten adem. 'Ze kan niet zomaar zijn verdwenen. Hé, is met jou alles goed? Die eikel – het spijt me. Ik had er eerder tussen moeten springen, maar ik...' Ik zag voor me hoe Randy in al zijn stoffelijkheid tussen de bomen gehurkt had gezeten, wachtend op het ideale moment om beschuldigend tussenbeide te komen, maar weifelend of hij het aangrijpende, maanverlichte tafereel wel moest verstoren. Misschien had hij iets geleerd.

Ik bedankte hem.

'Wat we moeten doen,' begon hij, en zijn hoofd zakte voorover tussen zijn schouders, zodat hij nu naar het zand onder onze voeten keek. Hij veegde met zijn hand over zijn voorhoofd en zijn ogen, als om alle onverkwikkelijke taferelen weg te wissen, en haalde toen diep adem, abrupt, haast snuivend, en hernam zich. 'Wat we moeten doen, is de politie waarschuwen. Ik wil het hele verhaal wel vertellen. Wat hij...'

'Wat hij je heeft aangedaan!' Cherry maakte zijn zin af om mij niet verder in verlegenheid te brengen, maar daardoor raakte ik juist wél verder in verlegenheid omdat het me machteloos maakte. In haar versie waren de actieve en de passieve rol omgedraaid: Theo had míj in zekere zin gepijpt. Ik zag mezelf machteloos op mijn knieën in het zand zitten, met een kap over mijn hoofd en geboeid.

'Wachten jullie maar bij de weg. Ik ben zo snel mogelijk terug.' Ik knikte. Randy trok zijn leren jasje uit en gooide het over mijn schouders. Het was onverwacht zwaar, een geleende huid. Hij draaide zich om en liep weg over het pad zonder nog eens achterom te kijken. Cherry pakte mijn hand en maakte aanstalten om achter hem aan te gaan, en ik zag haar, half van me wegdraaiend zoals vroeger in de donkere gangen van het kasteel waardoor we van het ene stille vertrek naar het andere zwierven, Cherry, de oudste van ons tweeën in het koele duister, met een flakkerende fakkel in de hand die niet de mijne vasthield. Maar nu volgde ik haar niet onmiddellijk. Mijn hand gleed uit de hare, en zonder die warmte en het licht van haar menselijke gezicht was ik alleen in het donker aan de rand van het meer. Alleen, zonder geest.

En met een merkwaardige combinatie, een onherleidbare mengeling van ultieme kwetsbaarheid en ultieme macht voelde ik het jasje als een dikke maliënkolder tegen de onversneden, onzegbare gruwelen achter me. De nacht, de dichte bossen, het onvoorstelbaar diepe, in een lijkwade gehulde water, de verdronken meisjes en hun lange levens. De dreigende angst. De zuivere angst.

Epiloog

Jack zou zijn ontsnapt als hij tijd van leven had gehad, dat weet ik zeker.

En omdat ik zelf nog leefde, was ik er altijd van uitgegaan dat ook ik uit Wick weg zou gaan, maar ik was er nooit toe gekomen me voor te stellen hoe of wanneer. Studeren, de meest voor de hand liggende wijze van transport, leek op mijn zestiende nog ver weg, al deed mijn moeder altijd een goed woordje voor haar alma mater als het onderwerp ter sprake kwam. In werkelijkheid kende ik maar heel weinig mensen die verder waren gegaan dan een paar semesters aan de hogeschool op bijna een uur rijden van Wick, en ik kon me moeilijk voorstellen wat het zou inhouden om echt in een verre stad te gaan studeren. Zou ik dan in een studentenhuis wonen zoals in de boeken die ik had gelezen, met tientallen meisjes die ik nog nooit eerder had gezien? Ik stelde me iets voor wat meer leek op de school voor arme meisjes van de jonge Jane Eyre dan op een moderne, met overheidsgeld gebouwde onderwijsinstelling. We zouden slapen in smalle bedden op een slaapzaal. De onmetelijkheid van het beeld deed me denken aan Raquels voorstellingen van de arbeiders in de fabriek: ze waren letterlijk ontelbaar.

Dus misschien voelde ik wel iets als opluchting toen ik besefte dat ik toch in Wick zou blijven. De onherroepelijkheid daarvan drong tot me door toen ik op een mooie dag in april naar de Ramapack-begraafplaats aan Route 7 fietste en daar rondliep op zoek naar de grafstenen van de familie Goode. Mijn neus liep en ik veegde hem af aan de mouw van mijn jasje. De symptomen waren tot dan toe onopvallend geweest en gemakkelijk te verbergen: een afkeer van bepaalde soorten eten die heel goed door mijn recente schokkende ervaringen kon komen, een lichte vermoeidheid, die eveneens gemakkelijk kon worden toegeschreven aan 'wat ik had doorgemaakt', en de al genoemde loopneus. Mijn borsten waren gezwollen en keihard, warm en gevoelig voor aanrakingen, maar het eerste symptoom zou een oppervlakkige waarnemer toeschrijven aan mijn normale lichamelijke ontwikkeling en van het tweede was ikzelf als enige op de hoogte.

Het kostte me niet veel tijd om ze te vinden; het waren er genoeg voor een familiegraf, ruwe maar met gevoel bewerkte stenen met wilgen, urnen en in gebed verstrengelde handen erop, willekeurig verspreid tussen andere stenen als in een poging tot anonimiteit. Emily en haar broer Jacob waren nog geen jaar na elkaar geboren en gestorven. Ze hadden geen behoefte gehad aan een leven zonder elkaar. Emily stierf door toedoen van de meedogenloze dorpelingen. Jacob stierf op zee.

Ik voelde de baby voor het eerst binnen in me bewegen toen ik op de begraafplaats met mijn rug tegen een boom zat, waaraan juist op dat moment lichtgroene puntige knopjes waren verschenen. Hij voelde als een witvis in een kom. In vroeger tijden zou zo'n zwangerschap natuurlijk voldoende aanleiding zijn geweest om een jong meisje uit haar vertrouwde omgeving te verbannen naar een nog saillantere anonimiteit, een stad waar ze samen met haar schaamte tussen de mensen in onzichtbaarheid kon verzinken.

Maar ik voelde geen schaamte. Ik was juist nieuwsgieriger, levender. Dit was iets wat ik niet had voorzien. Daar onder die boom stelde ik me voor dat de baby hartje zomer zou worden geboren, in de schoot van mijn familie. Hij of zij zou samen opgroeien met Cherry's dochter, die te vroeg was geboren, in februari. Cherry had verteld dat ze vaker, regelmatiger, midden in de nacht wakker werd van Randy's nachtmerries dan van het zwakke gehuil van de baby.

Ik schaamde me toen niet en ik schaam me nu niet. Ik ben alleen even – één ogenblik lang – doodsbang als ik me voorstel dat Raquel daar op de begraafplaats aan me verschijnt, dansend, flakkerend, half doorzichtig achter de boom waartegen ik leun, dat ze erachter, achter mij, opduikt in een van haar mogelijke uitdossingen: drijfnat en donker tegen het felle daglicht, stinkend naar verlatenheid en wraakzuchtig.

Nu ben ik een jong meisje, een puber, ooit zal ik volgroeid zijn. Ik weet zeker dat ik ook een baby ben geweest; ik voel mijn eigen warme gewicht terwijl ik me verwijder, bevrijd van alle lasten, zelfs die van mijn eenzaamheid. Mijn moeder wist de weg. Ze bracht me naar een kleine stad op meer dan drie uur rijden van Wick, en daar, op een witte behandeltafel en omringd door zorgzame artsen, voelde ik een prik en toen een ruk. Geen pijn, maar een onaangename kracht waartegen ik me schrap moest zetten, een eeuwigheid die wegschoof van mijn lichaam. Ze hield me vast en fluisterde tegen me terwijl de dokter op mijn gebogen been klopte en mijn operatieschort weer over me heen legde. Vanaf dit punt, zei mijn moeder onverwacht, zou ze me helpen overal te komen waar ik wilde – ik hoefde niet terug naar Wick; ze had informatie ingewonnen en wist verscheidene kostscholen waar ik mijn diploma zou kunnen halen, en daarna kon ik naar een goede universiteit, vervolgde ze, en nog later naar een dromerige stad, dichtbij of ver weg, waar ik met mijn lange benen door lange straten zou lopen. Ik voelde haar warme armen terwijl ze me vasthield en me haar toekomstvisioenen schilderde.

Bovennatuurlijk: als je midden in de nacht wakker wordt, wat mij soms overkomt, vannacht nog, met je handen vredig gevouwen op je borst, als een lijk in een kist in de grond. Een onbewuste voorafschaduwing. Je moet dat soort dingen meteen weer uit je hoofd zetten om verder te slapen. Of wat zou je doen, nu we het erover hebben, als je op een gegeven moment écht iets in het donker achter in je kast zag als je de deur snel opendeed als om het te verrassen? Ik weet niet hoe vaak per dag ik even de tijd neem om te voorspellen wat voor duivelse verschijning me om de volgende hoek opwacht, of in mijn kamer als ik thuiskom. Het is een oude truc, je eigen schepping te slim af zijn: als ik me het van tevoren in alle details voorstel, kan het niet waar zijn. Dan haal ik het leven eruit. Als kind staarde ik elke avond voordat ik ging slapen naar de schaduw op de muur naast mijn bed en vormde die om tot het silhouet van een heks, een oud wijf op een bezemsteel, compleet met wratten. Als dat eenmaal was volbracht, kon ik ervan op aan dat die schaduw nooit meer uit zichzelf zoiets zou doen terwijl ik in het donker lag te slapen.

Maar hier, in Wick, ligt de toekomst waarin ik niet in de steek zal worden gelaten – ik zal worden vergezeld, gesteund en zelfs gekoesterd door mijn vrienden en kennissen. Nou, in het hier-en-nu, nog een keer en nóg een keer. Dit verhaal heeft geen einde, niet in mijn versie en evenmin in enige andere. Een kruis markeert de plaats waar ik rust, waar ik verblijf, en je kunt vanaf de plek waar jij zit of staat niet uitmaken of ik een kruis op een diagram – een plaats, een situatie, een proces – ben of een tijdlijn. Of dit een kaart is, een geschiedenis of een begin.

Woord van dank

Gedeeltes van *De beginners* verschenen eerder in *Open City* en *trnsfr*; met veel dank aan Joanna Yas, Tom Beller en Alban Fischer.

Dank ook aan Joydeep Roy-Battacharya, Janet Steen en vooral Ira Sher, voor hun zinnige commentaar op de tekst, vriendschap en liefde.

En oneindig veel dank aan Bill Clegg voor al die jaren.